AUNG SAN SUU KYI

LE JASMIN OU LA LUNE

D0807703

THIERRY Falise

AUNG SAN SUU KYI

DOCUMENT

LE JASMIN OU LA LUNE

Nouvelle préface de
Jane Birkin

*À tous les habitants de Birmanie,
qu'ils puissent enfin choisir leur destin.*

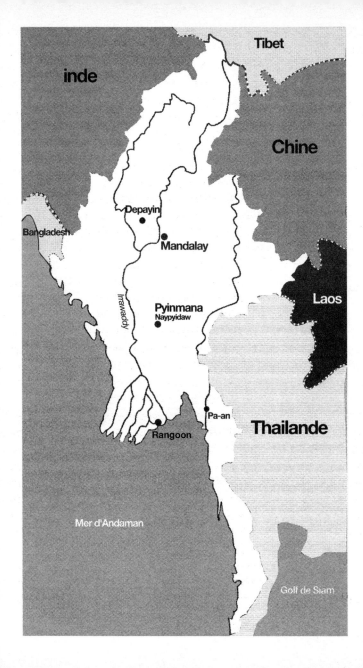

Préface

Elle est arrivée portant un chemisier jaune, couleur de défiance,
Couleur interdite par la junte militaire, pourtant c'est la couleur sacrée des bouddhistes.

Les militaires étaient très nerveux... Superstitieux. Parce que ce jour-là nous étions le 25/9/99 et le 8/8/88 était la date des massacres sanglants des étudiants et de la population deux années avant qu'elle ne gagne haut la main les élections en Birmanie et avant d'être à jamais leur prisonnière.

Visage lumineux, cheveux d'ébène piqués de fleurs, une rebelle magnifique, impertinente, l'audace d'une collégienne, malicieuse et drôle. Cette femme frêle est Aung San Suu Kyi.

Pendant notre entretien d'une heure à l'ambassade de France à Rangoon, j'ai écouté la bravoure d'une femme qui cependant ne s'apitoyait jamais sur son sort, mais se souciait uniquement des autres, du sort de Win Tin en prison à même le sol, vieux poète...
— Est-ce que je pourrais faire rééditer son œuvre ? me questionne-t-elle. Pour qu'on puisse

parler de nouveau de lui ? Pour que peut-être, à cette occasion, ses geôliers le libèrent sous la pression des intellectuels français... ?

Bouddhiste, pacifiste, non elle ne prendra pas les armes contre la junte militaire...

Elle a pitié du tortionnaire car pour sa conscience à lui c'est plus cruel que les coups qu'il donne.

— Qu'est-ce que je peux pour vous ? ai-je demandé, désemparée.

— Faire parler de Win Tin, dit-elle.

Décourager tous commerces avec la Birmanie, tourisme, bois, pétrole... Même le riz, on oblige les paysans à faire deux fois leur récolte. Et ils ne perçoivent pas un centime de plus pour leur travail, ça part pour la corruption...

Aung San Suu Kyi tient un dispensaire, elle administre les vitamines une à une à chaque femme, parce que les médicaments manquent si cruellement qu'elles seraient peut-être tentées de revendre la boîte.

Maligne cette fille de héros... (son père a obtenu des Anglais l'indépendance de la Birmanie, et peu après son retour victorieux, il a été assassiné...)

— Ça doit être dur de vivre loin de vos enfants, ai-je dit.

— Oh non ! sourit-elle avec cette malice d'écolière cependant triste. On ne peut pas les utiliser comme chantage contre moi, ils sont en sécurité, mes compatriotes n'ont pas cette chance.

Je voulais l'aider de toutes mes forces, la protéger... j'ai pu rien...

— Quelle est votre devise ? « cautiously reckless » *(prudemment téméraire).*

— Écoutez les moteurs quand je partirai d'ici... Deux motos et deux voitures militaires me suivront... Dans le temps, je les faisais courser mais maintenant leurs moteurs sont plus puissants que ma voiture, elle rit.

— Pourquoi on ne vous tue pas ?

Elle se retourne avec ce sourire énigmatique et j'ai eu l'impression que je l'ai vue, ma Dame pour la dernière fois.

— Prenez soin de vous, elle me rayonne.

Et, à travers la pluie torrentielle, sa forme gracieuse s'évanouissait.

Par la fenêtre d'où je la guettais... à travers l'ondée tropicale, j'ai entendu une voiture, un moteur, deux, trois, quatre... elle était partie.

On va la tuer, vous le savez maintenant et nous n'aurons rien fait encore une fois...

Bien plus, une compagnie pétrolière française exploite sans scrupule le gaz

dans ce pays dirigé par des militaires terrifiants aux prisons sinistres...

Cette femme trop aimée, trop populaire est dans leurs mains...

Les nouvelles sont préoccupantes... L'accès à son médecin lui est accordé ou refusé selon le gré du SLORC... Toute visite de l'extérieur lui est interdite... Isolée donc de sa famille, des amis bref coupée du monde...

Elle a de moins en moins d'électricité, la nourriture pourrit au frigidaire… Les serpents rampent dans son jardin.

Son beau visage va être à sa mort sur des tee-shirts. De ça j'en suis sûre.

Destin contre quoi je hurle.

Jane Birkin

Depuis cette « dédicace » des choses se sont passées en Birmanie, mais après l'euphorie des manifestations dans la rue, cette vision inouïe de courage des moines, des étudiants n'ayant plus rien à perdre devant l'horreur de la pauvreté et de l'injustice dans leur pays, marchant solidaire pour le parti Démocratique, sûr de notre soutien, de notre aide… Ils ont payé de leurs vies.

Combien de tortures, combien de morts ? Nous n'avons pas bougé le petit doigt pour les aider, la Croix-Rouge est interdite en Birmanie, aucun constat n'a été fait des disparus, des morts. Nos politiciens n'ont rien changé de leur « policy », depuis toujours « business as usual », le silence est retombé sur la Birmanie.

J'ai l'impression que la finance, l'argent sont nos conseilleurs et nos pays sont tous pareils, prêts à fermer les yeux pour ne pas voir les tortures, à se boucher les oreilles pour ne pas entendre les cris et pour conserver leurs intérêts, alors que le sang éclabousse les murs des monastères.

Quand plus tard, les disparitions, le chiffre des morts seront connus, nous feindrons l'horreur, alors que nous étions directement complices de n'avoir pas porté secours à ces personnes en danger, alors que les pressions étaient encore possibles.

« Elle » : quelle déception a t-elle dû ressentir ou bien, dans son cœur bouddhiste, nous a-t-elle plaint de notre lâcheté, de notre « greed », de nos faiblesses habituelles et enfin sait-elle la peine qu'un jour nos consciences ressentiront ?

Pardon Madame de ne pas avoir été à votre hauteur d'intégrité, d'avoir oublié la moralité, peut-être vous vous en doutiez, mais je crains que nous ayons été malheureusement un espoir...

1

Un mercredi de juillet 2006.

8 h 30. Elle soulève le store d'une fenêtre au premier étage. Des petits coups sourds ont retenti du côté de l'entrée. Dans l'embrasure du portail qui s'entrouvre, elle discerne les silhouettes de deux policiers enveloppées de ponchos kaki. Le ciel a dispersé ses premières gouttes de la journée. Elle aperçoit aussi fugitivement le crâne dégarni et les longs cheveux grisonnants du petit homme qui chaque matin vient frapper aux portes d'acier.

L'homme, un de ses plus fidèles gardes du corps de 1988, un des rares à ne pas avoir été contraint à la prison ou à l'exil, vient de confier le sac à provisions à Daw Khin Khin Win. Elle voudrait se rendre elle-même au portail. Saluer l'homme, lui dire combien elle lui est reconnaissante pour sa loyauté et son dévouement. Mais tout contact avec l'extérieur lui est interdit.

Peu avant, de l'autre côté de l'avenue, dans la cahute où ils passent leurs journées à veiller sur la maison la plus célèbre de Birmanie, les policiers avaient étalé le contenu du sac sur une table. Viande, poisson, légumes, condiments, savon, lessive en

13

poudre, chaque article avait été comparé à la liste de la veille.

Tout produit ne figurant pas sur la liste est écarté. C'est le règlement. Comme chaque jour, ils avaient demandé à l'homme de se déshabiller. Ils l'avaient fouillé, sans agressivité, ils se connaissent depuis si longtemps. La routine. Ils savent qu'ils ne se risqueraient pas à tenter d'introduire des articles interdits : livres, magazines, lettres, messages, photos, CD… Le ferait-il qu'il perdrait son rôle si crucial de trait d'union avec le monde extérieur. En plus du sac à provisions, l'homme a le droit chaque matin de délivrer un mohinga, la bouillabaisse de poisson au vermicelle de riz dont se délectent les Birmans au petit déjeuner. Une des échoppes au coin de l'avenue en concocte d'excellents.

Elle voit le portail se refermer. Le sac est maintenant aux mains de Daw Khin Khin Win qui en échange a remis aux policiers la liste du lendemain. Ni viande ni poisson car demain c'est jeudi, jour végétarien.

Les policiers traversent l'avenue et regagnent leur cahute, suivis de l'homme qui vient y reproduire soigneusement la liste sur un bout de papier. Ils croisent un petit groupe d'étudiants, en chemise blanche et longyi vert, qui trottinent vers leur lycée.

Sur la gauche, elle aperçoit entre deux branches les étoffes rouges frappées d'un paon jaune et d'une étoile blanche, le drapeau du Parti, qui pendent tristes et effilochées à une rangée de mâts le long de la palissade de bambou.

Elle ferme le store et s'engage dans le corridor. Instinctivement, son regard accroche une photo encadrée au mur. Un cliché en noir et blanc, jauni malgré sa protection de verre. À gauche, de profil, sa

14

mère, élégante, un bouquet de fleurs noué dans un chignon porté haut, semble suspendue au milieu d'une phrase. Au centre, entassés comme des poupées, elle et ses deux frères. Trois paires de grands yeux ronds fascinés par l'objectif. Quel âge avait-elle ? Un an ? Un an et demi ? À droite, son père, coiffé d'un gaungbaung *blanc, le turban de cérémonie. Il sourit et regarde sur le côté. Échange-t-il un regard amoureux avec sa jeune épouse ? Fixe-t-il un de ses garçonnets ? Elle n'a jamais réussi à percer ce petit mystère. Photo du bonheur. Quelques mois avant la tragédie.*

UNE ORPHELINE SOLITAIRE

Rangoon, 19 juillet 1947.

Le chauffeur immobilise la voiture devant le Secrétariat. C'est une Wolseley noir et marron, une élégante berline anglaise à la proue un tantinet agressive avec sa calandre chromée en forme de bouclier et ses quatre phares inquisiteurs.

En ce samedi matin de juillet, Rangoon est calme. La température atteint déjà les trente degrés. Il y fait rarement moins. Les lourds nuages noirs de la mousson qui encombrent le ciel vont bientôt perdre patience. Les passants se hâtent, parapluie à la main.

Un homme ouvre la porte arrière gauche et descend de la berline. De taille moyenne, il a revêtu une chemise blanche sans col, une veste de soie foncée un peu trop large qui accentue sa maigreur et un *longyi* aux reflets dorés. C'est le

Bogyoke Aung San, le général Aung San. Les Birmans s'habituent de plus en plus à l'apercevoir en civil. Tout au long de ces années troubles, à de rares exceptions près, il n'était apparu qu'en uniforme d'officier, la tête coiffée d'un large képi qui ajoutait quelques centimètres à sa prestance naturelle.

Aung San a trente-deux ans et déjà le passé d'un ancien combattant. À vingt et un ans, l'étudiant fruste, désordonné mais brillant, honnête et charismatique qu'il était alors, avait pris à l'université la tête d'un mouvement de lutte contre le colonisateur britannique. Au cours de la Deuxième Guerre mondiale, avec un groupe de jeunes nationalistes devenu célèbre sous le nom des « Trente Camarades », il s'était allié à l'envahisseur japonais et avait créé l'armée birmane. Tout était bon pour se défaire des Britanniques. Mais l'alliance avec les Japonais n'avait guère duré. Les soldats de l'empire du Soleil-Levant n'avaient réussi qu'à faire changer de maître à la Birmanie. Aung San s'était retourné contre le nouveau colonisateur, participant avec sa jeune armée à sa déroute. Au lendemain de la guerre, en 1945, il avait décidé de lutter sur le terrain politique contre les Britanniques revenus au pays.

En janvier 1947, sous les frimas de l'hiver, il s'était rendu à Londres couvert d'une lourde capote kaki et coiffé de son éternel képi. Il y avait signé avec le Premier ministre britannique Clement Attlee un accord qui donnait enfin son indépendance à la Birmanie. À l'âge où souvent un homme patauge encore sur les sentiers de la maturité, Aung San devenait le héros d'un peuple qui n'avait jamais connu l'unité et encore moins la

16

perspective de la démocratie. Le héros de lende-mains qui ne pouvaient que chanter.

Son beau visage d'adolescent taillé tout en angles, ses yeux perçants, sa bouche déterminée, ses mâchoires serrées et ses cheveux coupés ras sont devenus le symbole vivant d'une nouvelle liberté.

Ce matin, Aung San retrouve ses collègues du Conseil exécutif, sorte de gouvernement transi-toire chargé de la gestion du pays et de la prépa-ration de l'indépendance. Celle-ci, ainsi en ont décidé les astrologues, aura lieu dans cinq mois, le 4 janvier 1948, à 4 h 20 du matin précises. Aung San est vice-président de ce Conseil, l'équivalent d'un Premier ministre, fonction qui lui reviendra au sein du premier gouvernement de l'indépen-dance.

Un garde le salue. Il s'engouffre dans le corridor du Secrétariat, massif parallélépipède de briques rouges construit par les Anglais au centre de la capitale, à deux pâtés du fleuve Irrawaddy et du port où des cargos se bousculent, les cales gorgées de ce riz qui fait la fierté du pays.

Il est un peu moins de 10 heures. Aung San ne prête guère attention à une poignée de jeunes gens qui au même moment se dirigent vers la sortie du bâtiment. L'un d'eux décroche un téléphone posé sur une table à côté de la porte, compose un numéro et dit sur un ton mystérieux : « Les seg-ments de piston sont bien arrivés[1]. » Cet étrange message allait chambouler le cours de l'histoire de la Birmanie.

---

1. *Who Killed Aung San*, Kin Oung, White Lotus.

Quelques minutes auparavant, Aung San avait quitté Tower Lane, un quartier résidentiel discrètement niché au milieu des arbres et des massifs de plantes tropicales à moins de trois kilomètres du Secrétariat. Avec sa famille il occupe un joli manoir blanc de style victorien flanqué d'une tourelle d'angle. Il lui a été donné par un des Trente Camarades, un certain Ne Win qui y vécut quelque temps et qui plus tard deviendra le premier dictateur militaire de Birmanie.

Aung San monte au premier étage du Secrétariat et gagne la chambre du Conseil. Plusieurs membres sont déjà présents. D'autres se sont fait excuser. Des tables ont été disposées en fer à cheval. Bientôt tout le monde est là. Onze conseillers, tous des hommes, se partagent les chaises de chaque côté du Bogyoke. Parmi eux, son frère aîné, U Ba Win, quarante-six ans, conseiller aux Commerce et Fournitures.

Il est 10 h 30. La réunion commence. Au menu, des dossiers sans urgence dont une proposition sur l'abolition de la peine de mort. La lecture de l'ordre du jour a à peine commencé que quatre jeunes hommes en treillis surgissent des escaliers. Ils portent l'insigne de la 12ᵉ Armée, le premier corps d'armée birman créé par Aung San pendant la Deuxième Guerre mondiale. Ils foncent, pistolet-mitrailleur à la main. Un garde tente de leur interdire le passage, ils le repoussent et font irruption dans la salle du Conseil. « Ne fuyez pas, restez assis ! » crie l'un d'eux. Aung San défie l'ordre et se lève. « Feu ! » Un homme tire. Le Bogyoke s'écroule, 13 balles dans le corps. Pendant trente secondes, les quatre assassins vont décharger leurs armes sur les conseillers qui s'écroulent, bousculant tables et chaises dans leur chute. La pièce est noyée dans le sang et l'odeur de poudre. Outre Aung San, six conseillers et un vice-secrétaire venu apporter un rapport mourront, dont deux à l'hôpital quelques heures plus tard. Un des trois survivants raconte : « En un clin d'œil, la salle du Conseil s'est transformée en abattoir. C'était un bain de sang avec des gens morts ou agonisants étendus partout. Je me suis évanoui et j'ai repris conscience à l'hôpital[1]. »

Les assassins se ruent vers l'extérieur en criant « Victoire ! » Un jeune garde du corps veut s'interposer, il est abattu. Un complice les attend dans une Jeep, moteur en marche. Il panique, le véhicule cale. Un des tueurs le pousse de côté, se met au volant et redémarre.

Attirés par le vacarme, les gens accourent. Un vieux résident de Rangoon se souvient : « Au moment de l'assassinat j'étais en classe, dans une école voisine. Nous sommes descendus dans la rue, on a appris qu'ils avaient tous été tués. Je suis retourné à la maison, je l'ai dit à mes parents, tout le monde s'est mis à pleurer. »

Les assassins, eux, ont rejoint la maison de leur commanditaire, à une quinzaine de kilomètres, de l'autre côté de la ville. Il n'est autre que U Saw, Premier ministre de 1940 à 1942 et rival politique d'Aung San. U Saw s'imaginait, avec une naïveté confondante, que la mort violente d'Aung San provoquerait l'anarchie et que le gouverneur britannique, toujours détenteur de l'autorité sur le pays, le nommerait à la tête d'un gouvernement provisoire. Il n'en fut rien. U Saw et ses exécutants

---

1. *Times* de Londres, 20 juillet 1947.

sont arrêtés quelques heures plus tard après une bataille rangée avec les policiers. Le gouverneur britannique nomme, à la succession d'Aung San, U Nu, un de ses compagnons de lutte, mais hélas un homme qui ne possède ni son charisme ni son envergure.

Au manoir de Tower Lane, une servante a préparé la table. Le Bogyoke n'a pas précisé s'il reviendrait pour le déjeuner. Mieux vaut prévenir. Parfois, il ramène des invités à l'improviste. Elle a étendu la nappe, disposé le couvert sur la longue table et aligné les douze chaises de la salle à manger, une pièce baignée de lumière qui s'ouvre sur le jardin. Le téléphone sonne. L'appel est pour Daw Khin Kyi, l'épouse du Bogyoke.

C'est une jolie jeune femme au visage ovale et au port altier qu'accentue un haut chignon toujours garni de fleurs. Aung San et Daw Khin Kyi se sont mariés il y a à peine trois ans, le 6 septembre 1942. Pour beaucoup, ce mariage fut une surprise. Car le Bogyoke ne cessait de répéter qu'il n'avait pour épouse que la cause, celle de l'indépendance de son pays. Il avait même écrit au sujet de ses compagnons de lutte qu'il « serait préférable de les castrer comme des buffles. De cette façon, ils ne seraient pas distraits par les femmes et la romance [1] ».

Mais Aung San a beau se montrer intransigeant avec ses hommes, il n'en reste pas moins un jeune homme normalement constitué. Un jour de 1942, il est hospitalisé à l'Hôpital général de Rangoon, terrassé par un paludisme contracté lors de ses

---

1. « U Ohn Myint », in *Bogyoke Aung San Attoppatti*, ed. Bo Thein Swe cité dans *Aung San*, Angelene Naw.

interminables expéditions dans la jungle et les montagnes birmanes. C'est l'époque où lui et sa jeune armée épaulent le rouleau compresseur japonais qui poursuit vers l'ouest son laminage de la péninsule indochinoise.

Moment de faiblesse ? Déchirure dans la carapace du soldat ? Il s'éprend de l'infirmière en chef, Ma Khin Kyi. Une si charmante jeune femme ne manque pas de soupirants. Des collègues infirmiers mais aussi des médecins, dont l'un des plus éminents du pays, la courtisent assidûment. Aung San, allergique à la défaite et la concurrence, fait comprendre qu'ils ont désormais intérêt à jeter leur dévolu amoureux sur d'autres proies. Par bonheur, le coup de foudre est réciproque. Quelques mois plus tard, l'infirmière épouse l'homme qui est en train de faire basculer le destin de son pays. Par la même occasion, elle devient Daw Khin Kyi, dame Khin Kyi.

Ce mariage surprend et inquiète les compagnons d'armes d'Aung San. Ne va-t-il pas détourner son énergie ? « Le mariage, écrit Angelene Naw, n'a pas emporté la dévotion d'Aung San pour son pays. Au contraire, Aung San avait gagné une compagne compréhensive qui l'encouragea et le soutint dans les nombreuses tâches difficiles qu'il allait affronter[1]. »

Le jeune couple ne perd pas de temps. En trois ans, ils auront trois enfants : deux garçons, Aung San Oo, Aung San Lin, et une petite fille, Aung San Suu Kyi, née le 19 juin 1945. Ce long nom qui, outre celui des parents, comprend également celui

---

1. *Aung San and the Struggle for Burmese Independence*, Angela Naw, Silkworm, p. 94.

de la grand-mère paternelle, Suu, signifie litté-
ralement une « collection brillante de victoires
étranges ».

La servante tend le combiné à Daw Khin Kyi.
« Le Bogyoke est mort. »
Passé le premier choc, la jeune femme fait venir
une voiture et se précipite à l'hôpital, là même où
elle travaille et rencontra Aung San. Les corps de
son mari et de ses compagnons y ont été transportés. Ironie du sort, c'est l'éminent médecin de
l'hôpital, soupirant écarté par Aung San, qui fera
l'autopsie du héros abattu.
Les neuf hommes assassinés entrent dans la
légende du pays.
Le lendemain, la Birmanie se réveille, hagarde.
Le chagrin s'est répandu comme une épidémie
foudroyante à travers les plaines, par-delà les montagnes. Daw San San avait une quinzaine d'années
à l'époque. Elle passait des examens préparatoires
dans sa ville du Nord pour entrer à la prestigieuse
université de Rangoon lorsqu'elle apprit le drame
par la radio. Soixante ans plus tard, le souvenir de
ce funeste jour est encore vivace : « Dès que j'ai
entendu la nouvelle, j'ai pris un bus pour Rangoon.
J'ai beaucoup pleuré, nous pensions qu'avec la
disparition du Bogyoke Aung San, toutes les
malédictions de la terre allaient s'abattre sur la
Birmanie. »
Elle ne croyait pas si bien penser...
Dès le lendemain, les corps des neuf martyrs
sont transportés au Jubilee Hall. Plus de cent mille
personnes, un quart de la population de la capitale,
se massent en silence, sous une pluie rageuse, pour
voir passer le cortège funèbre.

Les corps embaumés sont exposés dans des cercueils de verre. Aung San gît coiffé du *gaungbaung*. Les martyrs seront enterrés neuf mois plus tard dans un mausolée édifié au pied de la pagode Shwedagon, le site bouddhiste le plus respecté du pays.

Ce jour-là, le 11 avril 1948, la procession funéraire, accompagnée de cent moines, s'étirera sur plus d'un kilomètre et demi. Les avions de la toute jeune force aérienne birmane voleront en rase-mottes et lâcheront des fleurs au-dessus du cortège.

Quelques jours plus tard, U Saw, le commanditaire de l'assassinat, et les quatre tueurs seront pendus au terme d'un procès de trois mois.

Entre-temps, le 4 janvier 1948, la Birmanie avait accédé à l'indépendance.

À l'aube, au son des trompettes, des conques et des battements de tambour, le drapeau de l'Union de Birmanie avait remplacé l'Union Jack au mât de l'Assemblée nationale. Plus tard, les gens s'étaient agglutinés le long des quais et des berges de l'Irrawaddy pour assister au départ du gouverneur britannique à bord du *Birmingham*, un croiseur de Sa Majesté.

Il y avait de la joie, de l'excitation, mais chacun songeait au Bogyoke gisant non loin sous un couvercle de verre. Avec le pressentiment que, sans lui, la nouvelle vie du pays s'annonçait beaucoup plus hasardeuse. La réalité confirmera très vite ces craintes. En quelques mois, le pays bascule dans le chaos. Des groupes ethniques, estimant les promesses d'autonomie trahies, une puissante organisation rebelle communiste et des bandits opportunistes transforment les routes et la campagne birmanes en zones dangereuses. Les Karens, un des groupes ethniques indépendantistes, s'emparent d'un quartier de la banlieue de Rangoon et sont empêchés *in extremis* d'envahir le reste de la capitale. La nuit venue, on n'ose s'aventurer dans les rues. Souvent, on perçoit l'écho des combats qui font rage dans la jungle toute proche entre la jeune armée et les insurgés. S'il faut malgré tout voyager dans ces contrées lointaines et peu sûres, on cache ses bijoux dans des tubes de dentifrice ou ses sous-vêtements, on coud l'or dans les plis de son *longyi* ou de sa chemise.

On ironise sur le « gouvernement des six miles », comme si les pionniers de l'indépendance étaient incapables de gouverner au-delà du cœur de Rangoon.

La petite Aung San Suu Kyi n'a que deux ans lorsque son héros de père est assassiné. « J'ai le souvenir de lui me prenant dans ses bras chaque fois qu'il revenait du travail [1], dit-elle. Mais je pense que ce souvenir a peut-être été renforcé par le fait que l'on me le répétait tout le temps. »

Elle grandit dans cette atmosphère d'incertitude où l'espoir et les projets d'une société nouvelle sont lentement aspirés par les tourbillons de l'anarchie. L'espoir, c'est cette débauche d'énergie qui s'épanouit dans une presse libre, des partis politiques indépendants, des entreprises qui vont tirer profit de la formidable richesse d'un pays qui est le premier exportateur de riz depuis le début du siècle

---

1. *La Voix du défi*, Aung San Suu Kyi, p. 101.

et doté de gigantesques réserves de minéraux, de bois précieux et d'hydrocarbures.

Des élections sont organisées mais les gouvernements se succèdent, instables, car le Premier ministre U Nu est décidément trop faible pour lutter contre les forces de l'insurrection. La gestion économique est à sa mesure : désastreuse. Comme le dira Aung San Suu Kyi, « il y avait des ratés dans le système mais au moins les gens étaient libres[1] ».

Daw Khin Kyi, elle, aurait pu choisir une vie confortable de « première veuve » et rester à la maison pour élever ses trois petits orphelins. La figuration n'est pas son style. Elle se présente aux premières élections et est élue au nouveau Parlement. Puis elle prend la tête de plusieurs organismes chargés du développement social tout en restant très active au sein du parti du Premier ministre U Nu à qui, malgré ses faiblesses, elle a tenu à conserver sa fidélité. Elle se lance aussi dans une longue tournée nationale pour promouvoir le développement de la femme birmane, tâche ardue dans un pays où la tradition exige de la femme qu'elle respecte son mari comme un dieu et son fils comme un maître.

Aung San Suu Kyi a quatre ans lorsque sa mère l'inscrit au couvent catholique de Saint-Francis.

Mais, en 1953, une nouvelle tragédie endeuille la famille. Le vendredi 16 janvier en fin d'après-midi, une heure avant le coucher du soleil, Aung

---

1. *Letters from Burma (Lettres de Birmanie)*, 12. 01. 1998. Les *Lettres de Birmanie* furent écrites par Aung San Suu Kyi pour un quotidien japonais entre 1995 et 1998. Certaines furent publiées sous forme de recueil chez Penguin Book en 1996. Elles n'ont pas été traduites en français.

San Suu Kyi joue à l'étage avec son frère favori, Aung San Lin. Il a huit ans, un an de plus qu'elle. Les deux enfants sont revenus de l'école et se détendent dans leur chambre au pied des trois petits lits de bois alignés côte à côte. Ko Ko Lin, comme elle l'appelle, est son frère favori. L'aîné, Aung San Oo, est plus distant, plus solitaire.

« Ko Ko Lin et Aung San Suu Kyi formaient une bonne paire, un duo d'aventuriers », témoigne U Moe Htu, un ancien garde du corps à qui un jour Aung San Suu Kyi se confia.

C'est un petit coquin. Parfois il se lève la nuit pour se glisser dans la cuisine et dérober des friandises qu'il partage en secret avec sa sœur. Un gamin audacieux aussi qui n'hésite pas à braver les hauteurs du toit de la maison pour tenter d'attraper des pigeons là où la petite Suu Kyi se contente de les chasser en claquant des mains.

Ce jour-là, après avoir distrait sa sœur, il décide de descendre au petit étang, une pièce d'eau d'une vingtaine de mètres de côté aménagée en contrebas du manoir, le long de la clôture qui entoure la propriété. Il y fait souvent trempette avec Suu. Une tante l'accompagne, mais au bout de quelques minutes elle remonte à la maison pour aider à la préparation du dîner. Soudain, retentissent des cris. La tante sort du manoir. Elle aperçoit deux voisins qui se précipitent vers l'étang. Il leur faut un quart d'heure pour sortir de l'eau le corps inanimé de Ko Ko Lin qu'ils emmènent aussitôt à l'hôpital. La respiration artificielle n'y pourra rien. Daw Khin Kyi, prévenue sur les lieux de son travail, accourt à l'hôpital. Le soir, elle ramène le corps de son enfant à la maison. Il est enterré quatre jours plus tard dans un cimetière de Rangoon.

Le même jour, on inaugure dans la capitale le premier centre de Démonstration de santé baptisé du nom d'Aung San.

Comme tous les événements qui touchent à sa famille, Aung San Suu Kyi évoquera en quelques mots seulement la noyade de son frère. « Sa mort a été une terrible perte pour moi. À ce moment-là, j'ai ressenti un énorme chagrin. » Mais, ajoute-t-elle, « je ne me suis pas effondrée. J'avais sans doute suffisamment de soutien autour de moi pour pouvoir surmonter mon chagrin[1] ».

Ann Pasternak-Slater, une amie anglaise qui partagea ses années d'études à Oxford, ajoute que bien des années plus tard elle lui en a parlé à plusieurs reprises. « Cela l'avait beaucoup bouleversée car elle était plus proche de ce frère-là que de l'autre. »

Une autre amie, qui la connut à Rangoon dans les années 1990, précise que cette tragédie « avait donné à Aung San Suu Kyi la peur de l'eau, un sentiment de vide. Elle n'avait pas saisi sur le moment mais plus tard elle en avait tiré des enseignements sur la manière d'appréhender la peur ».

Peu de temps après, trop accablée pour continuer à vivre dans ce décor où mourut son enfant, Daw Khin Kyi décide de déménager. Le gouvernement lui donne les clés d'une belle maison, sur l'avenue de l'Université, elle aussi de type colonial, plus modeste que le manoir mais, avantage exceptionnel, bâtie sur la berge du lac Inya. C'est un des deux lacs de la capitale. Deux grosses pattes de mouche d'eau qui grignotent la terre en formant des dizaines de petites criques. Autant de havres

1. *La Voix du défi*, p. 90-91.

de paix où, à l'abri des frangipaniers, des bananiers et des casuarinas, les gens fortunés et les responsables politiques se sont bâti de discrètes et jolies demeures.

Là, Aung San Suu Kyi grandit dans l'ombre de son père. Il est omniprésent. Son effigie orne les billets de banque et des timbres-poste. Des écoles, des stades, des cliniques portent son nom. On le voit à l'entrée de parcs ou de casernes figé dans le bronze ou le plâtre, montant fièrement un cheval blanc… Chaque 19 du mois, en souvenir de l'assassinat de son époux, et plus particulièrement les 19 juillet, sa mère se rend au monastère pour y faire les offrandes aux moines.

À la maison, le monde politique défile. « Nos visiteurs réguliers, écrit-elle, comprenaient un certain nombre de politiciens passionnés, dont tous ne soutenaient pas les mêmes causes, de telle façon que si leurs visites coïncidaient il pouvait y avoir quelques échanges hauts en couleur. Je comprenais vaguement que les communistes et les socialistes ne s'aimaient pas trop[1]. »

Daw Khin Kyi, dès le début de son veuvage, a décidé de ne pas faire de sa progéniture des enfants gâtés. « Ma mère nous a éduqués, mes frères et moi, selon les principes qu'elle pensait que mon père approuvait : l'altruisme, l'honnêteté et le courage[2] », déclare-t-elle. « Nous étions supposés faire toute chose en temps et en heure et de la manière dont on nous avait dit de le faire. Quand j'étais petite, je pensais que maman était beaucoup trop

1. *Letters from Burma*, 12 janvier 1998.
2. *La Croix*, 21-22 avril 1996.

stricte. Avec le recul, je lui suis très reconnaissante. »

Une des anciennes connaissances de Daw Khin Kyi se souvient d'elle comme d'une « femme merveilleuse, remplie de gentillesse et d'intégrité, douée d'un sens malicieux de l'humour mais qui se montrait toujours prudente dès qu'on parlait de politique ».

À douze ans, Aung San Suu Kyi entre au Lycée méthodiste anglais. C'est un long bâtiment blanc et rouge qui s'étire sur une large avenue au centre de Rangoon. Derrière des rambardes et des volets de bois vert foncé, on distingue des couloirs qui mènent aux salles de classe. Chaque matin, les fils et les filles – c'est l'un des rares établissements mixtes de la capitale – des fondateurs de la Birmanie indépendante s'y retrouvent. Les règles y sont strictes et parfois surprenantes. Il est interdit de parler le birman dans l'établissement. Un comble pour les héritiers des fers de lance du nationalisme birman ! Le contrevenant doit se débarrasser de quelques piastres dans une tirelire posée sur le pupitre du maître. Cet étrange ostracisme à l'égard de la langue nationale s'explique par l'époque. Comme souvent, les élites des sociétés décolonisées sont très… occidentalisées. La jeunesse dorée écoute les premiers 45 tours d'Elvis Presley et de Cliff Richard, se rassemble en fin d'après-midi au New Palladium ou à L'Excelsior où l'on projette des films américains et, déjà, les productions indiennes. Les enfants de parents plus libéraux se retrouvent le samedi soir dans des bals où de futurs mariages se complotent. Les autres se contentent de lire dans les journaux l'annonce de ces réunions mondaines.

Aung San Suu Kyi, elle, semble évoluer en marge de ces nouveaux codes sociaux. Comme la plupart des élèves, elle arrive chaque matin à bord de la voiture familiale conduite par un chauffeur. Seul privilège, contrairement à ses condisciples, elle n'a pas besoin d'un garde du corps. Qui voudrait la menacer ? Son père est adulé par tout le pays et puis il a déjà été assassiné...

Mais, sortie de la voiture, la fille du Bogyoke semble ne pas chercher le contact avec ses condisciples. Elle ne s'attarde guère dans la cour ou les couloirs et file directement vers la classe. Souvent on l'aperçoit, avec ses longues tresses, son visage dépourvu de *thanaka* (le maquillage traditionnel birman) et son uniforme – chemisier blanc et robe marron – qu'elle porte au plus classique alors que d'autres jeunes filles arborent des broderies et osent s'essayer à des jupes plus courtes, s'asseoir seule à son banc, un livre ouvert, attendant l'arrivée du professeur. « Suu, raconte l'ancienne connaissance de la famille, était une enfant réservée, timide, toujours polie avec de bonnes manières, très bien éduquée par sa mère. »

Cho Cho Kyaw Nyein, fille d'un des premiers compagnons de lutte d'Aung San qui devint par la suite ministre de l'Intérieur, avait deux ans de moins qu'Aung San Suu Kyi et fréquentait le même lycée. Elle se souvient très bien de la jeune Suu Kyi : « C'était une solitaire, elle se tenait à distance des autres, elle était très intelligente, très calme, très jolie et gardait un profil bas. » Mais elle reste tout de même la fille du Bogyoke. Cho Cho était à l'époque une bagarreuse. « Je me battais avec beaucoup d'autres filles, j'étais une enragée. Mais mon père, qui était resté très attaché au souvenir d'Aung San, m'avait mise en garde : "Tu peux te quereller avec n'importe qui mais pas avec Suu Kyi, elle a perdu son père, il faut la laisser tranquille." »

Cette solitude se nourrit-elle du fantôme omniprésent de ce père disparu ? Du souvenir de ce frère adoré horriblement enlevé à son enfance ? Qui sait. La jolie adolescente, brillante étudiante de surcroît, s'est trouvé une intime complicité avec d'autres camarades : les livres. Des ouvrages pour enfants, elle est vite passée aux policiers. « Mon introduction au roman policier se fit de façon très conventionnelle, grâce à Sherlock Holmes, écrit-elle [1]. J'avais environ neuf ans lorsqu'un cousin m'a captivée avec l'histoire de *L'Escarboucle bleue*. » Puis elle a découvert les classiques. « Vers quatorze ans, j'étais un vrai rat de bibliothèque. Par exemple lorsque j'allais faire des courses avec ma mère, j'emportais un livre [2]. » Elle confie à plusieurs reprises que, toute jeune, elle voulait devenir écrivain.

En 1960, elle a quinze ans. Le destin, cette fois avec une main plus heureuse, la convoque pour une nouvelle étape cruciale de sa vie. Le gouvernement birman a nommé sa mère ambassadrice en Inde. Daw Khin Kyi devient la première femme, dans la courte histoire de la nation, à se voir conférer cette mission. C'est un poste important. L'Inde est, avec la Chine, un des deux voisins géants de la Birmanie. Le pays est alors dirigé par le pandit Nehru, lui-même héros de l'indépendance. Nehru

---

1. *Letters from Burma*, p. 139.
2. *La Voix du défi*, p. 73.

avait reçu Aung San à Delhi, quelques mois avant son assassinat, en quasi-chef d'État. C'est donc la veuve d'un ami qui lui présentera ses lettres de créances.

Aung San Suu Kyi s'envole avec sa mère pour ce gigantesque pays dont elle connaît par bribes l'histoire mouvementée de l'indépendance. Son frère aîné, Aung San Oo, a été envoyé peu auparavant dans un pensionnat anglais, le Dover College, un établissement du Kent fréquenté par les enfants d'une élite cosmopolite, sous la garde de la sœur d'un diplomate britannique, ami de Daw Khin Kyi. Il ne s'y plaira pas et s'inscrira à l'Imperial College de Londres où il fera des études d'ingénieur.

2

8 h 40. *Elle se dirige vers l'escalier. Et si le sac d'aujourd'hui contenait du fromage, du cottage ou de la tome, comme ceux qu'elle goûtait parfois chez des hôtes occidentaux ? Ou du chocolat ? Elle se contenterait d'une de ces barres de noir légèrement amer. Elle n'ose rêver du Lindt Extra Creamy que des amis lui apportaient parfois de l'étranger, quand elle était libre. Elle avait plaisanté avec l'un d'eux. « Ce chocolat, c'est si bon, mais n'allez pas penser pour autant que je me ramollis... » Elle a inscrit le chocolat sur une liste il y a plusieurs semaines. C'était une entorse à ses propres prescriptions, ne commander que des produits simples afin de ne pas compliquer les choses.*

Elle a fait une croix sur les parfums, les fromages ou d'autres articles qu'elle sait difficile à trouver. Elle se souvient de cette commande d'une crème d'entretien capillaire qu'elle avait faite au début de cette période de détention. Elle avait remis une publicité pour ce produit découpée dans un vieux magazine. Jamais il ne lui était parvenu. Comment aurait-elle pu savoir que la marque ne les fabriquait plus !

Leur règlement à eux stipule que des articles peuvent être livrés plus tard s'ils ne sont pas disponibles au jour de leur inscription sur la liste. C'est pourquoi

l'homme conserve les listes précédentes, soigneuse-
ment agrafées en liasses correspondant chacune à
un mois. Elle secoue la tête. Tant d'efforts pour un
morceau de chocolat !

Cette obsession des militaires à vouloir la domp-
ter...

N'ont-ils pas commencé il y a bien longtemps ?

UNE IMPRESSIONNANTE JEUNE FILLE

À Delhi, où elle passe quatre ans, Aung San Suu
Kyi mène l'existence classique, confortable et stu-
dieuse des enfants de l'élite. Le gouvernement
indien a mis à la disposition de sa mère une
vaste maison entourée d'un paradis de jardin. En
quelques mois, elle se métamorphose en une jeune
fille qui met en émoi les jeunes gens de la bonne
société indienne. Elle abandonne les longues
nattes de ses années de gamine au profit d'un
chignon piqué de fleurs qui deviendra bien plus
tard sa marque distinctive. Mais c'est surtout le
regard qui s'est affirmé. Intense, profond, scruta-
teur, dont on ne s'échappe qu'intimidé ou envoûté.
C'est le regard de son père. Troublant mimétisme
qui fait revivre le héros martyr. Le visage a davantage hérité de l'ovale de la mère mais les années
creuseront légèrement la mâchoire pour lui
sculpter cette détermination paternelle qui avait
intimidé bien des interlocuteurs.

Elle poursuit brillamment des études au prestigieux lycée pour jeunes filles de Sri Ram et
découvre en Inde une vie sociale et culturelle très
riche. Sa mère, veillant à son éclectisme, l'inscrit

à des cours d'équitation, de broderie, d'art floral, de cuisine, de piano. Elle semble s'épanouir dans ce milieu cosmopolite, s'y fait beaucoup d'amis. Ses années indiennes font de l'adolescente un peu misanthrope une jeune femme plus ouverte et sociable.

Au gré des réceptions et des garden-parties, elle croise les enfants des gens qui comptent en Inde. Parmi eux les petits-fils du pandit Nehru, dont Rajiv Gandhi, futur Premier ministre et martyr – comme son père, il sera assassiné – de l'Inde.

« Pour Suu, écrit Man Tan E, une vieille amie birmane de la famille, l'Inde a été une expérience palpitante, vitale. Les souvenirs et l'amour qui la lient à ce pays n'ont rien perdu, aujourd'hui encore, de leur force [1]. »

Lorsque le destin l'appellera à Rangoon vingt-cinq ans plus tard, Aung San Suu Kyi parlera « beaucoup de l'Inde, de la culture, des arts, de la presse et de la démocratie de ce pays », confie une amie. Un attachement très affectif. Lorsqu'en 1997, à l'occasion de la mort de Mère Teresa, elle se rendra à l'ambassade d'Inde à Rangoon pour signer le registre de condoléances, elle sera déçue de ne pas avoir été accueillie par l'ambassadeur d'Inde qui pour des raisons politiques avait choisi de rester chez lui. « Ce sera comme une trahison de ses idéaux sur la démocratie en Inde », interprète cette amie.

Chaque jour, de Rangoon, les nouvelles de Birmanie arrivent sur le bureau de madame l'ambas-

---

1. Aung San Suu Kyi, *Se libérer de la peur*, Des femmes, Antoinette Fouque.

sadrice. Elles ne sont guère réjouissantes. Le pays ne parvient toujours pas à se construire une indépendance stable. Le Premier ministre U Nu est dépassé par l'incurie économique et les rébellions qui continuent à se développer un peu partout. En mars 1962, le jeune général Ne Win, celui-là même qui avait offert le manoir à Aung San dans les années 1940, saisit le pouvoir lors d'un coup d'État. Ce putsch est plutôt bien accueilli par une population lasse des luttes de faction et de l'anarchie. On donne en tout cas une chance au nouveau maître de Rangoon. « Il va maintenant devoir bien expliquer ses choix politiques. Pour ce que l'on sait de lui, ils seront probablement judicieux et modérés », écrit un éditorialiste du *Times*[1].

Le quotidien londonien, comme beaucoup, s'était totalement fourvoyé dans son analyse de l'avenir birman. En quelques années, sous couvert d'une obscure doctrine dite de la « Voie birmane vers le socialisme », d'abord concrétisée par une brutale vague de nationalisations, Ne Win plongera son pays si prometteur dans les ténèbres d'une dictature ubuesque, où la moindre décision sera guidée par une cour d'astrologues et de numérologues. Le pays se refermera sur les chimères de l'autarcie comme une gigantesque huître et Ne Win rejoindra pour plus de deux décennies le pathétique club des tyrans de la planète.

Ne Win sait pouvoir compter sur un profond ressentiment xénophobe d'une partie de la population, héritage, entre autres, de décennies d'une colonisation qui s'appliqua à démanteler méthodi-

---

1. *Times* de Londres, 3 mars 1962.

quement les institutions politiques et religieuses et qui n'a jamais été digérée.

Le nouveau présidium entretient la légende d'Aung San, père fondateur de l'indépendance. Il confirme donc sa confiance à sa veuve Daw Khin Kyi en la maintenant à son poste d'ambassadrice.

En arrivant à Delhi, la famille Aung San avait eu le plaisir de retrouver Paul et Patricia Gore-Booth, un couple d'Anglais avec lequel elle s'était liée d'amitié à Rangoon lorsque Paul y était ambassadeur de Grande-Bretagne. Il était maintenant Haut-commissaire de Sa Majesté en Inde.

En 1964, Daw Khin Kyi décide d'envoyer sa fille étudier à Oxford, en Grande-Bretagne. La décision a été facilitée par la proposition des Gore-Booth, sur le point de quitter l'Inde, de la prendre en charge, en qualité de « gardiens officieux » sur le sol britannique. Les Gore-Booth possèdent une belle demeure dans le quartier londonien chic de Chelsea. Il est entendu qu'Aung San Suu Kyi y sera comme chez elle lorsqu'elle décidera de passer un congé hors de son internat. Les quatre enfants du couple seront autant de nouveaux frères et sœurs pour la jeune Birmane.

Voilà donc Aung San Suu Kyi débarquant, à dix-neuf ans, pour y suivre un cycle en philosophie, sciences politiques et économiques, au prestigieux St Hugh's College, un établissement du XIXe siècle fondé par la fille d'un évêque anglican soucieuse de promouvoir l'éducation des femmes. Le premier étudiant mâle de St Hugh's ne sera admis qu'en 1986.

Oxford est une contrée typique au paysage anglais. Une principauté de verdure et de vieilles

pierres ocre toujours vivantes où l'on croise, che-
vauchant de lourdes bicyclettes ou déambulant sur
les trottoirs, porte-documents sous le coude, des
professeurs et des étudiants la tête dans les nuages.
Il y a toujours dans les cerveaux des passants cra-
vatés d'Oxford une équation à résoudre, une
expression à traduire, une date à vérifier.

L'Angleterre de l'époque vit au rythme du « Flo-
wer Power », des hippies, des tuniques indiennes,
du patchouli, de la contestation antinucléaire, de
la guerre entre les Beatles et les Rolling Stones.
Même Oxford l'intemporelle n'échappe pas à ces
remue-ménage.

À l'internat de St Hugh's, Aung San Suu Kyi fait
pourtant déjà figure d'exception. Pasternak Slater,
l'amie de l'époque, raconte : « Nous devions absolument être rentrées avant dix heures du soir ou
bien faire signer un laissez-passer exceptionnel
qui nous donnait la permission de minuit. Dans
cette volière de jeunes vierges excitées, auxquelles
s'ajoutaient deux ou trois élégantes délurées,
l'atmosphère était aussi électrique et étouffante
que dans un compartiment de chemin de fer sur-
chauffé. Dans un tel environnement, Suu apparais-
sait comme une délicieuse antithèse, une perle
rare si naïve et si ingénument innocente qu'on était
de prime abord tentée d'en rire[1]. »

Aung San Suu Kyi évoque brièvement cette époque : « Nous étions habillées d'une armure d'acier
faite de préjugés et d'espoirs innocents, à peine
transpercées par l'incertitude[2]. »

---

1. *Se libérer de la peur*, p. 196.
2. *Letters from Burma*, 4 août 1997.

Pasternak Slater a également un souvenir vivace de la passion que son amie birmane avait gardée pour son pays. « Elle m'a appris énormément sur ses propres traditions, comment bien nouer le *longyi*, manger le riz avec les doigts, quelle attitude morale adopter... » Lasse peut-être qu'on la trouve sans arrêt « belle, jolie, charmante », Aung San Suu Kyi disserte souvent avec ses amies interloquées sur le concept relatif de la beauté, les différences entre les idéaux esthétiques birmans et occidentaux.

Elle étonne, séduit ses proches par son bon sens, son attitude terre à terre. La stupidité et la superficialité des gens gavés de certitudes et de prétention l'agacent. Elle le fait savoir. Avec une ironie que parfois l'on prend pour de l'arrogance. Pasternak Slater se souvient d'une discussion politique qui n'en finissait plus avec un groupe d'amies. « Elle est intervenue et a lâché : "Vous savez, quand votre casserole à pression est au bord de l'explosion, cela ne sert à rien de paniquer, il suffit de couper le gaz." » Plus tard, ce même pragmatisme animera son action politique, ce bon sens viscéral aimantera les foules lors de ses innombrables discours.

Signe avant-coureur de son destin ? Cette passion qu'elle entretient pour la Birmanie transcende la tradition et la culture. Aung San Suu Kyi garde un œil attentif et critique sur la déplorable évolution de son pays. Au cours de conversations avec d'autres expatriés birmans, elle s'en serait prise au gouvernement, l'accusant d'avoir renié les idéaux de son père et plongé le pays dans le chaos. Ces propos de la fille du Bogyoke sont parvenus à Rangoon, aux oreilles du dictateur Ne Win en personne.

En 1966, un oncle d'Aung San Suu Kyi, U Aung Than, frère aîné d'Aung San, contacte U Nan Nwe, un Birman d'une quarantaine d'années installé à Londres où il représente pour l'Europe la compagnie maritime birmane Burma Five Star Line, une des rares vitrines de la dictature sur le monde extérieur.

« Il m'a demandé de rencontrer sa nièce et son neveu qui, avait-il entendu dire, faisaient des remarques désobligeantes à l'égard du peuple et du régime birmans », raconte U Nan Nwe.

Il se rend donc à Oxford où il convoque les deux jeunes gens. Il découvre une « Aung San Suu Kyi belle comme une idole, franchement charmante ». Mais il n'est pas venu pour séduire la fille du Bogyoke. Il s'adresse à eux en anglais.

— Vous n'avez pas le droit de parler ainsi de votre pays.

Aung San Suu Kyi l'interrompt.

— Tout d'abord, oncle, sache que mon frère n'a rien à voir avec tout cela. Je suis la seule responsable. Ensuite, crois-tu que ce que j'ai pu dire est vraiment faux ?

— Ne pense pas que le gouvernement ne fait rien pour le pays, il fait beaucoup pour les jeunes en particulier. Regarde, aujourd'hui il y a une centaine d'étudiants birmans en Angleterre et beaucoup d'autres étudient dans les pays socialistes. Quand ils reviendront chez nous, ils apporteront la connaissance. Réalises-tu cela ?

— Bien sûr.

— Puis-je te demander de me faire une promesse ?

— Oncle, je peux m'engager à faire certaines promesses mais cela dépend…

— Eh bien, promets-moi que dorénavant tu ne feras plus de commentaires désagréables sur le gouvernement et le peuple birmans.

— C'est d'accord, je te le promets.

« Cet engagement, précise U Nan Nwe, elle l'a respecté », en tout cas jusqu'à son entrée en politique en 1988. « Mais jamais, elle n'est venue me rendre visite à Londres. »

Si elle évite les réceptions officielles à l'ambassade de Birmanie, Aung San Suu KYi n'en est pas moins une assidue des soirées et événements culturels sur son pays que l'on organise à Londres ou à Oxford. Lors d'une conférence donnée à la British Burma Association par Maurice Collis, un auteur britannique qui servit de longues années dans l'administration coloniale en Birmanie, elle fait brièvement la connaissance de U Htwe Myint. C'est un Birman d'une trentaine d'années un brin play-boy, qui travaille pour le service en langue birmane de la BBC à Londres. Lui est en réalité venu à cette soirée pour rencontrer Aung San Oo, le frère d'Aung San Suu Kyi, et sonder ses idées. « J'ai vite réalisé qu'il ne manifestait aucun intérêt pour la politique, que seules les sciences semblaient le passionner. Je pressentais que jamais il ne s'engagerait en politique », dit-il. À cette occasion, il découvre Aung San Suu Kyi. « Sa simplicité m'a étonné, elle portait un simple *longyi*. C'était une jeune fille impressionnante mais il ne m'est pas venu à l'esprit qu'un jour elle ferait de la politique. »

U Htwe Myint se trompait. Si seulement il avait su que, vingt ans plus tard, il jouerait un rôle déter-

minant dans l'engagement politique d'Aung San
Suu Kyi !

Lors de vacances ou d'autres déplacements à
Londres, elle rejoint le pavillon des Gore-Booth à
Chelsea. « Elle y avait une petite chambre sous le
toit, se souvient Pasternak Slater. C'était une maison très confortable où l'on trouvait ce mélange
caractéristique, très oriental à bien des égards,
d'informalité formelle et enjouée où rien n'est
intime mais chaleureux. »

Pendant les grandes vacances, Aung San Suu
Kyi retrouve sa mère à Delhi. Sauf en 1965 lorsqu'elle décide de rejoindre Ma Tan E en Algérie.
La vieille amie qu'Aung San Suu Kyi a surnommée
« tante de secours », a quitté le siège des Nations
unies à New York pour créer un bureau d'information à Alger. L'Algérie sort de longues années de
guerre et vient d'acquérir son indépendance. Le
pays est à reconstruire. Il a besoin de mains. Aung
San Suu Kyi passe plusieurs semaines, comme
bénévole, en compagnie de jeunes gens venus de
tous horizons, dans un camp d'entraide pour victimes de la guerre. Après une incursion au Maroc
et dans le sud de l'Espagne, elle retourne « à sa
chère lecture et, plus tard à Oxford, le cœur
content [1] ».

Bientôt, ce cœur sera à nouveau sollicité mais
cette fois non plus par les pages d'un livre. Peu
après son arrivée en Angleterre, elle avait fait la
connaissance de Michael Aris, un Anglais de quelques mois son cadet, un charmant jeune homme
aux yeux transparents et à la tignasse ébouriffée.

---

1. *Se libérer de la peur*, p. 186.

Michael étudie l'histoire moderne à l'université de Durham dans le nord de l'Angleterre.

La passion profonde de Michael est ailleurs, bien loin sur les plateaux et les sommets magnifiques de l'Himalaya. Cette passion lui a été instillée par son père mais aussi par Hugh Richardson, le dernier représentant britannique auprès d'un Tibet indépendant, qui deviendra un des meilleurs spécialistes du monde tibétain.

À Durham, Michael s'est lié d'amitié avec Christopher, un des enfants Gore-Booth. Les deux garçons ont en commun de partager chacun un frère jumeau identique. Comme Aung San Suu Kyi, il est invité à passer des vacances à Chelsea. Le charme de la jeune Birmane parvient à chasser les nuages himalayens sur lesquels Michael semble flotter en permanence. Le voilà amoureux. Mais le coup de foudre n'est pas immédiatement réciproque. « Aung San Suu Kyi, précise Ma Tan E, n'avait aucune intention d'être emmenée par quelqu'un à cette époque. »

L'Himalaya va emporter Michael loin de celle qu'il appelle déjà sa Suu dans ses songes les plus romantiques. En 1967, il trouve un emploi au Bhoutan, un petit royaume qui vit calmement retiré du monde au pied des géants himalayens. La langue officielle, le *dgzonkha*, est un dialecte du tibétain que Michael a commencé à apprendre. Il y devient précepteur privé auprès de la famille royale tout en poursuivant des recherches sur l'histoire du pays et en faisant des travaux de traduction. Pour l'universitaire, c'est un rêve. Pour l'amoureux, un cauchemar ! Suu, qui pourtant ne semblait guère s'intéresser à lui, le hante. Il lui écrit. Elle répond. Lors d'un bref séjour en Angleterre, il la revoit. Cette fois elle lui déclare sa flamme. Ils se reverront à chacun de ses retours au pays.

En 1969, c'est de nouveau l'appel du large pour Aung San Suu Kyi. Il vient de New York où, après ses années d'Algérie, Ma Tan E s'est réinstallée. Aung San Suu Kyi, qui a décroché son diplôme à St Hugh's, voudrait poursuivre un troisième cycle à l'université de New York. Au moment où elle vérifie la validité de son passeport avant de se rendre au consulat américain pour un visa, elle réalise qu'il n'y a plus de pages libres. Elle a fait, il y a quelques mois déjà, la demande d'un nouveau passeport auprès de l'ambassade de Birmanie, mais il se fait attendre. Pressée par le temps, elle s'isole dans sa chambrette et efface avec soin le contenu des deux dernières pages du document. Ni vu ni connu, elle obtient son visa pour les États-Unis. U Htwe Myint, qui raconte l'anecdote, dit que plus tard ils ont plaisanté de cet incident. « Elle m'a dit avoir commis ce petit forfait par pragmatisme. »

Arrivée à New York, elle se laisse convaincre par Ma Tan E, pour des raisons pratiques, de différer ses projets d'études. Elle lui décroche un emploi aux Nations unies au sein d'une commission chargée d'évaluer les programmes et budgets de l'organisation et de ses diverses agences.

« Tante de secours » lui a réservé une chambre dans son petit appartement new-yorkais. Les deux femmes y ont reconstitué un mini-Rangoon où l'on parle et mange birman. Les amis américains, qui viennent s'y délecter de nouilles shans ou de poisson aux feuilles de banane, ont surnommé le lieu « la maison birmane de Manhattan[1] ».

Souvent, le dimanche, elles sont invitées à déjeuner chez U Thant, un Birman devenu en 1961 le secrétaire général des Nations unies. U Thant est un ancien journaliste, un intellectuel apprécié qui fut proche de l'ancien Premier ministre U Nu. C'est l'un des plus ardents partisans du jeune mouvement des non-alignés. Mais sa qualité de « Birman le plus connu hors de Birmanie » lui a attiré la jalousie du dictateur Ne Win.

Plusieurs fois par semaine, le soir ou le week-end, Aung San Suu Kyi se rend à l'hôpital de New York, à quelques minutes de l'appartement, où elle vient tenir compagnie aux patients laissés-pour-compte.

Au bout de deux ans de travail à l'ONU, en 1971, Aung San Suu Kyi se retrouve face à un dilemme : faut-il poursuivre une carrière onusienne qui s'annonce brillante ou au contraire se lancer dans l'aventure, enthousiasmante mais contraignante, du mariage et de la famille ? Elle répond à cette question en envoyant au cours des huit derniers mois de l'année 187 lettres à Michael ! Dans l'une d'elles, elle écrit : « Je ne te demande qu'une chose, si jamais mon peuple a besoin de moi, c'est de m'aider à remplir mon devoir envers lui[2]. »

Le mariage est fixé au jour de l'an 1972. Il n'est pas du goût de tous. Comment, entend-on dans certains cercles birmans, une Birmane, la fille du Bogyoke, dans le lit d'un étranger, un Anglais de

1. Irwin Abrams, *The Nobel Prize Annual 1991*, New York, IMG, l992.
2. Raconté par Michael Aris dans *Se libérer de la peur*.

surcroît ! Quelle insulte... L'histoire de Birmanie a souvent exhalé des relents de xénophobie. C'est l'un des mauvais penchants du peuple birman, trop souvent partagé ou toléré, que les dictateurs exploiteront *ad nauseam* au cours des années à venir. Aung San Oo, le frère, n'est pas le dernier à sauter dans la charrette des intolérants. Il vient même implorer U Nan Nwe, le représentant à Londres de la compagnie maritime birmane Burma Five Star Line, pour lui demander d'intervenir auprès de sa sœur avant qu'elle ne souille le nom de la famille et de son peuple. U Nan Nwe lui répond : « Ce ne sont pas mes affaires, je ne suis pas en mesure de lui dire cela. »

Le mariage a finalement lieu à Londres entre « Mr Michael Vaillancourt Aris, fils de Mr John Arundel Aris et de Mme Josette Vaillancourt, et Aung San Suu Kyi, fille du défunt général Aung San et de Daw Khin Kyi, de Rangoon, Birmanie. Leur adresse à partir du 1er février sera Thimbu, Bhoutan [1] ».

La réception est organisée par lord et lady Gore-Booth, entre-temps anoblis. Ma Tan E, « Tante de secours », a pris le vol de New York pour jouer les maîtres de cérémonie. Les invités se bousculent pour accompagner Suu et Michael dans leurs premiers pas d'époux. Il y a les familles Aris et Gore-Booth, leurs nombreux proches, ainsi qu'un large cercle cosmopolite d'amis des Aung San. Deux hôtes de marque n'ont toutefois pas fait le déplacement. L'ambassadeur de Birmanie à Londres, U Chit Maung, a renvoyé son carton d'invitation. Ce n'est pas une surprise. « Les Birmans n'auraient

---

1. *Time*, 4 janvier 1972.

pas apprécié que la fille d'Aung San épouse un étranger, déclare-t-il plus tard. Je sais que si j'y avais assisté, j'aurais été viré le jour même [1]. »

Mais il est une autre absence, moins prévisible celle-là, qui blesse le couple, celle de Daw Khin Kyi. Quatre ans auparavant, en 1967, elle a pris sa retraite et quitté l'Inde pour se réinstaller à Rangoon, dans la maison de l'avenue de l'Université. Contrariée que sa fille ne soit pas venue lui présenter son futur époux en Birmanie, elle a décidé de ne pas faire le déplacement de Londres. Et de n'envoyer ni fleurs ni message le jour du mariage. « Ce fut douloureux pour Suu, se souvient une proche. Mais dès qu'elle et Michael se furent rendus à Rangoon, et que Daw Khin Kyi le rencontra et put juger de ses qualités, elle l'accepta comme son gendre bien-aimé. »

Le lendemain, monsieur et madame Aris Aung San s'envolent en tourtereaux amoureux pour le royaume du Bhoutan.

---

1. *Vogue*, octobre 1995.

3

8 h 45. Parvenue en bas de l'escalier, elle enfile ses sandales. La tradition birmane veut qu'on se déchausse dans les maisons. Pas chez elle. En tout cas depuis que les visiteurs s'y bousculaient. Ce n'était pas toujours pratique ni judicieux de leur demander de se mettre pieds nus ou en chaussettes. Certains auraient pu se sentir mal à l'aise !

De la cuisine, elle perçoit le chuintement de l'eau qui bout, le tac tac tac d'un couteau qui hache. Elle distingue les cheveux en désordre de Mee Ma Ma, la fille cadette de Daw Khin Khin Win, penchée sur le comptoir, occupée à préparer le déjeuner.

Daw Khin Khin Win, elle, est partie prendre une douche.

L'autre jour, elle est entrée dans une colère intérieure qui la fait encore frissonner. Un présentateur à la radio disait qu'elle vivait enfermée avec sa servante. Une servante, Daw Khin Khin Win ! Quelle insulte ! Elle aurait voulu répondre à cette voix que Daw Khin Khin Win est une amie. La plus fidèle des amies. Une femme de quelques années son aînée qui, dès les premiers vagissements du parti, avait quitté son métier d'enseignante pour se lancer avec elle dans les incertitudes de la politique. Elle était devenue une des principales animatrices du mouvement des femmes du Parti. Son engagement, elle l'avait payé par des années de prison et de sacrifice. Lorsque son mari, un ancien directeur d'école, était mort au début des années 2000, Daw Khin Khin Win n'avait pas pu assister à ses funérailles. La junte lui avait dit qu'elle ne pouvait mener une double vie, à l'extérieur avec sa famille, à l'intérieur avec Daw Suu Kyi.

Une servante, Daw Khin Khin Win !

8 h 50. Elle pénètre dans la salle de séjour et regarde machinalement le téléphone, posé sur une table dans un coin. Accessoire inutile. La ligne est coupée depuis longtemps, depuis son retour de l'hôpital en septembre 2003. Ils ont aussi suspendu le courrier, après la dernière visite de l'émissaire des Nations unies au début 2004. Elle décroche le combiné. Qui sait ? Rien. Chaque fois, ce téléphone lui rappelle ce coup de fil du 31 mars 1988.

MAMAN STUDIEUSE

Aung San Suu Kyi et Michael passent ensemble une année au Bhoutan. Pendant qu'il perfectionne l'éducation des petits princes, elle travaille au ministère des Affaires étrangères comme conseillère pour les affaires relatives aux Nations unies. C'est le temps des amours nouvelles, une longue lune de miel qui vagabonde entre le travail et l'exploration de ce royaume anachronique dont les portes s'entrouvrent à peine sur le monde. À la bonne saison, ils s'évadent en Jeep sur les pistes chaotiques des majestueuses vallées, slalomant parmi les conifères géants, traversant des torrents glaciaux. Un troisième passager les accompagne toujours, Puppy, le terrier himalayen.

Un jour, alors qu'il redescend une piste vers la frontière indienne, le couple réalise que le chauffeur est ivre. Michael sachant à peine la différence entre une pédale d'embrayage et une pédale d'accélérateur, c'est la frêle Aung San Suu Kyi qui prend le volant et dirige la lourde Jeep à travers les trous et les nids-de-poule.

La jeune Birmane goûte aussi avec volupté au bonheur plus calme de gravir lentement à dos de mulet les sentiers de pierraille qui mènent à des sommets éthérés. Lorsqu'il vivra seul à Oxford, Michael gardera avec nostalgie une photo où on la voit, pensive, revêtue de l'ample pelisse bhoutanaise, à califourchon sur son petit cheval face à un vertigineux pan de montagne.

Mais, en 1973, il faut quitter ce paradis pour regagner la Grande-Bretagne. Aung San Suu Kyi est enceinte et Michael s'apprête à s'engager dans un doctorat d'études tibétaines à l'École d'études orientales et africaines de Londres.

Peu après le retour, en avril 1973, elle accouche d'un petit Alexander. À l'automne, Michael repart pour plusieurs semaines dans l'Himalaya où il dirige, au Népal, une expédition de l'université de Californie au cours de laquelle il découvrira de précieux manuscrits bouddhiques. Quatre ans plus tard, en septembre 1977, naît un second fils que l'on appelle Kim en référence au roman de Rudyard Kipling. Les deux fils, maman birmane oblige, ont aussi un nom birman, Myint San Aung pour Alexander, et Htein Lin pour Kim.

Le couple, après avoir vécu un temps dans un appartement un peu trop exigu fourni par l'université, emménage dans une maison de Park Town. C'est un quartier cossu d'Oxford à quelques pas de St Hugh's, l'ancienne université d'Aung San Suu Kyi. La nouvelle demeure de monsieur et madame Aris est une maison à trois étages bâtie le long d'une allée qui fait le tour d'un petit square encombré de végétation. Comme un rappel en miniature des forêts du Bhoutan et de la Birmanie. Le quartier, avec ses haies, ses massifs de houx et ses conifères laissés en liberté, est un savoureux foutoir botanique où se croisent des intellectuels poussant le landau de leurs bébés.

Les Aris, se souvient Peter Carey, ami proche du couple, spécialiste de l'Asie du Sud-Est et professeur à Oxford, « ne me donnaient pas le sentiment de vivre dans le luxe mais leur existence était parfaitement confortable ». En cas de besoin, la famille de Michael, propriétaire d'une maison d'édition spécialisée dans la publication d'ouvrages universitaires sur l'Égypte, le Moyen-Orient et le monde hispanique, n'hésite pas à donner un coup de pouce au couple.

Michael est plus que jamais immergé dans son monde himalayen. Il ne compte pas les heures passées à fouiller les archives, retrouver des sources, traduire de vieux manuscrits et transmettre son savoir à ses étudiants. Dès 1974, il fait la navette entre Oxford et Londres pour son doctorat. En 1976, il est nommé assistant au St John's College d'Oxford. Parfois, les moyens lui manquent pour financer ses recherches. Des amis répondent présent, comme ce riche planteur de thé en Assam (Inde) qui financera une partie de ses études sur le bouddhisme tibétain.

Son épouse elle, tout à l'éducation des deux garçons, a mis entre parenthèses ses propres projets universitaires. Les riverains l'aperçoivent souvent sur sa bicyclette, pédalant avec grâce, un sac à provisions accroché au guidon, Alexander ou Kim assis tout sourires sur le porte-bagages. D'autres jours, ils la croisent sur le trottoir, tenant par la main ses garçonnets en chemin vers l'école préparatoire Dragon, la meilleure d'Oxford. Elle attire bien des regards. Les intellectuels férus d'Asie qui la croisent savent qu'elle est la fille d'Aung San, d'autres ont entendu dire qu'il s'agissait de l'héritière d'un général birman, les moins érudits se contentent d'un coup d'œil vers cette charmante Asiatique.

Comme pendant ses années d'internat, Aung San Suu Kyi reste hors mode. Si l'on peut penser que cette jeune femme porte le *salwar* indien, l'ample pantalon de coton, en signe d'adhésion aux théories tiers-mondistes de l'époque, on se trompe. « Ce vêtement, confiera-t-elle plus tard à une amie, était si confortable. »

En 1979, Michael publie son premier ouvrage chez Aris and Phillips, la maison d'édition familiale. C'est une histoire du Bhoutan qu'il dédie à son épouse. « Je n'aurais jamais pu commencer [ce livre], sans parler de le terminer, sans les encouragements moraux et pratiques de ma bien-aimée épouse Aung San Suu Kyi », écrit-il dans la préface.

Au sein de la communauté d'exilés tibétains, il commence à se forger une solide réputation. Pour sa passion et sa rigueur intellectuelle mais aussi pour des raisons moins rationnelles... « Le fait qu'il ait un vrai frère jumeau – Anthony – a contribué à renforcer dans la région sa réputation de *bodhisattva* moderne[1] », l'être sur la voie de l'illumination, écrit Carey.

Mais, tout à ses affaires himalayennes, perçoit-il l'amorce d'une frustration chez cette « épouse bien-aimée » ?

Avide de combler des aspirations intellectuelles que l'éducation de ses enfants l'a contrainte à mettre de côté, Aung San Suu Kyi s'inscrit à son ancienne université de St Hugh's pour entreprendre une nouvelle licence, cette fois en littérature anglaise. Déception, sa candidature est rejetée et le poste attribué à un autre.

« Je pense qu'elle était frustrée par le fait que son époux n'était pas aussi ambitieux et entreprenant qu'elle eût pu l'être dans sa propre vie si elle avait poursuivi la carrière diplomatique entamée aux Nations unies, commente Pasternak Slater. Il y avait comme une entrave dans sa vie, quelque chose qu'elle ressassait inconfortablement, qui la rendait impatiente, elle sentait qu'elle aurait pu faire autre chose que jouer ce rôle traditionnel. »

Un autre projet, reprendre des études à l'université du Michigan aux États-Unis, échoue malgré plusieurs lettres de recommandation dont l'une écrite par le fidèle Carey.

Mais Aung San Suu Kyi, plutôt que de se laisser envahir par le spleen et l'amertume, décide de concentrer son énergie intellectuelle sur la Birmanie. Quelques années auparavant, elle avait déjà établi un catalogue de livres traitant de son pays

---

1. Peter Carey, *Oxford Today*, Trinity Issue, vol. II, n° 3, juin 1999.

pour le compte de la Bibliothèque Bodleian, la bibliothèque de référence d'Oxford et l'une des plus anciennes d'Europe.

Chaque année ou presque, Aung San Suu Kyi retourne au pays pour rendre visite à sa mère. Tous ceux qui ont connu les deux femmes parlent de leur relation très étroite, de leur complicité. « Elles adoraient plaisanter », se souvient un vieil ami.

La veuve d'Aung San s'est organisé une retraite paisible, à l'écart de la politique. « Les Birmans la tenaient en très haute estime », rapporte une amie d'Aung San Suu Kyi. « C'était une femme intelligente, simple, calme, d'une grande droiture », se souvient Daw San San, une ancienne biologiste qui l'a côtoyée dans les années 1950.

Le plus clair de son temps, elle le passe dans son agréable propriété de l'avenue de l'Université, entretenant le jardin et les berges du lac en compagnie d'une poignée de serviteurs.

Elle reçoit souvent. Le registre des visites est rempli de noms d'étrangers et de vieux amis birmans qui aiment autour d'une tasse de thé et de petits gâteaux évoquer avec elle les années d'espoir et d'indépendance que son époux avait semées. Elle a toujours un mot, une question sur la famille de ses invités. Elle n'en reste pas moins une dame de caractère consciente de son statut. Un jour, un officier de liaison frappe au portail à 7 h 30 du matin sans avoir pris rendez-vous. Il vient à la demande de l'épouse d'un dignitaire chinois en visite officielle qui aimerait la rencontrer. Elle lui fait sèchement savoir qu'il est trop tôt et le convoque pour 9 h 30. L'officier reviendra, à l'heure exacte. Daw Khin Kyi reste fidèle à certains engagements publics. L'un des plus chers est auprès des infirmières, son ancien métier, dont elle devient la marraine. C'est elle aussi qui dans les années 1970 dessina l'uniforme toujours en usage aujourd'hui.

Lors de ses retours en Birmanie, Aung San Suu Kyi s'arrange pour être présente à Rangoon le 19 juillet, date anniversaire de l'assassinat de son père déclarée Jour des martyrs. Elle peut ainsi assister à la cérémonie organisée au mausolée où reposent Aung San et ses compagnons. C'est aussi l'occasion pour l'armée de se rappeler solennellement au souvenir du corps diplomatique et du peuple. La presse locale ne manque jamais de publier la photo de la fille du Bogyoke déposant une gerbe au pied du monument. Souvent, le frère aîné Aung San Oo fait aussi le déplacement des États-Unis où il s'est installé.

Le régime birman n'imagine pas qu'Aung San Suu Kyi puisse jouer un rôle public au-delà de ce protocole annuel.

Mais le pays s'enfonce chaque jour davantage dans le marasme économique et social. En 1974, plus d'un millier de personnes qui manifestaient contre la dictature sont massacrées par l'armée. Trois ans plus tard, un coup d'État échoue de peu.

Le dictateur Ne Win ne sait plus qu'inventer pour tenter d'amadouer les astres et manipuler les nombres. Un jour, persuadé par un astrologue qu'une catastrophe s'abattrait sur le pays si les gens continuaient de rouler à gauche, il ordonne le changement de conduite à droite. Peu importe que les véhicules, la plupart à l'époque d'importation britannique, soient équipés de volants à droite !

Aung San Suu Kyi ne reste pas insensible à ces funestes dérives. « Cette situation, se souviendra-t-elle plus tard, ne me plaisait pas. Au cours de mes visites à Rangoon, quand je venais passer trois ou quatre mois avec ma mère, chaque fois que des amis venaient nous rendre visite, à un moment ou à un autre, la conversation tournait inévitablement sur la situation du pays [1]. »

Un de ces amis est U Ohn Myint. C'est un ancien camarade d'Aung San, un communiste de la première heure avec qui il a combattu les Anglais et les Japonais avant de jeter son dévolu idéaliste contre les dictateurs birmans. Il a passé de nombreuses années au terrible bagne des Coco Islands. En 1998, alors qu'il a quatre-vingts ans, il sera à nouveau condamné, cette fois à sept ans de travaux forcés, pour avoir osé écrire l'histoire du mouvement étudiant contestataire birman.

Il est resté proche de Daw Khin Kyi. Dès le début des années 1980, il rencontre longuement Aung San Suu Kyi à chacune de ses visites. « Chaque fois, elle me demandait en riant : "Quel âge as-tu ?" Je lui répondais et elle concluait immanquablement : "Ah tu es si vieux !" Elle était impressionnante, toujours habillée à la birmane, des vêtements qu'elle cousait elle-même, elle ne portait pas de bijou, seulement un bracelet-montre en cuir. »

U Ohn Myint est devenu un oncle favori, un confident, un livre d'histoire avide d'ouvrir les pages de sa prodigieuse mémoire. Elle l'assomme parfois avec ses questions sur son père et son pays. « Nous discutions beaucoup de la situation dans le

---

1. *La Voix du défi*, p. 166.

pays, à quel point elle était déplorable à tous niveaux, politique, économique… ».

Mais le vieil homme se souvient surtout d'un étonnant pacte qu'il avait conclu avec Aung San Suu Kyi en 1984 : « Nous nous étions engagés à faire "quelque chose" dans les deux ans à venir », sourit-il. C'est sans doute la seule fois, avant 1988, où le nom d'Aung San Suu Kyi est spécifiquement attaché à l'idée d'un engagement politique. Elle n'en parlera jamais. À cette époque, ses projets en Birmanie se limitent à la fondation d'une bibliothèque. Toujours les livres !

De retour à Oxford, elle ne manifeste pas davantage de goût pour de tels projets politiques. « Jamais elle n'a mentionné une telle éventualité », se souvient Pasternak Slater. Carey, lui, parle plutôt d'une situation non tranchée. « Dans les années 1980, quand le régime de Ne Win en Birmanie a commencé à donner des signes d'essoufflement et que des changements étaient dans l'air, elle se demandait ce qu'elle pourrait faire d'une vie qui ne serait plus enchaînée à deux jeunes garçons. » Mais, ajoute-t-il, « Aung San Suu Kyi n'était pas une voyante, elle se retrouvait davantage dans une disposition par défaut où elle laissait entendre : "Je suis la fille de mon père et si à un moment mon pays a besoin de moi, eh bien…" Elle n'était certainement pas un Napoléon qui tout jeune planifiait déjà de Paris ses futures batailles. »

À vrai dire, elle ne fait rien qui puisse nourrir un doute. Si elle a bien quelques amis birmans en Angleterre, elle évite de fréquenter ses compatriotes exilés pour des raisons politiques. Elle leur reproche leurs divisions et querelles à répétition, un mal birman qu'elle ne cessera jamais de dénoncer.

Lors de ses retours en Birmanie, elle consacre beaucoup de temps à récolter des informations sur son père, auprès de U Ohn Myint et des autres survivants de la pré-indépendance.

Un jour, elle se rend aux archives nationales où elle découvre, pourrissant sous l'humidité et la poussière, de nombreux documents. Parmi eux, des échanges épistolaires jamais publiés entre Aung San et le gouvernement anglais. De l'or pour historiens ! Non autorisée à les photocopier, elle les copie à la main, un à un. U Ohn Myint se souvient très bien de l'anecdote. C'est lui qu'elle chargera plus tard de dactylographier ses notes manuscrites !

En 1984, elle publie pour l'université de Queensland en Australie une biographie du Bogyoke sobrement intitulée *Aung San*. Un an plus tard, elle écrit pour une maison d'édition londonienne un petit livre à destination des jeunes, *Visitons la Birmanie*. Dans la même collection, elle publiera des ouvrages sur le Népal et le Bhoutan.

Comme la plupart des Birmans, Aung San Suu Kyi est bouddhiste. Le bouddhisme fait partie de son héritage culturel, de son identité sociale, c'est ce qui fait d'elle aussi une Birmane. De son côté, Michael, à travers ses recherches sur le Tibet et l'Himalaya, a logiquement été amené à approfondir ses connaissances sur cette philosophie religieuse, même si les bouddhismes birman et tibétain relèvent de deux branches différentes. Les Aris ne sont toutefois pas ce que l'on pourrait appeler des « pratiquants ». « Michael, précise son ami

Carey, était un érudit du bouddhisme, ce qui n'en faisait pas nécessairement un bouddhiste. C'était avant tout un rationaliste qui éprouvait une sympathie et une compréhension immenses pour le bouddhisme. » « De même, poursuit-il en évoquant les années antérieures à 1988, je n'ai jamais eu le sentiment que Suu s'adonnait à de longues périodes de méditation. Elle a été éduquée dans un milieu très cosmopolite et rationnel, ce qui ne l'empêchait pas de respecter la structure et la hiérarchie de la *sangha*, le clergé bouddhiste. Mais si elle avait une religion, c'était celle de son père. »

Tout naturellement, les enfants sont éduqués dans la connaissance des préceptes du Bouddha. Lors de leurs vacances à Rangoon, leur grand-mère les emmène souvent au monastère. En 1987, comme la tradition l'exige pour tout jeune Birman, ils sont ordonnés novices. La photo des petits-fils d'Aung San, le crâne rasé et parés de la robe pourpre, est publiée dans des journaux locaux. Un détail a sans doute échappé au censeur, qui eût probablement mis le cliché de côté : le livre que tient le jeune Kim à la main et que l'on pourrait prendre pour le *Soutra* n'est autre qu'une version anglaise des *Trois mousquetaires* !

La soif d'épanouissement intellectuel d'Aung San Suu Kyi sera en partie assouvie lorsqu'en 1985 le gouvernement japonais lui octroie une bourse pour poursuivre à l'université de Kyoto le travail sur son père. Le projet tombe plutôt bien. Michael a obtenu un poste d'assistant dans un institut de recherche indien, à Simla. Il emmène Alexander, elle part avec Kim. Elle séjourne un an au Japon, dont elle apprend la langue, avant de rejoindre

Michael en Inde où elle décroche un poste d'assistante dans le même établissement.

Michael garde de cette année indienne en famille un souvenir de félicité, en particulier de la maison que l'université avait mise à leur disposition. « Alexander et Kim n'oublieront jamais, écrit-il, la richesse de la vie animale qui peuplait cette magnifique bâtisse. Ce ne furent point les fantômes de vice-rois mais bien les roussettes, les singes, les chauves-souris et moindres animaux qui égayèrent tant leur vie[1]. »

Pour Aung San Suu Kyi, le séjour indien se termine de façon abrupte. En 1987, sa mère, atteinte d'une cataracte qui menace sa vue, doit se rendre à Londres pour une opération. Aung San Suu Kyi quitte Simla et rejoint Daw Khin Kyi convalescente. Quelques mois plus tard, Michael, en fin de contrat, regagne à son tour l'Angleterre avec les deux garçons. Lorsque sa mère, après son opération des yeux, repart pour Rangoon, Aung San Suu Kyi reprend enfin un doctorat en littérature birmane à l'université de Londres.

Elle ne le terminera jamais. Le 31 mars 1988, le couple passe une soirée calme, assis au salon, chacun plongé dans un livre. Les enfants sont au lit. Le téléphone sonne. C'est Léo, un vieil ami de la famille qui appelle de Rangoon. Là-bas, le jour commence à se lever. Aung San Suu Kyi blêmit. Sa mère, victime d'une grave attaque cérébrale, a été emmenée à l'hôpital dans un état critique. Elle rac-

---

1. Michael Aris, préface *de Hidden Treasures and Secret Lives : a Study of Pemalingpa (1450-1521) and the Sixth Dalai Lama (1683-1706)*, 1988.

croche et monte aussitôt à l'étage faire sa valise. Le lendemain, elle embarque à bord du premier avion pour la Birmanie. Michael écrira : « J'ai eu le sentiment que nos vies allaient changer à jamais[1]. »

---

1. *Se libérer de la peur.*

4

8 h 55. Elle entre dans la cuisine pour saluer Mee Ma Ma et lui proposer son aide. Le sac à provisions est posé au pied de la porte. Elle sait que ce sac, elle le doit à un réseau d'amis et de sympathisants. Elle en ignore les détails, car personne de l'extérieur, à l'exception de son médecin autorisé à lui rendre visite une fois par mois, n'a le droit de lui parler. Elle sait seulement, elle avait insisté auprès de l'officier qui l'avait reconduite chez elle après l'opération, que c'est son argent, pas celui de la junte, qui finance l'achat de ces produits. La gestion de ce budget elle l'a confiée, du temps où elle était libre, à une élue du Parti, une riche femme d'affaires qui partage sa vie entre Rangoon et sa circonscription du Nord.

Chaque jour à 6 heures du matin, l'homme quitte en bus son domicile de banlieue pour celui de l'élue. À 7 heures, il est emmené en voiture avenue de l'Université par l'époux de cette dernière. Là, il attend dans une échoppe à thé que les policiers le fassent appeler dans leur cahute pour la fouille.

Après avoir remis le sac de provisions à Daw Khin Khin Win et copié la liste du jour, il se rend au domicile d'un vieux militant du Parti, un des premiers camarades du Bogyoke Aung San, qui fut de tous les combats contre les violeurs de l'intégrité birmane.

Une vieille tête libre que ni le colonisateur britannique, ni l'envahisseur japonais, encore moins les dictateurs birmans n'ont jamais réussi à briser. Malgré les années de prison, il était toujours resté fidèle à la famille Aung San. Le vieil homme confie la liste à sa fille qui se charge le jour même des achats.

Il y a bien longtemps, pense-t-elle, que le régime n'avait fait preuve d'une telle exigence maniaque. Elle se souvient, lors de ses dix-neuf mois d'assignation précédents, du rosbif et du Yorkshire pudding que l'épouse d'un sympathisant lui préparait parfois et qui inopinément parvenait à sa table.

Mee Ma Ma la remercie pour ses offres de service. Elle a pour l'instant terminé son travail.

La porte du salon est ouverte. Cette petite pièce où elle ne se rend quasiment plus semble toujours palpiter du souffle de la multitude de gens qui y défila. Sa mère y mourut, au bout de six mois d'agonie, entourée de ses proches et d'infirmières. Plus tard, ils furent des milliers, diplomates, politiciens, journalistes, militants de toutes les bonnes causes, anonymes, célébrités, à s'asseoir sur une des chaises face au sofa où elle prenait place. Le buste et le regard droits, elle commençait toujours par un : « Je vous remercie d'être venu, que puis-je pour vous ? »

Mausolée exigu de ces vibrantes années entrées dans l'Histoire, le salon abrite toujours une des icônes les plus symboliques de la lutte prodémocratique : le portrait de son père. Une peinture sur bâtik de deux bons mètres de haut sur laquelle l'artiste, dans le style pop art, a décomposé la tête d'Aung San en aplats de trois couleurs sur un fond vert. La peinture avait fait son apparition à côté du podium où elle avait prononcé son discours historique, à la pagode Shwedagon.

À son arrivée à Rangoon, Aung San Suu Kyi se précipite à l'hôpital. De la voiture qui l'emmène de l'aéroport, elle observe, stupéfaite. La plupart des magasins sont fermés, les poubelles débordent sur les trottoirs, les passants et les véhicules sont rares. Çà et là, elle distingue une palissade brûlée, un poteau brisé, un drapeau déchiré. Aux carrefours, devant les bâtiments administratifs, les banques ou les écoles, des soldats casqués et lourdement armés sont postés. Elle n'a jamais vu la ville dans un tel état.

D'Oxford, par la presse et des amis, elle avait bien sûr suivi l'évolution de la situation. Mais, pour s'en faire une idée concrète, rien ne pouvait remplacer les quelques kilomètres séparant l'aéroport de l'hôpital. La Birmanie est en plein chaos.

Sept mois auparavant, en septembre 1987, parce que ses astrologues lui avaient un jour révélé qu'il descendait secrètement du 9e roi d'une dynastie de Pagan, le dictateur Ne Win avait décidé, pour la troisième fois en une dizaine d'années, de dévaluer le kyat, sans compensation. Les billets portant les déjà étranges dénominations de 35 et de 75 kyats avaient été remplacés par des coupures de 45 et de 90 kyats, nombres divisibles par neuf...

Du jour au lendemain, 80 % des billets de banque s'étaient retrouvés sans valeur, réduisant en poussière l'épargne de millions de Birmans. Plusieurs centaines d'étudiants avaient manifesté et le gouvernement avait ordonné la fermeture des universités.

Depuis lors, les incidents s'étaient multipliés. Deux semaines auparavant, le 13 mars, deux cents étudiants étaient venus protester devant le siège du Conseil populaire, une organisation fantoche de Ne Win. La veille, plusieurs de leurs compagnons avaient été sérieusement battus par des clients d'une échoppe à thé à la suite d'une dispute sur le choix des cassettes musicales jouées par le propriétaire. La police avait arrêté le principal agresseur pour le libérer le jour suivant. Il n'était autre que le fils du président du Conseil populaire. La manifestation avait dégénéré. Un des étudiants, Maung Phone Maw, avait été tué par les policiers anti-émeutes. Cet incident avait servi de déclencheur à un soulèvement qui progressivement allait s'étendre à tout le pays, à toutes les classes de la société. Trois jours plus tard, la police massacrait 200 étudiants. Tueries, arrestations et tortures allaient désormais se succéder. L'étudiant Maung Phone Maw, lui, était entré au panthéon birman des martyrs de la démocratie.

Mais le régime vacille-t-il vraiment ? Il n'en est pas à ses premiers soubresauts. Chaque fois, et dans le sang, il a pu étouffer les embryons de révolte. Qui à l'époque pouvait prévoir que cette crise durerait ?

Le pays reste très fermé, Internet n'existe pas encore, les informations qui parviennent, avec retard, à l'extérieur sont incomplètes. Et puis qui se soucie de la Birmanie ?

Lorsqu'elle débarque au cœur du cyclone, Aung San Suu Kyi se montre sceptique : « Je ne pensais certainement pas qu'un mouvement démocratique allait se développer[1]. Mais, ajoute-t-elle, je m'étais préparée à un long séjour pour veiller sur ma mère malade, j'étais prête à rester en Birmanie de nombreux mois. »

À son arrivée à l'hôpital, elle apprend avec soulagement que l'état de santé de sa mère s'est stabilisé. Mais l'attaque cérébrale a laissé la vieille dame en partie paralysée. Désormais Aung San Suu Kyi passe ses journées et ses nuits à son chevet. Les week-ends, elle fait de brèves incursions dans la maison familiale de l'avenue de l'Université pour se rafraîchir et se baigner à l'aise. Au-dehors, l'anarchie s'étend. Le pays s'enfonce dans le cycle hasardeux des manifestations et de la répression. Des fonctionnaires, des moines bouddhistes, des ouvriers ont rejoint les étudiants. En tête des cortèges, des bras brandissent le portrait d'Aung San. Les transports publics sont paralysés, les coupures d'électricité se succèdent, les marchés manquent de tout, les prix flambent. Le gouvernement ne semble plus contrôler que ses forces de répression.
Souvent le soir, Aung San Suu Kyi reçoit des amis de sa mère à l'hôpital. Surprise, parmi eux, elle retrouve U Htwe Myint, l'ancien correspondant de la BBC rencontré à Londres il y a plus de vingt ans. « Elle s'est tout de suite souvenue de moi. "Ah, la conférence de Maurice Collis", m'a-t-elle dit, j'étais sidéré par sa mémoire. »
U Htwe Myint est entre-temps devenu une des personnalités les plus connues de l'opposition birmane. Il a passé de nombreuses années en prison et a été condamné, entre autres, deux fois à la

---

1. ABC Radio, juin 1996.

peine capitale. Un incident a fait de lui une légende. Un jour, violemment battu lors d'un de ses longs séjours à Insein, la sinistre et gigantesque prison de Rangoon, il avait craqué et dénoncé la futilité de sa révolution et de ses camarades. Le régime, trop heureux de faire cracher la vérité à une « ordure de révolutionnaire », lui avait ordonné de répéter ses propos à la radio. Au micro, en direct, il avait dit exactement le contraire ! L'insolent avait été récompensé par une nouvelle séance de torture et une prolongation de sa peine.

Le légendaire U Htwe Myint, âgé aujourd'hui d'une soixantaine d'années, se rend presque quotidiennement à l'hôpital. Il tient Aung San Suu Kyi au courant des derniers événements. Elle s'y intéresse chaque jour davantage. Un jour de la mi-mai, alors qu'elle se trouve en tête-à-tête avec lui dans la chambre de sa mère, elle lui fait une déclaration :

— Je vais m'engager dans la politique !

— Vous devriez y réfléchir à deux fois, lui répond U Htwe Myint, interloqué.

— C'est tout réfléchi, j'ai pris ma décision. Je ne peux plus supporter cette situation.

— Mais j'ignorais que vous vous intéressiez à la politique.

— Si je ne m'y intéressais pas, pourquoi aurais-je fait des études de sciences politiques à Oxford ?

— Mais vous savez, vous devez aussi penser à votre situation conjugale, cela risque de ne plus être comme avant...

— J'y ai déjà pensé.

U Htwe Myint est partagé entre l'enthousiasme et la circonspection : « J'étais réticent de la voir associer son nom au mien car je n'avais pas vraiment bonne réputation auprès du régime. »

Semblant deviner ses pensées, Aung San Suu Kyi ajoute :

— J'ai déjà consulté deux ou trois personnes à votre sujet. Elles me conseillent de travailler avec vous. Parmi ces personnes « consultées » se trouvent U Ohn Myint, le vieux compagnon communiste d'Aung San, resté proche de Daw Khin Kyi et qui est l'un des autres visiteurs assidus de l'hôpital.

Mais avant de clore la conversation, elle pose une condition :

— Je ne veux participer à aucune activité illégale, violente ou clandestine. C'est entendu, tout doit être fait dans le respect de la loi !

Un soir, Aung San Suu Kyi confie à U Ohn Myint qu'elle a contacté un officier birman, le colonel Hla Myint, surnommé Bel Air car il était propriétaire d'une Chevrolet Bel Air avec laquelle un jour il avait eu un accident et commis un délit de fuite ! « Je lui ai demandé s'il pouvait me faire rencontrer Ne Win, dit-elle au vieil ami. Je lui ai dit que le pays est en mauvaise posture et qu'il faut faire quelque chose. »

La requête n'aboutira pas. Mais, ce faisant, Aung San Suu Kyi est sortie du seul rôle public que le régime lui a toujours concédé, celui de la fille du Bogyoke qui chaque année vient déposer une gerbe sur le tombeau de son père. U Ohn Myint lui signale : « Cela peut constituer un gros problème, si tu essaies de faire ce genre de chose, ils vont te surveiller et te considérer comme partie prenante de ce qui se passe maintenant. » Désormais, il en est persuadé, la dictature regardera d'un œil différent la fille du héros national.

En juin, Aung San Suu Kyi, en accord avec les médecins, décide de ramener sa mère à la maison. Une chambre est aménagée dans une petite pièce du rez-de-chaussée. Une fenêtre donne sur la véranda au bord du lac que l'on aperçoit à travers les palmiers et les casuarinas. Le gouvernement a mis à la disposition de la veuve d'Aung San un générateur électrique destiné à garantir l'alimentation d'un appareil respiratoire et une équipe d'infirmières qui se relaieront à son chevet.

En juillet, Michael et les enfants, en vacances, rejoignent Aung San Suu Kyi. Alexander a maintenant quinze ans, Kim en a onze. La présence de ses deux petits-fils semble redonner du souffle à Daw Khin Kyi qui la plupart du temps somnole dans une semi-inconscience. Les garçons sont parmi les rares à pouvoir franchir la porte de la chambre.

Au sein de la junte, les événements se précipitent. Le 23 juillet, Ne Win annonce sa démission. Il est remplacé par le chef de la police anti-émeute, Sein Lwin qui, en ordonnant le massacre de mars dernier, avait acquis le surnom de « Boucher de Rangoon »… Mais personne n'est dupe, chacun dans la capitale est persuadé que Ne Win continue de tirer les ficelles de l'inquiétante partie.

Le pays sent pourtant qu'il est si près de saisir une occasion unique dans son histoire, celle d'accéder enfin à la démocratie. Mais il se cherche un guide. Des noms circulent. Parmi eux celui d'Aung San Oo, le frère aîné d'Aung San Suu Kyi. Il vit aux États-Unis où il travaille comme ingénieur en informatique. Mais il n'a jamais manifesté d'intérêt pour la politique. Ses relations avec sa mère et sa sœur sont plutôt tendues. Il ne leur pardonne pas de lui tenir rigueur d'avoir épousé Le Le Nwe Thein, une universitaire birmane à la réputation sulfureuse. D'autant que sa mère a adopté Michael, l'époux étranger de sa sœur, dès sa première visite à Rangoon !

Mais le peuple n'a cure de ces secrets de famille. Pour lui, Aung San Oo est d'abord le fils du héros national. Certains étudiants se souviennent même que, tout petits, leurs parents les endormaient avec des contes où Aung San Oo débarquait en sauveur du pays ! Et puis, bien sûr, Aung San Oo est un homme. Il ne vient à l'idée de personne qu'une femme, fût-elle fille d'Aung San, puisse jouer un tel rôle...

En juillet, des posters apparaissent sur des murs de la capitale, annonçant qu'Aung San Oo va faire son retour et prononcer un discours. La rumeur enfle : « Il va venir nous diriger, il est celui que nous attendons... »

Mais le messie jamais n'apparaît.

Quand la rue se calme et que l'on parvient à trouver une voiture ou une moto, les amis et connaissances viennent passer un peu de temps auprès d'Aung San Suu Kyi. U Htwe Myint et U Ohn Myint restent parmi les plus fidèles. On ne discute plus que de politique. « Nous ne savions pas exactement comment organiser notre premier mouvement, se souvient U Htwe Myint. Par où commencer ?... »

Un nouveau drame va précipiter les choses. Le 8 août 1988, une manifestation rassemble des dizaines de milliers de personnes dans les rues de Rangoon. On exige la démocratie, la démission du parti unique, la fin du système socialiste. Du jamais vu en vingt-six ans de dictature ! Des villes de province se joignent au mouvement. L'armée laisse d'abord faire. Mais peu avant minuit, les soldats chargent la foule massée devant la mairie de la capitale. Des centaines de civils, dont de nombreux enfants et de jeunes étudiants, sont tués au fusil-mitrailleur, éventrés à la baïonnette. La tragédie restera gravée dans l'histoire du pays sous les chiffres « 8/8/88 »...

Quelques jours plus tard, Aung San Suu Kyi écrit une lettre ouverte au gouvernement. Elle lui propose de servir de médiatrice auprès des opposants. C'est sa première manifestation publique.

Nyo Ohn Myint avait vingt-six ans à l'époque. Il était précepteur à la faculté d'Histoire de l'université de Rangoon et l'un des piliers du syndicat des enseignants de l'établissement. Le 15 août, il fait partie d'une délégation de cinq enseignants qui se rendent chez Aung San Suu Kyi. « À cette époque, une foule de nouvelles organisations politiques surgissaient d'un peu partout, raconte-t-il. Il n'y avait aucune unité entre elles, quelques vagues mouvements d'étudiants s'étaient rendus chez Aung San Suu Kyi, mais c'était à peu près tout. »

Le petit groupe est présenté à Aung San Suu Kyi. « Toute mince et gracieuse, elle avait l'air, comment dire... normale, mais nous étions impressionnés, après tout elle était la fille de notre héros national », se souvient-il. Bien vite, les jeunes enseignants comprennent qu'Aung San Suu Kyi, comme elle l'a dit dans sa lettre, n'a d'autre ambition que de servir d'intermédiaire. Déception, car eux attendent davantage.

Nyo Ohn Myint lui dit clairement :

— Nous avons besoin d'un leader, pas d'un médiateur, nous voulons renverser le gouvernement, trouver quelqu'un qui puisse diriger le pays.

Aung San Suu Kyi répond.

— Je suis désolée mais je ne suis pas celle que vous cherchez. Je suis prête à vous aider à mettre au point un processus de médiation, mais pour le reste je ne suis qu'une femme au foyer, mon rôle n'est pas de diriger le pays.

Furieux mais convaincu qu'en réalité elle hésite toujours, le jeune enseignant repart chez lui. Deux jours plus tard, alors qu'il regarde un film vidéo avec des amis, il reçoit un appel téléphonique. C'est Aung San Suu Kyi.

— Je souhaite que vous me rejoigniez, je pense pouvoir répondre à certaines de vos attentes.

Elle confie au jeune homme la responsabilité de créer une sorte de secrétariat à l'information pour permettre au mouvement naissant de mieux se coordonner. « Me voilà donc chargé d'organiser les réunions, les coups de téléphone, les rendez-vous. Et comme elle avait découvert que je pouvais conduire une voiture, une de mes premières missions fut d'aller acheter dans un restaurant voisin cinq grosses portions de riz frit pour une douzaine de personnes qui étaient en réunion. Je me suis vite rendu compte que c'était quelqu'un de très pratique. » Étudiants, enseignants, artistes, avocats et autres intellectuels se bousculent maintenant au domicile d'Aung San Suu Kyi. Souvent ils y retrouvent les deux vieux politiciens, U Ohn Myint et U Htwe Myint.

Au cours de la troisième semaine d'août, convaincue par les étudiants, Aung San Suu Kyi se décide à franchir un pas supplémentaire. Elle va faire un discours et s'adresser au peuple birman.

Mais la loi martiale est toujours en vigueur. Les gens n'ont pas le droit de se réunir.

Un autre vieux politicien gravite autour d'Aung San Suu Kyi, Thakin Tin Mya. C'est un ancien communiste qui lui aussi a accumulé les années de prison et de bagne. Il lui conseille de rencontrer U Tin Aung Hain, un de ses amis qui n'est autre que le ministre de la Justice. U Tin Aung Hain est l'un des rares proches de Ne Win réputé intègre et surtout un homme qui n'a pas sa langue dans sa poche. Chaque soir, il se rend chez le dictateur pour le tenir au courant de la situation. Le 23 août, chez un ami commun, il accepte de rencontrer secrètement Aung San Suu Kyi. Elle insiste auprès de lui :

— Je me suis engagée parce que je ne veux plus de bain de sang, je n'ai aucun agenda politique, pas de motivation cachée.

— Si c'est ainsi, puis-je vous faire une suggestion ? Les soldats croient que Ne Win est le père de l'armée, s'il vous plaît, ne lancez aucune attaque contre lui, n'incitez pas les gens à en lancer.

— Entendu. Je dois participer à un meeting public dans deux jours, pouvez-vous demander à Ne Win de laisser la foule se réunir, car pour le moment la loi martiale est toujours en vigueur ?

— Je ferai ce que je peux.

Le 24 août, on apprendra que la loi martiale est levée. Le ministre de la Justice a donc respecté son engagement. Il était allé parler à Ne Win qui avait, une fois n'est pas coutume, lâché du lest.

Le même jour, debout sur un demi-fût de pétrole, elle s'adresse pendant quelques minutes à plusieurs centaines de personnes rassemblées devant l'Hôpital général de Rangoon, devenu un des quartiers généraux de la révolte. Elle leur annonce son intention de tenir un discours dans deux jours et invite les Birmans à y assister. « Ce que je souhaite, c'est voir la transition paisible vers un système politique en accord avec la volonté de la majorité. Et pour accomplir cela, je souhaite que le peuple de Birmanie se montre discipliné, uni, et utilise les moyens les plus pacifiques », déclare-t-elle.

Après ce discours, elle retrouve un groupe d'artistes et de journalistes qui s'est joint au mouvement. Parmi eux U Win Tin, un des journalistes les plus respectés du pays, et U Moe Htu, célèbre réalisateur de cinéma.

Ils sont sceptiques. « Est-elle vraiment capable de bien s'exprimer en birman face à une foule ? Que va-t-elle dire ? Que connaît-elle des réalités du pays ? » s'interrogent-ils. L'un d'eux lui propose de l'aider à rédiger son discours. Elle sourit et répond : « Merci, mais je l'ai déjà préparé. » Elle sera donc la seule à en connaître la teneur.

Le groupe qui s'est formé autour d'elle choisit pour cette allocution un terrain de sport dans le quartier de Theinbyu à Rangoon. Des tracts et le bouche-à-oreille font vite circuler l'information. « La fille du Bogyoke va parler… » Réalisant l'immense engouement qu'a déclenché cette annonce, le comité organisateur décide de modifier l'emplacement. Il choisit le lieu de Rangoon mythique par excellence, le symbole de la Birmanie, la pagode Shwedagon. La date est maintenue au 26 août.

Survoltés par la perspective de l'événement, les contestataires se muent en charpentiers, en électriciens, en imprimeurs, en gardes du corps. La veille, un podium est érigé avec du matériel gracieusement fourni par un entrepreneur, au pied de l'aile ouest de la pagode, face à une vaste esplanade. Des tracts annonçant le changement de lieu du discours sont imprimés et distribués partout dans la ville.

Mais dans l'euphorie et l'intensité de la préparation, on a peut-être trop vite pensé que l'ennemi s'était assoupi.

La veille, un incident vient rappeler au souvenir des opposants qu'ils ne traitent pas avec des enfants de chœur. Des tracts surgissent un peu partout à Rangoon. Ce sont d'odieuses caricatures montrant Aung San Suu Kyi et Michael dans des positions sexuelles sans équivoque. On leur adresse des insultes pornographiques. On la vilipende pour s'être accouplée à un *kalar pyu*, terme péjoratif dans la langue birmane qui signifie « Indien ou Noir blanc ». « Rappelle ton bâtard d'étranger et file maintenant », crache l'un des tracts. L'union d'Aung San Suu Kyi et de Michael sera désormais exploitée par la junte, de façon obsessionnelle pour tenter de la discréditer auprès du peuple.

U Htwe Myint, qui venait d'être libéré de prison où le régime l'avait, une fois de plus, enfermé une dizaine de jours, prend la situation en main. Ce ne sont pas tant les tracts qui l'inquiètent, ils ne le surprennent pas, mais bien l'hypothèse que leurs auteurs fomentent des plans plus sinistres. Or, à l'aube du 26 août, quelques heures avant le discours, il apprend que le responsable de cette nauséabonde opération de propagande, un certain capitaine Sithu, vient d'être arrêté par des civils et emmené dans un monastère où une prison a été improvisée ! Il s'y précipite. Le capitaine Sithu est assis recroquevillé dans un coin de la pièce avec cinq collègues. Ils sont gardés par un groupe de moines qui se tient debout, machettes à la main.

— On va les tuer, dit l'un d'eux.

— Non, s'il vous plaît, ne faites pas cela, au nom d'Aung San, lance U Htwe Myint.

Sithu, croyant sa dernière heure venue, l'implore : « Si je suis tué, s'il te plaît, assure-toi que ma famille ne voit pas mon cadavre. »

U Htwe Myint se penche vers lui : « Écoute, nous n'avons pas de temps à perdre, je vais t'interroger, j'utiliserai les méthodes qu'il faudra, mais tu parleras. » Il lui ordonne d'abord de décliner le nom de son épouse, son adresse et numéro d'identification national, des mesures d'intimidation que, ironiquement, il a apprises lors de ses nombreux séjours en prison !

— Dis-moi, avez-vous caché des bombes là où Aung San Suu Kyi parlera tout à l'heure ?

— Non. En tout cas, s'il y a un tel complot, je ne suis pas au courant. Moi ma seule mission était de diffuser les tracts.

L'officier eut la vie sauve et plus tard regagna sa caserne. Lorsqu'elle apprit l'existence de ces tracts, Aung San Suu Kyi confiera à U Htwe Myint : « C'est pire que ce que j'envisageais ! »

En dépit des assurances du capitaine Sithu, les étudiants chargés de la sécurité fouillent le podium et ses abords. Ils ne découvrent rien de suspect. Dès l'aube, le peuple commence à déferler vers la Shwedagon. Des gens de tous âges, de tous milieux sociaux, de toutes ethnies. Beaucoup sont venus de province, voyageant toute la nuit en bus, en voiture ou en train.

Il faut remonter à 1948 pour voir ainsi déferler sur Rangoon le fleuve du peuple birman. Cette année-là, il assistait aux funérailles d'Aung San. Quarante ans plus tard, il se presse pour la naissance politique de sa fille.

Les moines s'installent à l'avant, formant un gigantesque carré pourpre d'où émergent leurs crânes rasés luisant comme des milliers de têtes d'épingle. Les nuages semblent avoir pris le parti de la foule en masquant le soleil, salutaire attention en ce mois d'août, l'un des plus chauds de l'année. Mais les longues heures d'attente, de promiscuité et d'immobilisme provoquent des déshydratations. Des gens s'évanouissent. Des bouteilles d'eau passent au-dessus des têtes, on s'asperge comme on peut.

Sur un côté du podium est accrochée une peinture géante, un portrait stylisé en *bâtik* d'Aung San, de l'autre, un étendard rouge à l'étoile blanche qu'utilisait la résistance pendant la Deuxième Guerre mondiale. D'énormes haut-parleurs ont été disposés tout autour du podium.

Aung San Suu Kyi quitte sa maison vers 8 h 30. Elle s'est habillée de jaune. La sécurité a organisé un convoi d'une dizaine de voitures. Afin de tromper un éventuel assassin, dans chacune d'elles a pris place une jeune volontaire vêtue à l'identique d'Aung San Suu Kyi. Avant de partir, on lui propose un gilet pare-balles. « Pourquoi ? répond-elle. Jamais je ne porterai cela. Si je craignais d'être tuée, je ne m'exprimerais pas contre le gouvernement. »

Le jeune enseignant Nyo Ohn Myint, devenu l'un des organisateurs de l'événement, a emmené Michael dans son véhicule. La communication est limitée, le premier parlant peu l'anglais, le second pas du tout le birman. « Il était très calme, se souvient Nyo Ohn Myint. Je l'avais rencontré auparavant chez Aung San Suu Kyi, il lisait en permanence. Dans la voiture je lui ai dit : "Allons-y *Saya* [professeur] Michael, allons-y." Il transpirait énormément car il faisait très chaud, il donnait l'impression d'un homme qui se demandait comment il était arrivé là... »

Le convoi est ralenti par la foule qui continue d'affluer vers la pagode. Bientôt, il ne peut plus continuer. Aung San Suu Kyi et son escorte feront le reste du chemin à pied. Vers 10 heures, ils arrivent au podium.

Aung San Suu Kyi monte enfin sur scène. Il faut tendre le cou pour la distinguer. Elle est toute menue au milieu de la trentaine d'hommes qui l'entourent sur l'estrade. La plupart sont des étudiants habillés d'une chemise blanche sans col et d'un *longyi*. Ils sont chargés de sa sécurité. Les autres sont des artistes. C'est d'ailleurs un célèbre comédien birman qui la présente à la foule. Il demande aux gens de s'asseoir. Combien sont-ils ? 500 000 ? Davantage ? On a parlé d'un million...

Au pied du podium, calé sous le menton du portrait de son illustre beau-père, Michael tend le cou, faisant des efforts pour apercevoir son épouse entre deux têtes d'étudiant. Il transpire de plus belle, ses cheveux lui collent au front. « Il y avait de la fierté dans ses yeux », dit Nyo Ohn Myint, resté à ses côtés.

Elle s'avance vers le micro. Après ses premiers mots « Révérends moines, citoyens ! », elle lance un appel à la discipline et à l'unité. « Notre objectif est de démontrer que la population dans sa totalité nourrit le désir le plus ardent pour un système de gouvernement démocratique multipartite. »

Puis elle rend hommage aux étudiants qui sont à l'origine du mouvement et demande à la foule d'observer une minute de silence à la mémoire de ceux qui sont tombés sous les balles. L'immense savane humaine qui s'étend au pied du dôme sacré cesse soudain de bruire, figée dans un intense recueillement pendant une minute.

Une profonde inspiration et elle reprend le micro, s'adressant d'abord à ceux qui pourraient lui reprocher ses années passées à l'étranger. « C'est vrai, j'ai vécu à l'étranger. C'est vrai aussi, je suis mariée à un étranger. Mais ces réalités n'ont jamais influencé et n'influenceront jamais, en aucune façon, ni n'atténueront l'amour et la dévotion que j'ai pour mon pays. »

Jetant un rapide coup d'œil vers le portrait de son père sur sa droite, elle poursuit : « Je ne pouvais, en tant que fille de mon père, rester indifférente à ce qui se passe. En réalité, on pourrait qualifier cette crise nationale de deuxième combat pour l'indépendance nationale. »

À l'adresse de l'armée, elle lance un appel clair et simple à la conciliation : « Laissez-moi vous parler franchement. Je ressens un profond attachement pour les forces armées. Non seulement, elles furent établies par mon père, mais ce sont des soldats qui prirent soin de moi enfant. Je souhaite en conséquence ne pas voir des divisions et des luttes entre l'armée que mon père a fondée et le peuple qu'il a tant aimé. »

Elle conclut en résumant ses trois principales revendications : « Le démantèlement du système à parti unique, l'établissement d'un système de gouvernement multipartite et l'organisation d'élections libres et justes. »

À chacune de ses interruptions, la foule, conquise, applaudit. « En entendant son discours, nous sommes tous tombés sous son charme, elle était charismatique, déterminée, se souvient une habitante de Rangoon. Nous avions enfin un leader qui pourrait nous mener vers la liberté. » Le réalisateur de cinéma U Moe Htu qui se trouvait lui derrière le podium et n'aperçut pendant le discours que les pieds d'Aung San Suu Kyi, la trouva « parfaite ». « Son Birman était impeccable, pur, académique, elle avait souvent une meilleure grammaire que la nôtre ! »

Un ancien ambassadeur se souvient avoir donné congé à ses employés birmans pour leur permettre d'assister à l'événement. « De retour, lorsqu'ils sont venus me raconter, ils avaient tous les larmes aux yeux, tant ils avaient été impressionnés. Elle leur avait parlé droit au cœur. »

Venu avant tout par curiosité pour découvrir la fille du Bogyoke Aung San, en moins d'une heure, le peuple birman s'était trouvé un chef.

5

9 heures. Elle s'assied à la table de la salle de séjour. Daw Khin Khin Win et sa fille ont déjà mangé. Elle se sent minuscule seule à cette grande table ronde. Elle s'assied toujours à la même place, le dos tourné à deux cadres accrochés au mur : les portraits de son père, dans son uniforme de Bogyoke, et de sa mère en robe traditionnelle. Elle mange peu, un yaourt liquide en boîte apporté ce matin par l'homme, une mangue un peu gâtée qui reste de la veille et quelques biscuits pour accompagner le thé. Le thé, elle l'aime à la birmane, les feuilles bouillies avec du lait concentré. Mais elle le prépare dans un service à l'anglaise. Elle mange toujours très peu. « Vous avez un appétit de moineau... » Combien de fois n'a-t-elle pas entendu cette remarque !

La tasse et le pot de thé se mettent à vibrer sur la table. De l'avenue, un grondement s'amplifie, se stabilise puis s'évapore. Un convoi militaire sans doute. Le quartier en a l'habitude. Rien que pour elle, les autorités mobilisent en permanence une soixantaine de policiers. Ils ont un camp à côté de la maison, une cahute en face et plusieurs guérites disséminées le long de la chaussée. Chaque soir à 18 heures, les policiers bloquent l'avenue, en amont

et en aval de la propriété, avec une barrière métalli-
que. Ils la rouvrent le lendemain à 6 heures. Ce
blocage de l'avenue, les militaires l'utilisent depuis
ces jours de 1989 où la maison est devenue le cœur
d'un mouvement qui menaçait de les dépasser.
Aujourd'hui encore, à l'approche des anniversaires
évocateurs de symboles, l'assassinat de son père, les
massacres de 1988, la création du Parti, les élec-
tions, ils interdisent l'accès à ces quelques centaines
de mètres de goudron qu'ils prétendent pourtant si
insignifiants.

LE CAPITAINE FOU

Il faut maintenant concrétiser, canaliser
l'énorme espoir qu'Aung San Suu Kyi a fait naître
à la pagode Shwedagon. Rude tâche ! De la ruche
que la dictature a étouffée pendant vingt-six ans
s'échappe une myriade d'abeilles ivres du pollen
de la liberté. Chacune veut faire entendre son bour-
donnement, former son parti, son syndicat, son
comité. Des officiers à la retraite, d'anciens politiciens revenus d'exil s'allient à des intellectuels et à
des artistes pour former, ou en tout cas proclamer,
un gouvernement parallèle. Les survivants du
groupe des « Trente Camarades » demandent à
l'armée de regagner ses casernes. Dans les rues de
Rangoon, Mandalay, Moulmein, Lashio, partout,
manifestations et grèves se succèdent.

Mais de la ruche ont également surgi les démons
de la vengeance. L'anarchie s'étend aux symboles
du gouvernement. On incendie des usines et des
entrepôts d'État. On pille des banques. Des milliers

de criminels s'évadent des prisons du pays. La justice installe ses prétoires expéditifs aux carrefours. Le peuple s'improvise procureur. Coupables de choix, les agents des services de renseignements, une des organisations les plus abhorrées des Birmans. Il se passe rarement un jour sans qu'un agent, femme ou homme on ne fait plus la distinction, ne soit pourchassé, capturé, jugé en quelques secondes et décapité sur un trottoir. La foule applaudit, brandit le trophée sanglant. Peu importe que parfois la culpabilité ne repose que sur un soupçon, une dénonciation non avérée. Un jeune journaliste français enregistre avec sa caméra vidéo ces scènes insoutenables. Elles seront plus tard exploitées par la propagande des généraux. « Voyez ce qu'il arrive lorsque le peuple s'empare du pouvoir... »

Mais l'armée est-elle vraiment hors du coup ? À quel point laisse-t-elle faire et attend-elle son heure ? Difficile en ces semaines de chaos de se faire une idée claire. D'autant que la rumeur défigure toute information. On accuse Ne Win, une fois de plus, d'avoir manigancé l'affaire. Pour preuve, un « document secret » qui apparaît opportunément. Il « démontre » que le vieux dictateur démissionnaire a fait organiser l'anarchie afin de justifier une intervention armée.

Le 10 septembre, le parti unique au pouvoir semble faire une concession en proposant des élections multipartites.

Aung San Suu Kyi, elle, continue de recevoir, de discuter, d'élaborer des scénarios dans sa maison transformée en quartier général de l'opposition. Mais il faut déjà affronter les premières divergences au sein d'un mouvement qui n'est pas encore structuré. Une partie des étudiants accuse Aung San Suu Kyi d'être manipulée par des communistes. Ils pointent du doigt plusieurs des vieux militants qui furent avec elle dès les premiers instants de son engagement politique. Certains quitteront le mouvement.

Avec une poignée d'anciens officiers, comme Aung Gyi, Tin Oo, Kyi Maung ou Aung Shwe, elle apporte son soutien à la formation d'un gouvernement intérimaire.

Celui-ci ne verra pas le jour. Le 18 septembre, l'armée reprend la situation en main. Le parti unique est démantelé pour faire place à une junte dont le nom, SLORC (State Law and Order Restoration Council, Conseil d'État pour la restauration de la loi et de l'ordre), semble sorti d'un mauvais film d'anticipation. Un des chefs de la nouvelle dictature est le général Khin Nyunt, un homme de quarante-huit ans, chef des services de renseignements. Désormais, les destins d'Aung San Suu Kyi et de Khin Nyunt, après leur éclosion politique simultanée, ne cesseront de se croiser.

Le peuple voit dans l'irruption du SLORC une nouvelle manigance de Ne Win et sa clique. Au cours des mois précédents, on lui a déjà offert deux nouveaux présidents et un catalogue de promesses, mais chaque fois l'espoir s'est dilué dans le sang. Cette fois, il n'aura pas à attendre. Pour bien établir ses intentions, quelques heures après sa naissance, le SLORC ordonne à ses soldats de tirer sur la foule qui ignore le couvre-feu. Des centaines d'émeutiers sont massacrés.

Aung San Suu Kyi, dans une lettre ouverte, demande « à chaque pays sur terre de reconnaître le fait que le peuple de Birmanie se fait tirer dessus sans aucune raison [1] ».

Des étudiants, des moines, des intellectuels, des déserteurs commencent à fuir le pays pour gagner la jungle le long des frontières thaïlandaise et chinoise. Ils y sont accueillis par des minorités ethniques qui depuis des décennies luttent contre le régime birman. De là, pensent-ils, ils pourront se réorganiser et lancer leur contre-révolution armée. Mais, à leur arrivée, beaucoup, épuisés par les jours de marche à travers forêts et montagnes, découvrent un ennemi qu'ils n'avaient pas prévu : le paludisme. Plusieurs dizaines d'entre eux mourront faute de soin, loin de leur rêve et de leur famille.

D'autres décident de rester en Birmanie dans la clandestinité, comme Paw Oo Tun, un étudiant en zoologie qui s'est choisi le pseudonyme de Min Ko Naing, « le Conquérant des rois », et qui s'est affirmé comme le principal leader étudiant. Il sera arrêté plus tard et passera quinze ans derrière les barreaux.

Un avocat de Rangoon, qui a payé son opposition constante à Ne Win et son régime par de nombreux séjours en prison, participe depuis le début de l'insurrection à la création du mouvement des étudiants. « Un jour, raconte-t-il, Aung San Suu Kyi me demande de venir la voir chez elle. Elle m'enjoint d'intervenir auprès d'un leader étudiant, un de mes protégés qui, disait-elle, divise le mouvement. »

---

1. *Outrage*, Bertil Lintner, p. 193.

L'avocat profite de l'occasion :

— Voilà, vous savez que de nombreux étudiants, parmi lesquels beaucoup de « mes boys », ont gagné la Thaïlande. Je voudrais créer un mouvement d'étudiants armés à partir de la frontière thaïe. C'est le seul moyen de nous défaire de la dictature. Nous avons le soutien de minorités comme les Karens et les Môns. Ce serait bien sûr mieux si nous avions votre bénédiction.

— Pas question, en aucune façon... Vous le savez, je suis contre la violence, je suis la voie de Gandhi.

— Que savez-vous de Gandhi ? lui répond l'avocat, furieux. Savez-vous que si les Britanniques ont accordé son indépendance à l'Inde, ce n'est pas à cause de Gandhi mais parce qu'ils craignaient l'Armée nationale indienne (India National Army). Ici c'est pareil, la seule façon de combattre cette junte, c'est avec nos propres fusils.

— Non, je le répète, je ne cautionnerai jamais des actes violents, assène-t-elle avant de mettre fin à l'entretien.

De la frontière court aussi le bruit que le gendre de U Thant, l'ancien secrétaire général des Nations unies décédé en 1974, va former son propre mouvement armé. Aung San Suu Kyi fait savoir qu'elle ne le soutiendra pas.

Mais l'intervention du SLORC a réussi à étouffer l'insurrection. Les gens sont épuisés, ils en ont assez de voir les leurs mourir. Une grève générale qui durait depuis deux mois est arrêtée. Les militaires, se sentant à nouveau en position de force, réitèrent la promesse d'élections libres qu'ils sont persuadés de remporter.

Le pays s'engage alors dans une phase surréaliste de son histoire. Sous la coupe d'une dictature qui se renforce de jour en jour, il voit se créer une multitude de partis politiques. Le 24 septembre, avec deux anciens officiers, U Tin Oo et U Aung Gyi, Aung San Suu Kyi crée un parti politique, la Ligue nationale pour la démocratie (LND). Quelques mois plus tard, U Aung Gyi quittera la LND en raison de divergences idéologiques.

Dès novembre, elle se lance dans une tournée préélectorale et visite des dizaines de villes du pays. Partout, une foule enthousiaste la découvre et l'applaudit.

Le 27 décembre 1988, Aung San Suu Kyi doit se rendre à Syriam, non loin de Rangoon, pour prononcer un discours. Son entourage lui conseille de reporter ce déplacement car l'état de santé de sa mère s'est détérioré. Elle décide malgré tout d'y aller. U Moe Htu, le cinéaste, fait partie d'une délégation qui la précède. Il l'attend. Mais elle n'arrive pas. « En fin d'après-midi, la foule commençait à s'impatienter. Des gens étaient même en colère, se souvient-il. Vers 18 heures, j'ai reçu un coup de téléphone annonçant le décès de Daw Khin Kyi. Aung San Suu Kyi avait rebroussé chemin. En apprenant la nouvelle, la foule s'est calmée. »

Les jours suivants, plusieurs milliers de personnes viennent présenter leurs condoléances avenue de l'Université. Aung San Suu Kyi s'isole quelques moments dans sa tristesse. « Je l'ai vue monter dans sa chambre les larmes aux yeux, raconte un de ses anciens et fidèles gardes du corps. Mais elle a dû redescendre bien vite pour accueillir les visiteurs. »

Aung San Oo, le fils aîné, celui qu'un moment le peuple avait attendu pour le sauver, atterrit de Californie pour un dernier adieu à sa mère. Le SLORC est hésitant sur cet événement. D'un côté, il craint que les funérailles de Daw Khin Kyi, veuve du père de l'indépendance, ne provoquent de nouvelles manifestations d'opposants. De l'autre, il peut en tirer parti et, en prenant en main l'organisation des funérailles, réaffirmer son autorité.

Daw San San, la biologiste à qui Aung San Suu Kyi a confié des responsabilités au sein de la LND, était présente. « Les services de renseignements étaient partout dans la propriété. Ils avaient tout organisé comme s'ils étaient chez eux, ils proposaient de la nourriture, des boissons, des chaises, des toilettes aux visiteurs. Ils avaient dressé des pavillons dans le jardin pour les accueillir. Ils voulaient rappeler que Daw Khin Kyi était aussi leur mère, la mère de l'armée. » Michael reconnaît que « les négociations pour les funérailles de la veuve du héros national ont été menées d'une façon exemplaire[1] ». Mais, rappelle-t-il, « c'est la seule fois où les autorités ont offert à Suu leur coopération [...]. Soldats, étudiants et politiciens ont tous collaboré, ce qui a permis à chacun de voir ce que le pays pourrait réaliser si l'unité se faisait sous la bannière de Suu ».

Parmi les tout premiers visiteurs, les maîtres du SLORC, dont les généraux Khin Nyunt et Than Shwe. C'est leur première rencontre. Elle les invite à boire le thé et leur rappelle l'importance d'un bon déroulement des élections. Les généraux répondent par un sourire poli.

---

1. *Se libérer de la peur*, p. 21.

Le 2 janvier 1989, une foule considérable accompagne le cortège funèbre jusqu'à la tombe creusée près de la pagode Shwedagon, à côté de celle de U Thant, l'ancien secrétaire général des Nations unies, et non loin du mausolée aux martyrs où repose Aung San l'époux.

Les funérailles se déroulent sans incident. C'est une réussite pour la LND qui a démontré ses talents d'organisateur et sa capacité à pouvoir discipliner les foules.

Passé ce deuil, Aung San Suu Kyi doit se consacrer à son Parti. En février, la junte annonce que les élections, les premières dans le pays depuis 1960, seront organisées au printemps de l'année suivante, en 1990.

Le siège de campagne, la maison d'Aung San Suu Kyi, s'est maintenant bien organisé. Une cinquantaine de personnes vivent en permanence sur la propriété, des étudiants gardes du corps, des responsables du Parti, des servantes et une vieille tante. Des bâtiments de bambou ont été construits tout autour de la maison : cuisine, dortoir, pavillon de garde, salle de réunion, échoppe à thé… Les buissons ont été élagués, les mauvaises herbes coupées. La cour sert de terrain de *chinlone*, jeu traditionnel birman où des joueurs marchent en cercle tout en se passant une balle avec les pieds ou les genoux. Mais à l'entrée de la maison, près du portail, les services de renseignements ont installé leur propre permanence, dans une cahute.

Depuis la création de la LND, l'organisation de la vie quotidienne s'est grandement améliorée. Il est fini le temps où Aung San Suu Kyi venait sur le pas de la porte annoncer penaude à ses partisans qu'elle était incapable de fournir le repas du soir. Désormais, les fonds et les bras affluent.

Mais la sécurité reste très stricte. Les étudiants se relaient toutes les trois ou quatre heures pour assurer la garde des lieux. « Beaucoup de gens voulaient rencontrer Aung San Suu Kyi, souvent pour des raisons futiles, on avait parfois peur pour sa sécurité, se souvient Nyo Ohn Myint. Un jour, un étudiant ivre a surgi, il voulait la voir, on a dû le discipliner. Parfois, elle s'aventurait à l'extérieur sans prévenir, pour arroser des fleurs, prendre l'air. » Rituel immuable, à 20 heures, Aung San Suu Kyi salue les occupants de la propriété et monte dans sa chambre, à l'étage, auquel seule sa servante a également accès.

Un comité de la jeunesse du Parti est fondé. Il devient une efficace machine à propagande. « On mettait au point des slogans, des stratégies de désobéissance à la junte, on diffusait partout des photos, des badges, des posters d'Aung San Suu Kyi, raconte Myint Soe, un des anciens membres de ce comité. Nous avions également préparé un plan en cas d'arrestation ou de décès d'Aung San Suu Kyi : nous marcherions vers sa maison et par petits groupes nous nous ferions aussi arrêter. »

Aung San Suu Kyi ne perd pas un instant. L'énergie qu'elle déploie est à la mesure de l'enjeu, titanesque. Tout ce qui relève d'un parti politique démocratique est à réinventer. Il faut d'abord installer ou renforcer la présence de la LND en province en y montant des antennes. Et, même si elle se fait fort de déléguer les responsabilités, elle se doit de se présenter en personne partout où elle le peut. On l'y attend.

Mais à Rangoon, il y a aussi la famille. Profitant des vacances en Angleterre, Michael et les enfants prennent l'avion pour la Birmanie. La situation représente un crève-cœur pour Aung San Suu Kyi. Comment bien s'occuper à la fois de tous ses enfants, les deux fils de sa chair et la multitude de fils et de filles qui ont risqué leur vie pour un même idéal ? Au cours des années qui suivront, les circonstances mais aussi sa détermination à poursuivre l'œuvre engagée la pousseront davantage et inexorablement dans les bras de ses enfants de Birmanie.

Lorsque Michael, Alexander et Kim débarquent à Rangoon, ils ont bien sûr leur place privilégiée au cœur de la « Principauté de l'avenue de l'Université ». Michael, comme à son habitude, passe ses journées à lire, à fumer et à se faire discret. Parfois, des étudiants viennent le rejoindre sur la véranda partager un *cheroot*.

Soucieux de ne pas apparaître aux yeux de la junte comme un intermédiaire ou une source d'informations auprès de la communauté internationale, Michael s'est fixé une règle : éviter tout contact avec l'ambassade de Grande-Bretagne et ses amis étrangers. Un jour, alors qu'il se trouve au comptoir de la compagnie d'aviation Thai Airways au centre-ville, Michael voit un de ses amis franchir la porte. À son grand dam, il ne peut que le saluer d'un mouvement de la tête et quitter les lieux.

Pendant la journée, les rares moments qu'il peut confisquer à son épouse se décident toujours au dernier instant. Nyo Ohn Myint se souvient : « Elle m'avait demandé de traiter Michael comme un ami, non comme quelqu'un de spécial. Un jour il attendait sa femme pour déjeuner mais la réunion qu'elle présidait se prolongeait, elle lui a fait savoir qu'il se débrouille pour trouver de la nourriture. C'était souvent comme cela. »

Lors d'une tournée dans l'État shan, alors qu'Aung San Suu Kyi s'est installée dans la maison d'un sympathisant pour la nuit avec une partie de son équipe, la BBC annonce que la junte va expulser Michael, arrivé seul quelques semaines auparavant. Le gouvernement lui a refusé une demande de prolongation de son visa.

Aung San Suu Kyi parvient à l'appeler :

— Michael, tu dois partir, sinon ils vont t'arrêter.

— Pourquoi ? Je vais tenter de rester ici, peut-être changeront-ils d'avis, répond Michael qui craint de ne plus jamais obtenir de visa.

— Non, il faut que tu partes, il ne faut pas les provoquer inutilement.

En apprenant la nouvelle, plusieurs sympathisants d'Aung San Suu Kyi, qui occupaient une maison voisine, viennent la trouver, inquiets :

— Daw Suu, faut-il continuer notre voyage ou revenir à Rangoon ?

— Pourquoi ?

— Si *Saya* Michael est arrêté, nous devrons changer notre programme.

— Il n'y aura pas de changement, qu'il soit ou non arrêté, nous poursuivons notre tournée.

Ce jour-là, peut-être plus que tout autre, Michael « avait réalisé qu'elle n'abandonnerait jamais son combat », pense Nyo Ohn Myint, présent à ses côtés lors de l'incident. « Nous avons essayé de le relaxer en lui disant : "C'est la vie, un jour tu reviendras". »

Le lendemain après-midi, Michael repartira pour l'aéroport. Seul.

Quand les fils Aris sont à Rangoon, les étudiants se font à leurs heures perdues moniteurs de colonie. Surtout auprès du cadet Kim.

C'est un petit garçon enjoué qui semble davantage s'amuser de la situation que son frère. Ses espiègleries amusent la cantonade. Lorsqu'il imite les Birmans en chiquant de la noix de bétel et crache à terre la salive rouge, lorsqu'il marche sur le derrière, mains et bras entrecroisés, le parterre d'étudiants s'esclaffe. Une complicité s'installe entre les étudiants et lui. « Il voulait souvent jouer avec nos *jinglee*, ces flèches au bout courbé comme des hameçons que nous fabriquions avec des rayons de bicyclette et que nous tirions à l'aide d'une catapulte sur les policiers pendant l'insurrection, raconte Moe Mya Htu. Sa mère le lui avait interdit mais en cachette on l'autorisait à tirer sur les troncs d'arbre et des noix de coco. »

Kim déclenche aussi l'hilarité lorsqu'il marchande avec sa mère.

— Kim, va lire à l'étage s'il te plaît, cinq minutes.

— Non, trois minutes.

— Bon, va pour trois minutes mais de vraies minutes !

Innocence de l'enfance, Kim ne fait pas de discrimination politique. Souvent, il se joint à une partie de *chinlone* engagée par les agents des services de renseignements. Lors de la célébration du jour de l'indépendance, le 4 janvier 1989, face à une audience fournie, Kim se met à la guitare et joue *Dust in the wind*, chanson du groupe américain Kansas qui, adaptée en birman, était devenue un des hymnes de l'insurrection de 1988. Aung San Suu Kyi écoute assise au premier rang, les yeux humides d'émotion.

Alexander, lui, se mêle moins à l'entourage de sa mère. Adolescent taiseux, il passe son temps à lire ou parfois à jouer aux échecs avec un étudiant.

Plusieurs d'entre eux rapportent que la présence de ses enfants stimulait Aung San Suu Kyi.

Les tournées en province se succèdent. De mars à juillet 1989, Aung San Suu Kyi tiendra plus d'un millier de meetings dans tout le pays ! L'organisation est bien rodée. Un convoi de voitures et de pick-up, souvent accompagné pour quelques kilomètres par des motos, se rend d'une ville à l'autre. À chaque étape, une délégation locale se joint à Aung San Suu Kyi et son équipe, son « noyau dur » de Rangoon.

Parfois, des ajustements culturels sont nécessaires. Près de trois décennies de parti unique ont laissé des traces profondes dans la culture de la communication. Dans une ville du Nord, des membres de la LND ont monté un énorme podium avec au centre une chaise réservée au Maître de Cérémonie, le MC comme on le surnommait du temps de « la Voix birmane vers le socialisme ». Pendant plusieurs heures, des orateurs se succèdent à l'initiative du MC. « Aung San Suu Kyi trouve ces discours insupportables. Elle fait donc supprimer les MC et les interventions-fleuves. »

Ces voyages sont éreintants. Souvent, il faut se rendre à deux ou trois endroits le même jour. Alors l'équipée décompresse. Le soir, on chante, on plaisante mais, ordre de la patronne, on ne boit pas d'alcool. Parfois, des relations intimes se nouent entre militants et militantes. Malgré le veto imposé sur le mélange des vies professionnelle et privée. Une femme médecin, proche d'Aung San Suu Kyi, qui avait eu une aventure à l'arrière d'une voiture avec un homme marié, s'est vu tancer avec sévérité par la secrétaire générale du Parti ! À Mandalay, un jeune homme chargé de sa sécurité réalise qu'il a contracté une maladie vénérienne dans un bordel au cours d'une précédente halte. En principe, il devrait être expulsé de l'expédition. Mais Aung San Suu Kyi décide de lui donner une seconde chance. Elle se comporte alors en mère plutôt qu'en chef de parti intransigeant et confie à un de ses assistants la tâche de lui parler. « Dis-lui dorénavant d'utiliser le préservatif et assure-toi qu'il suit bien son traitement. »

Mais ces tournées, avec ces foules considérables qui accueillent Aung San Suu Kyi, agacent de plus en plus la junte. Qui décide de relancer sa machine à réprimer. On envoie des sbires dans les villes et villages au programme d'Aung San Suu Kyi pour tenter de dissuader les gens d'assister à ses meetings. On improvise des réglementations. « Défense d'ouvrir vos portes et vos fenêtres au passage de la LND, sinon vous encourez un mois de prison », hurlent des plantons dans des haut-parleurs. On ressort les méthodes ignobles d'insultes gratuites. On l'accuse de comportements sexuels déviants et antibouddhistes. On remet sur le tapis son union avec un étranger, en concluant qu'elle ne peut travailler que pour la CIA ! Le harcèlement et les arrestations de membres locaux de la LND se multiplient. Aung San Suu Kyi ne se laisse pas intimider. Poursuit ses tournées de plus belle, attirant chaque fois des foules plus nombreuses.

Le 5 avril 1989, ce volontarisme faillit provoquer une catastrophe. Tôt le matin, le convoi arrive à l'entrée de Danubyu, une petite ville à l'ouest de Rangoon, le long du fleuve Irrawaddy. Plusieurs centaines de sympathisants attendent Aung San Suu Kyi, les bras chargés de fleurs. Mais la police, faisant état d'un couvre-feu diurne opportunément instauré, bloque l'accès de la rue. Non loin, des soldats torse nu, nonchalamment assis dans la benne de camions, friment en caressant leur fusil-mitrailleur. Aung San Suu Kyi, pour ne pas envenimer les choses, décide de changer le programme et d'aller visiter d'autres lieux. À bord de deux pirogues affrétées par des supporters locaux, l'expédition, une trentaine de personnes, s'engage sur le fleuve pour une tournée des villages riverains.

En fin d'après-midi, peu avant 18 heures, les bateaux reviennent à Danubyu. De la berge, un jeune officier, le capitaine Myint Oo, annonce qu'il est interdit de débarquer après… 18 heures ! Aung San Suu Kyi ignore l'ordre et, à la tête des siens, s'engage vers le marché du bourg où se trouve le bureau de la LND.

À un carrefour, une vieille femme se précipite pour lui offrir des fleurs. Un soldat surgit et la frappe, provoquant la colère d'Aung San Suu Kyi : « Arrêtez, vous n'avez pas le droit de faire cela », crie-t-elle. À ce moment, huit soldats sautent d'un camion et se placent en ligne de chaque côté du capitaine. « Vous ne pouvez pas marcher sur cette route, reculez, disséminez-vous, sinon nous prendrons les mesures appropriées », lance-t-il. Le petit cortège poursuit sa progression. Myint Oo sort son pistolet de service, le pointe vers Aung San Suu Kyi et ordonne à ses soldats : « Agenouillez-vous, je vais compter jusqu'à dix et si à dix ces gens n'ont pas fait demi-tour, vous tirez sur eux. » Il commence son décompte. « 1, 2, 3… » L'assistante personnelle d'Aung San Suu Kyi, Ma Thanegy, lance à l'officier : « Capitaine, s'il vous plaît, discutons. » « 4, 5, 6… » Puisque l'interdiction ne concerne que la route, Aung San Suu Kyi ordonne aux siens de se déplacer sur le côté. « 7, 8… » Heureuse initiative car à cet instant un commandant, officier de grade supérieur, surgit en courant de l'arrière. Sans ce mouvement vers le côté, il n'aurait sans doute pas vu la scène. Le commandant se précipite vers le capitaine, le gifle à deux reprises et crie aux soldats : « Déchargez vos armes, c'est un ordre ! » Le capitaine semble perdre la raison. Il arrache ses galons, se frappe le visage et se lamente : « Pourquoi suis-je ici ? Qu'ai-je fait ? »

Plus tard dans la soirée, le responsable local de la LND chargé de la sécurité est convoqué au poste de commandement militaire. Il en revient une demi-heure plus tard. « J'ai vu le capitaine, il était ivre et tenait son pistolet devant lui, raconte-t-il aux autres. Il disait : "il y avait une balle pour la femme du *kalar pyu*, si je l'avais tuée je serais devenu un héros". »

Le soir, Aung San Suu Kyi organise une réunion de crise. On a frôlé le drame. Mais l'angoisse ne s'est guère dissipée. Était-ce vraiment l'œuvre d'un fou isolé ?

Aung San Suu Kyi prend la parole.

— Demain, nous nous rendrons au monastère de Danubyu comme prévu. Il semble que certains veulent me tuer... Si je meurs, je veux que vous utilisiez mes funérailles pour en terminer avec notre combat.

Quelqu'un propose de changer de programme.

— Retournons chez nous.

— Non, nous continuons, conclut Aung San Suu Kyi.

La nuit, elle la passe aux côtés de Ma Thanegy et de militantes locales à écrire un testament politique.

Le lendemain, la ville semble calme. De nombreux soldats se sont déployés aux carrefours. En arrivant au monastère, le commandant de la veille, tout sourires, vient saluer Aung San Suu Kyi et sa suite : « Pardonnez-nous pour ce qui est arrivé hier, vous êtes libres de vos mouvements, je serais très heureux de vous aider, bonne chance. »

Sur la route du retour, des groupes de villageois se sont postés armés de couteaux, de ciseaux et de sabres. Ils ont entendu dire qu'Aung San Suu Kyi a été assassinée ! En voyant son pick-up arriver, certains se précipitent : « Aung San Suu Kyi, êtes-vous OK, vous ont-ils fait du mal ? »

Nul ne sait ce qu'il est advenu du commandant. Le capitaine fou sera, lui, promu plus tard au grade de général.

Dès lors la tension ne retombera plus.

Pour davantage marquer son territoire, le SLORC décide en juin 1989 de changer le nom du pays. Désormais, la Birmanie n'existe plus, bienvenue au Myanmar ! Ce nouveau nom est en réalité tiré du nom birman du pays, le Myanma. L'objectif du SLORC, qui fera aussi changer le nom de plusieurs villes, Rangoon devenant Yangon, est de se débarrasser des influences linguistiques introduites par le colonisateur britannique. La junte prétend également que le nom Myanmar tient davantage compte de la diversité ethnique du pays. Ce que la plupart des spécialistes réfutent. L'opposition s'insurge aussitôt et dénonce ce changement décrété par un gouvernement non élu.

Le 19 juillet, jour de commémoration des martyrs, Aung San Suu Kyi, redoutant que la cérémonie ne dégénère, annule la visite qu'elle comptait faire au mausolée.

Le lendemain à l'aube, les soldats débarquent en nombre avenue de l'Université, bloquant les accès à la chaussée et à la propriété. La quarantaine de personnes présentes à ce moment chez Aung San Suu Kyi, étudiants, employés de l'échoppe à thé, membres du Parti, se voient intimer l'ordre de s'asseoir en ligne dans l'allée. Il fait chaud et il y a peu d'ombre. Aung San Suu Kyi arrive avec une jarre d'eau : « Je suis désolée mais je n'ai rien d'autre pour l'instant. » La LND fait apporter des boîtes repas pour le déjeuner. Vers 16 heures, les soldats reviennent, fouillent la maison, coupent la ligne téléphonique et emmènent le groupe à la prison d'Insein. La plupart ne verront plus Aung San Suu Kyi avant longtemps. Certains plus jamais.

Elle est officiellement placée en résidence surveillée.

Ses deux fils sont présents. À ce moment, ils jouent au Monopoly. Kim demande à sa mère : « Maman, est-ce qu'ils vont t'emmener ? » Elle répond : « Non mon chéri, je suis censée être enfermée dans la maison[1]. »

1. *Vogue*, octobre 1995.

6

9 h 20. Elle tente d'ouvrir une des fenêtres de la salle de séjour. Impossible, l'humidité a gonflé le bois. Il faudra attendre la fin de la mousson pour qu'un menuisier vienne raboter le cadre. L'autre jour, elle a eu la bonne surprise de voir débarquer un matin quatre ouvriers venus réparer les fuites du toit. Elle avait fait passer la requête un mois auparavant dans un message remis à l'homme par Daw Khin Khin Win. L'homme l'avait livré aux policiers qui à leur tour l'avaient confié à leur supérieur. La demande de réparation d'un toit au 54, avenue de l'Université avait finalement atterri sur le bureau du ministre de l'Intérieur qui, magnanime, avait donné son autorisation. En attendant, il avait fallu utiliser des seaux et des bassines pour recueillir l'eau qui fuyait. Ces petits soucis matériels lui rappellent ses six premières années de détention.

SIX ANS DE MÉDITATION ET UN NOBEL

Au moment de l'arrestation d'Aung San Suu Kyi, Michael ne se trouvait pas en Birmanie. Il n'avait pu y accompagner ses fils car son père venait de mourir. Il était donc resté en Angleterre pour les funérailles. Dès qu'il apprend la nouvelle, il s'envole pour Rangoon. Mais à l'arrivée, il disparaît ! Pendant trois semaines, on n'aura aucune nouvelle de lui. La presse britannique fait ses unes sur l'évaporation d'un éminent universitaire d'Oxford en Birmanie. En réalité, il est aux côtés de sa famille. À son débarquement à l'aéroport de Rangoon, des représentants du SLORC l'attendaient. Vous pouvez vous rendre avenue de l'Université, lui ont-ils dit mais, à une condition, ne contactez personne, ni ambassade ni allié politique de votre épouse. « Je pouvais en toute honnêteté affirmer que j'étais uniquement venu pour voir ma famille, et accepter leurs conditions sans difficulté[1] », écrira-t-il.

À son arrivée, Michael découvre une Aung San Suu Kyi en colère et... en grève de la faim. Des amis heureusement sont là pour s'occuper des deux fils. Depuis trois jours, elle ne se nourrit plus et ne boit que de l'eau. Des officiers venus officiellement lui notifier sa détention pour une période d'un an, elle avait exigé d'être emprisonnée à Insein, comme ses partisans. Car la junte a aussi arrêté plusieurs milliers de membres et sympathisants du Parti. Parmi eux, la quarantaine de jeunes militants qui se trouvaient à la maison à ce moment-là. La plupart sont derrière les barreaux d'Insein, quelques-uns comme U Tin Oo, vice-président de la LND, en résidence surveillée. La junte n'avait pas donné suite à l'exigence d'Aung San Suu Kyi. La fille du Bogyoke à Insein ? Impensable. Au bout de douze jours, après avoir reçu des assurances du gouvernement que ses partisans

---

1. *Se libérer de la peur*, p. 23.

arrêtés chez elle ne seraient pas maltraités, elle arrête sa grève de la faim.

Au début septembre 1989, Michael et les deux garçons, appelés par leurs devoirs académiques et scolaires, doivent repartir pour l'Angleterre. Quelques jours plus tard, l'ambassade de Birmanie à Londres fait savoir à Michael que les passeports birmans d'Alexander et de Kim sont révoqués. « De toute évidence, le but était de briser le moral de Suu en la séparant de ses enfants, dans l'espoir qu'elle accepterait un exil permanent[1]. »

C'est une solution que jamais elle n'envisagera. « À partir du moment où je suis une citoyenne de Birmanie et pas d'un autre pays, je ne vois pas comment ils pourraient me déporter, à moins bien sûr qu'ils n'achètent la Lune et m'y envoient », commente-t-elle[2].

Les généraux n'ont pas encore pris la mesure de cette obstination à vouloir se battre pour la démocratie de l'intérieur, auprès de ceux qui sont désormais devenus les siens. Chacune de leurs manœuvres d'intimidation, chacun de leurs chantages ne fera que la renforcer dans ses convictions.

À la Noël, Michael est autorisé à venir passer deux semaines auprès de son épouse. Il la découvre en forme. Bien organisée. Elle a rapidement mis au point un strict programme de vie quotidienne. Chaque jour est réglé au métronome. « L'auto-discipline était vitale. Je pensais que si je devais vivre seule pendant des années et des années, car j'ignorais pour combien de temps je serais

1. *Ibid.*, p. 25.
2. Reuters, 30 novembre 1998.

assignée à résidence, je ferais bien de commencer à apprendre à vivre avec moi-même, déclarera-t-elle[1]. Il était important d'établir une routine et de la respecter scrupuleusement afin d'éviter un gaspillage irréfléchi de temps[2]. »

Chaque matin, elle se réveille à 4 h 30 puis médite une heure avant d'écouter la radio : BBC Monde à 5 heures, le service en birman de la VOA (Voice Of America – Voix de l'Amérique) à 5 h 30 et son équivalent sur la BBC à 6 heures. Elle essaie aussi de capter la DVB (Democratic Voice of Burma – la Voix démocratique de Birmanie, une radio financée par des organisations non gouvernementales – ONG – et basée à Oslo) mais la réception est souvent mauvaise. Parfois, elle réussit à se brancher sur RFI qui lui permet, dira-t-elle, de perfectionner un français appris il y a bien longtemps !

Après une série d'exercices physiques, elle prend une douche puis un petit déjeuner. Jusqu'à midi, elle lit, fait des travaux de couture, d'entretien du jardin, un peu de marche autour de la maison.

Après le déjeuner, elle écoute à nouveau les informations à la radio puis se remet à ses livres, ses aiguilles et, lorsque le temps le permet, son sécateur. Au début, elle s'assied à son piano et se laisse aller à quelques variations sur Bach mais l'instrument, trop fragile pour les caprices tropicaux, se désaccorde et se déglingue assez vite. En fin d'après-midi, elle écoute les programmes culturels de la BBC. Il y a bien un poste de télévision dans la maison, mais il faut une autorisation spéciale

---

1. ABC Radio, juin 1996.
2. *Letters from Burma*, p. 59.

pour obtenir le droit de posséder une connexion par satellite !

Le soir, un dîner précède une nouvelle douche et, à 9 h 30, après un dernier bulletin sur la DVB, c'est l'extinction des feux.

Le week-end, elle donne un peu de mou à ce programme et laisse « le jour couler sans aucune précipitation. Dimanche était particulièrement luxueux car je pouvais me cuire un œuf pour le petit déjeuner », plaisante-t-elle[1].

Une jeune servante, Maria, est autorisée à se rendre chez elle du lundi au vendredi. C'est elle qui fait les courses et prépare les repas, l'aide aux diverses tâches.

La junte fixe les élections au 27 mai 1990. Elle est convaincue qu'avec son leader hors d'état de nuire, la LND n'a aucune chance de les remporter. Pour plus de sûreté, elle a multiplié la création de partis politiques fantoches. Pas moins de 234 formations s'inscrivent sur les listes électorales, la plupart dotées d'une table et d'une chaise en guise de quartier général. Le jour des élections, 93 d'entre eux présenteront des candidats.

Grâce aux radios étrangères, et en particulier à leurs services en birman qui rapportent de façon méthodique le moindre développement, Aung San Suu Kyi ne perd rien de la campagne électorale qui se déroule, contre toute attente, de façon exceptionnellement calme. Son nom y est bien sûr constamment associé. Le jour dit, les électeurs se présentent en masse aux bureaux de vote. Résultat, la LND d'Aung San Suu Kyi, privée de liberté, rem-

---

1. *Ibid.*

porte 392 des 485 sièges en jeu, soit 80 % des voix. Les généraux sont abasourdis. D'autant que la LND s'est imposée dans toutes les villes et régions de garnison. Beaucoup de gens ignoraient tout des candidats de leur circonscription. En donnant leurs voix au représentant de la LND, ils ont voté pour Aung San Suu Kyi, ou en tout cas pour l'espoir qu'elle symbolise.

L'espoir, une fois encore, sera balayé. Le balancier qui depuis plus de deux ans règle la vie politique birmane va de nouveau s'immobiliser dans les filets de la junte. Au premier anniversaire de la mise en détention d'Aung San Suu Kyi, prolongée d'une nouvelle année, l'armée annonce que, élections ou pas, elle est toujours détentrice du seul pouvoir légal dans le pays. Des manifestations se déroulent, elles sont aussitôt réprimées. Des membres de la LND sont arrêtés et torturés. À Mandalay, l'armée tue plusieurs manifestants dont deux moines. La hiérarchie bouddhiste décide un boycottage national des rites et services rendus par les moines aux soldats, policiers et à leurs familles. Du jamais vu dans l'histoire du pays.

En décembre 1990, plusieurs parlementaires élus qui ont réussi à fuir le pays créent à partir de la frontière thaïlandaise un gouvernement en exil, le NCGUB (National Coalition Government of the Union of Burma – Gouvernement national de la coalition de l'Union de Birmanie). Le Premier ministre est U Sein Win, un cousin germain d'Aung San Suu Kyi. Le siège de ce gouvernement sera plus tard déplacé dans le Maryland aux États-Unis.

Mais ces développements trouvent de moins en moins d'écho hors de Birmanie. Le monde vit des soubresauts qu'il semble trouver autrement plus inquiétants. La chute du Mur de Berlin a entraîné la désintégration de l'Empire soviétique. Au Koweït et en Irak, l'armée américaine mène ce que l'on appellera la Première Guerre du Golfe. La Yougoslavie commence à se disloquer dans un conflit qui se joue à quelques heures de Paris et Londres. En Inde, le Premier ministre indien Rajiv Gandhi, ancien compagnon d'équitation d'Aung San Suu Kyi à Delhi dans les années 1960, est assassiné. La presse est débordée. La Birmanie redevient une de ces dictatures exotiques dont on parle quand la place et la publicité le permettent. Et peu importe que de nombreuses organisations de défense des droits de l'homme ne cessent de dénoncer les terribles exactions de la junte.

En octobre 1991, un événement va de nouveau forcer le monde à tourner la tête vers la Birmanie. La fin du mois marque traditionnellement l'attribution du prix Nobel de la paix. Une soixantaine de personnes et d'organisations ont été nommées. On trouve le président américain George Bush Sr, le Sud-Africain Nelson Mandela, le pape Jean-Paul II, l'Armée du Salut et… Aung San Suu Kyi. Quelques jours avant la nomination du lauréat, elle fait figure de favorite. Elle a un soutien de poids, celui d'un autre candidat sérieux, Václav Havel, président de la Tchécoslovaquie. Aung San Suu Kyi avait déjà en juillet été récompensée du prestigieux prix Sakharov, décerné par l'Union européenne. Mais l'impact international de cet honneur avait été limité.

Le 14 octobre, la nouvelle tombe : Aung San Suu Kyi est prix Nobel de la paix 1991. C'est la première fois qu'il est attribué à une personnalité privée de liberté.

Elle l'apprend par la BBC : « Ce n'était pas vraiment une surprise pour moi car on avait annoncé depuis déjà une semaine que j'étais sur la liste finale [1]. » À cette époque, à l'exception de la radio, elle est totalement coupée du monde. Seul un diplomate russe voisin peut confirmer de temps à autre qu'elle est vivante lorsqu'il l'entend jouer du piano ! La voilà donc bien incapable de réagir à l'attribution du Nobel.

Deux mois plus tard, lors d'une émouvante cérémonie à Olso, Michael et ses deux fils reçoivent le prix au nom de leur épouse et mère, une médaille d'or, un diplôme et un chèque de 1,2 million de dollars.

C'est Alexander, en costume cravate sombre qui, devant un portrait de sa mère radieuse, prononce le discours de réception du prix.

« Majestés, Excellences, mesdames, messieurs… entame avec solennité le jeune homme qui a maintenant dix-huit ans et dépasse d'une bonne tête son petit frère. Ma mère dirait que ce prix ne lui appartient pas mais bien à tous ces hommes, femmes et enfants qui, au moment où je vous parle, continuent de sacrifier leur bien-être, leur liberté et leur vie en quête d'une Birmanie démocratique. » Le discours, rédigé en grande partie par Michael, est sobre, sans agressivité. Conciliant, il appelle « les oppresseurs et les opprimés à jeter leurs armes et à se réunir pour construire une nation fondée sur l'humanité dans l'esprit de la paix ».

---

1. La Voix du défi, p. 123.

Le SLORC, on s'en doute, ne voit pas d'un bon œil cette nouvelle « intervention étrangère dans les affaires intérieures birmanes ». Dans un article publié plus tard par un journal pro-gouvernemental, la junte comparera Aung San Suu Kyi à Mikhail Gorbatchev, lauréat du précédent Nobel de la paix : « Après que Gorbatchev a reçu le prix Nobel de la paix, l'Union soviétique s'est désintégrée, l'économie s'est écroulée et les républiques séparatistes ont commencé à se battre entre elles[1] », met en garde la junte.

Des personnalités proches du régime déversent leur fiel. Comme le Dr Maung Maung, un homme de paille de Ne Win qui, dans la tourmente de 1988, l'avait nommé président civil pour... un mois. « Un million de dollars n'est pas quelque chose à dédaigner[2], miaule-t-il. La voilà désormais assurée pour la vie, et ses enfants et sa famille sont bien à l'abri du besoin. Elle peut s'engager sur les circuits lucratifs des conférences, au moins pour un temps ; ses livres deviendront des best-sellers, au moins pour certains. Ce serait amusant, si c'était la manière dont elle décidait de partir. »

Vœu pieux, Aung San Suu Kyi ne partira pas, bien sûr.

Pire pour ses détracteurs, elle décide de consacrer la totalité du montant du Nobel à la création d'un « Burma Trust for Education », un fonds géré de l'étranger et destiné à l'éducation et à la santé de jeunes Birmans exilés, notamment en Thaïlande. Elle n'utilisera donc pas un centime de ce prix pour ses besoins personnels.

---

1. *Kyemon*, 10 août 1996.
2. *The Uprising in Burma*, Dr Maung Maung, p. 274.

L'avenue de l'Université semble être l'un des rares lieux au monde à avoir échappé à l'effervescence qu'a déclenché le Nobel. Métamorphosée en capitale politique du pays un an durant, elle est retournée à sa destination première, une rue assoupie abritant l'élite et le campus universitaire. Seul changement, plusieurs cahutes et guérites, occupées par des policiers et des agents des services de renseignements, ont poussé aux abords de la maison. Le numéro 54 est devenu une attraction interdite pour touristes et journalistes qui se font discrètement et lentement conduire le long de la propriété, dissimulés derrière une vitre teintée ou le rideau antipluie d'un taxi.

À l'approche d'un anniversaire ou d'une commémoration, les policiers ont ordre de barrer la route. « Les seules fois où j'étais consciente d'une quelconque activité [dans la rue], raconte-t-elle, furent à l'occasion de la fête des Eaux », qui marque le nouvel an birman et où traditionnellement la population s'asperge d'eau. « Des jeunes gens qui faisaient leurs tournées d'aspersion d'eau me criaient des encouragements alors qu'ils passaient devant la maison [1]. »

Lors d'une veille de Noël, l'ambassadeur de Russie, qui vivait non loin, avait loué une chorale pour chanter une sérénade à l'intention d'Aung San Suu Kyi. Elle avouera plus tard ne pas l'avoir entendue !

Au début de sa détention, une quinzaine de gardiens en armes vivent à l'intérieur de la propriété pour la surveiller. Lors de ses promenades dans le

---

1. *Letters from Burma,* 20 octobre 1997.

jardin et autour de la maison, elle engage souvent la conversation avec eux. « Un jour, raconte un de ses proches, n'ayant pas grand-chose d'autre à faire, elle a dressé un tableau noir et commencé à leur apprendre l'anglais. Ce qui créa un problème car les Birmans utilisent un titre honorifique lorsqu'ils s'adressent à un professeur et cela créait une confusion de voir des gardiens parler à leur prisonnière avec respect [1]. » Le SLORC a décidé de déplacer les gardes de l'autre côté du portail. Quelque temps auparavant, elle avait demandé, et obtenu, les ingrédients pour préparer un gâteau. Elle en avait offert des parts aux gardiens, non sans avoir pris soin de graver en birman dans le glaçage : « Libérez les prisonniers politiques. »

En 1992, la junte lui affecte un officier de liaison, le colonel Than Tun, issu des services de renseignements. Toute requête doit désormais passer par lui. Aung San Suu Kyi et Than Tun développent une relation cordiale. Au sein des renseignements, on le surnomme le « baby-sitter »… Mais elle tient à maintenir distance et dignité. À chaque visite de l'officier, Aung San Suu Kyi place sur la table qui les sépare le sabre de son père, déposé dans son étui de laque, le tranchant de la lame tourné vers lui…

L'arrivée de Than Tun coïncide avec une certaine ouverture de la junte. À partir d'avril 1992, Michael, qui depuis 1990 est titulaire d'une chaire d'enseignant à la prestigieuse université américaine d'Harvard, est autorisé à revenir avec ses enfants en Birmanie. Jusqu'à sa première libéra-

---

1. *Bangkok Post*, 23 juillet 1995.

tion, ils feront plusieurs séjours de quelques semaines chaque année. Dans une lettre sortie en douce du pays, elle écrit à une amie que chaque visite de ses fils la remplit de « sentiments mêlés ». Elle ne les avait plus vus depuis plus de deux ans. Mais c'était aussi à son initiative. Après la dernière visite de Michael, elle avait insisté auprès de lui pour qu'il ne demande plus de visa « aussi longtemps que d'autres prisonniers ne seraient pas libérés ».

Lors de ses visites, Michael lui apporte des livres, beaucoup de livres qu'elle lit et relit, des romans de Jane Austen, un de ses auteurs favoris, des biographies de personnages qui l'inspirent comme Nehru ou Gandhi, les épopées hindoues du *Ramayana* et du *Mahabarata*, des magazines aussi, mais étrangement plaisantera-t-elle, « pas un exemplaire du *Time* qui affichait ma photo en couverture[1] ». Elle lit du Simenon car depuis toujours elle cultive une admiration pour le commissaire Maigret mais plus encore pour... madame Maigret ! « Je préfère de loin les histoires dans lesquelles elle apparaît ample et confortable, l'image d'une bonne mémère, toujours à ses fourneaux, toujours occupée à lustrer, dorlotant en permanence son gros bébé de mari », écrit-elle[2].

Ses séances d'exercice sont devenues plus organisées maintenant que Michael lui a fait livrer un tapis roulant mécanique. Mais, à la fin 1992, l'argent vient à manquer. Elle se retrouve contrainte, pour pouvoir se nourrir, de vendre du mobilier, par l'intermédiaire de ses geôliers – une

1. ABC Radio, *ibid*.
2. *Letters from Burma*, p. 140.

baignoire, une commode, un climatiseur. En réalité, les gardes ont entreposé le mobilier et lui ont donné l'argent. Le jour de sa libération, ils voudront lui restituer les meubles mais elle leur fera savoir qu'elle doit d'abord récupérer l'argent pour les rembourser. Sa situation financière s'améliorera lorsqu'elle commencera à percevoir les droits d'auteur sur son livre *Se libérer de la peur*, un recueil de textes édités par Michael. Avec cet argent, Maria la servante achète la nourriture et autres produits de première nécessité dans des magasins d'État. Si elle veut se procurer des kyats, elle est obligée de le faire au cours officiel, quinze fois inférieur à celui du marché noir !

Les années de carence alimentaire, la répétition au-delà de l'excès de gestes simples, coudre, lire, s'asseoir, finissent par porter préjudice à sa santé.

« À une époque, dit-elle, j'étais tellement affaiblie par la malnutrition que mes cheveux tombaient, je ne pouvais m'extraire du lit. Je craignais d'avoir endommagé mon cœur. Chaque fois que je faisais un mouvement, il faisait thump-thump-thump, et j'avais du mal à respirer. Mon poids est tombé à 41 kilos, normalement j'en pèse 48. Je me suis dit que j'allais mourir d'un malaise cardiaque et non pas de faim[1]. » La junte s'inquiète autant qu'elle. Elle ne veut surtout pas d'une Aung San Suu Kyi martyre. Chaque fois qu'elle le réclame, son médecin lui est aussitôt envoyé. Il soignera aussi une spondylite, une infection des vertèbres, maladie dont souffrent de nombreux prisonniers.

Beaucoup d'autres auraient sombré dans le découragement. Pas elle. « Gandhi a dit que la vic-

1. *Vy Fair*, octobre 1995.

toire c'est le combat lui-même, commentera-t-elle[1]. Le combat lui-même, c'est cela le plus important. Je dis souvent à mes partisans que lorsque nous aurons atteint la démocratie, nous regarderons en arrière avec nostalgie sur la lutte et réaliserons combien nous étions purs. »

Le secret de son étonnante capacité de résistance, elle le trouve dans ses séances quotidiennes de méditation bouddhiste, comme beaucoup de Birmans forcés de passer des années en détention. « C'est une forme de culture spirituelle, une éducation spirituelle et un processus de purification. C'est au fond l'apprentissage de la conscience, dit-elle[2]. Par la conscience de tout ce que vous faites, vous apprenez à éviter les impuretés. » Elle est adepte de la méthode *vipassana*, la technique de « contemplation intérieure ». Assis en position du lotus, on se concentre sur les mouvements de la respiration et on observe les processus physiques et mentaux qui se produisent dans le corps et l'esprit.

De nombreux monastères birmans qui proposent l'enseignement de cette méthode, sont réputés auprès de la communauté internationale des adeptes de la méditation.

Aung San Suu Kyi en a appris les rudiments bien avant les événements de 1988, lors d'une visite à sa mère. Elle avait une vingtaine d'années et s'était rendue dans un centre de méditation de Rangoon. « Mais, reconnaît-elle, je n'avais jamais réellement médité beaucoup. Ma méditation a vraiment pris son essor pendant mes années d'assignation à rési-

---

1. *The Vancouver Sun*, 1er mars 1997.
2. *La Voix du défi*, p. 120.

dence[1]. » Elle confiera à un ami : « La méditation m'a préservée de la dépression dans les pires moments de ma vie, c'est elle qui m'a permis de ne jamais lâcher prise, de toujours garder la tête haute. »

Au début, et sans professeur pour la guider, elle éprouve beaucoup de mal. « Mes tentatives étaient plus qu'un peu frustrantes[2], ironise-t-elle. Certains jours, je trouvais mon échec à faire obéir mon esprit aux pratiques de méditation prescrites tellement exaspérant que je sentais que je me faisais davantage de mal que de bien. »

C'est aussi un livre offert par Michael qui va l'aider, couche après couche, à éplucher le fruit coriace de la sagesse intérieure. Ce livre, *In This Very Life : the Liberation Teachings of the Buddha* (*Dans cette vie-ci : les enseignements de libération du Bouddha*), a été écrit par U Pandita, un des *sayadaws* – moine supérieur – les plus respectés de Rangoon et dont elle deviendra après sa libération une disciple régulière.

Le 14 février 1994, pour la première fois depuis l'arrestation d'Aung San Suu Kyi quatre ans et demi auparavant, une délégation étrangère est autorisée à lui rendre visite. Elle comprend Bill Richardson, représentant du Nouveau-Mexique au Congrès et proche du président Bill Clinton, le délégué local du PNUD (Programme des Nations unies pour le développement), un membre de l'ambassade américaine, un journaliste du *New York Times* et un photographe. Dans la salle à man-

---

1. *Ibid.*, p. 121.
2. *Letters from Burma*, p. 160.

ger, face au portrait géant de son père, Richardson la rencontrera près de six heures en deux jours. À son arrivée, il lui remet une lettre et un stylo de la part de Clinton.

Les photos d'elle, en blouse verte, cheveux ramenés en arrière et la frange frontale qui lui donne cet éternel air de jeune fille rebelle, feront le tour du monde. Seules les fleurs manquent au portrait. À l'exception de quelques cernes de fatigue, les longues années d'isolement se devinent à peine. Le regard et le port volontaires sont restés intacts. Avec un sens de l'humour inaltéré, elle s'excuse de ne pouvoir inviter les cinq hommes à déjeuner car, dit-elle, elle n'a que six œufs dans la maison.

Au cours de ces entretiens, Aung San Suu Kyi répond avec franchise à une multitude de questions abordant sujets graves et futiles. Elle rappelle avec insistance qu'elle a « toujours appelé au dialogue » et dément s'être montrée « non disposée à parler au SLORC ». « J'ai seulement refusé de rencontrer certains d'entre eux, dit-elle, car ils ne se comportaient pas en officiers et en gentlemen. » Avec les généraux, elle se dit prête à aborder tous les thèmes. « Seule restriction, celui de mon départ, cela ne se produira jamais. »

Richardson rencontre aussi, pendant quatre heures, le général Khin Nyunt, dont le pouvoir au sommet de la junte s'est affermi. Pourquoi, lui propose-t-il, n'organisez-vous pas une rencontre avec Aung San Suu Kyi ?

Sept mois plus tard, elle rencontre enfin les maîtres du SLORC, pour un tête-à-tête d'une heure et demie. Un véhicule officiel l'a sortie de sa propriété-prison pour la conduire à un centre de réception de la junte. C'est un moine birman, res-

116

pecté à la fois par la junte et le peuple, qui a joué les intermédiaires entre les deux parties.

Sur une photo publiée dans la presse locale, elle se tient debout, silhouette filiforme et impeccablement droite drapée dans un *longyi* de soie rose. Elle semble un peu mal à l'aise, la tête légèrement penchée, les yeux baissés, le sourire forcé. On dirait qu'elle veut se maintenir à distance de ses deux voisins de gauche, les généraux Than Shwe et Khin Nyunt. Elle couvre de ses mains croisées un petit sac, comme si elle craignait qu'ils ne le dérobent... Eux, en uniforme, les bras le long du corps, apparaissent hilares. Le cliché a vraisemblablement été pris après une plaisanterie dont les généraux et elle ne partageaient pas la chute. Aung San Suu Kyi et Khin Nyunt se reverront un mois plus tard, en octobre 1994.

Mais il faudra attendre huit mois supplémentaires pour qu'enfin Aung San Suu Kyi soit libérée.

Le 10 juillet 1995, Moe Myat Htu, un des étudiants qui avait assuré la sécurité d'Aung San Suu Kyi en 1988 et 1989, est chez lui à Rangoon. Happé par la vague d'arrestations de 1989, il a passé trois ans en prison et vit maintenant de petits boulots. « La rumeur de la libération d'Aung San Suu Kyi courait depuis le matin, raconte-t-il. Je me suis précipité au quartier général de la LND. J'étais très excité, j'avais les larmes aux yeux. Elle est arrivée en voiture. Elle me semblait un peu vieillie mais ses manières, sa détermination n'avaient pas changé. Elle a fait un discours pour nous, les membres du Parti, où elle nous demandait de rester unis et patients. » Elle n'a pas reconnu Moe Myat Htu tout de suite. Il lui a rappelé son nom :

« Ah oui, je me souviens, comme tu as grandi ! Tu es un homme maintenant. »

Le lendemain, elle s'adresse aux journalistes étrangers accourus de Bangkok et se laisse longuement photographier et filmer.

Le gouvernement japonais a sans doute joué un rôle crucial dans cette libération. Deux mois plus tard, Tokyo reprenait son aide à la Birmanie avec une première affectation de 16 millions de dollars et la promesse d'autres versements « au cas par cas ».

Immédiatement, elle fait savoir que sa libération n'est qu'une étape. « Lorsque nous nous sommes réunis avec Aung Shwe, Kyi Maung et Tin Oo (les trois principaux dirigeants de la LND), nous avons décidé de reprendre le travail où nous l'avions laissé six ans auparavant. Ce fut un jour calme, pas très important », écrira-t-elle[1]. Elle confie aussi : « Je me suis dit, "bon, je suis libre", mais après tout je m'étais toujours sentie libre. Je n'étais pas vraiment affamée par le vaste monde extérieur. Je sentais que l'important était d'être capable de vivre à l'intérieur de moi-même et de me sentir libre[2]. »

« Pour moi, ajoute-t-elle, la liberté est le pouvoir de se libérer de la peur, et tant que vous ne pouvez vivre libéré de la peur, vous ne pouvez mener une vie humaine digne[3]. »

Elle redécouvre Rangoon. « Pas grand-chose n'a changé, constate-t-elle. Il y a plus de constructions, de voitures mais beaucoup de gens n'ont toujours pas de véhicule et sont obligés de se serrer dans

1. *Letters from Burma*, p. 137.
2. *Time*, 23 juillet 1995.
3. BBC, septembre 1995.

des bus bondés. » Elle remarque également que, par rapport à 1989, « il y a quelques personnes extrêmement riches qui ont accès à toute une série de privilèges qui n'existaient pas avant. Certaines sont liées au trafic de drogue ».

Malgré ces six longues années extrêmement pénibles, jamais elle n'exprimera de ressentiment envers les généraux.

Si elle n'a pas succombé à leurs menaces et à la peur, « c'est parce que je ne les haïssais pas, dit-elle, et vous ne pouvez pas vraiment avoir peur de gens que vous ne haïssez pas [1]. »

---

1. *La Voix du défi*, p. 47.

7

9 h 25. Elle ouvre la porte de derrière et s'assied sur la véranda, à la petite table ronde recouverte d'un napperon immaculé. Un bout de plâtre s'est encore détaché d'une des colonnes qui soutiennent le balcon. Et là, une dalle du carrelage s'est soulevée. Ça attendra. Cette véranda, c'est son endroit favori de la propriété. Que la mousson déverse ses cataractes comme chaque jour en ce mois de juillet, que le soleil fasse fondre l'atmosphère, elle s'y sent toujours enveloppée d'une sereine solitude. Pour l'instant, le lac somnole, ses eaux frisées par un léger vent venu d'une rive opposée. Un papillon distrait son regard. Il maraude d'une plante à l'autre dans le parterre qui s'étale entre la terrasse et le lac.

Sur la table, elle ouvre un livret qu'elle avait abandonné hier. C'est l'un des ouvrages que lui avait offerts Bhaddanta Vinaya, le vieux sayadaw, *du monastère de Thamanya.*

LE BONZE REBELLE

La voilà libre. Cette liberté, elle en a négocié les termes avec la junte. Elle a notamment obtenu l'assurance, comme tout citoyen birman, de pouvoir se déplacer dans le pays.

Un de ses tout premiers voyages hors de Rangoon est pour le monastère de Thamanya, dans l'État karen (Sud-Est). C'est l'un des lieux de pèlerinage bouddhistes les plus populaires de Birmanie. De Rangoon, il faut une dizaine d'heures pour parcourir les 350 kilomètres de route qui y mènent. C'est un pays de vastes rizières. De la terre jaillissent des touffes de bambou géant, les fins troncs des palmiers à huile coiffés de leurs boules de feuillage hirsute et des collines de calcaire étouffant sous une jungle compacte, comme les dents gâtées d'un géant qui se serait assoupi sous le riz. Le monastère occupe une de ces collines. Les pèlerins les plus vaillants y montent par une longue volée d'escaliers en ciment de plus de 300 marches. Les autres empruntent une étroite route qui zigzague entre les arbres et les rochers.

Comme tant d'édifices bouddhistes, Thamanya est un sympathique fouillis architectural. Salles de méditation, cellules pour bonzes, cuisines, temples, échoppes à souvenir et dortoirs s'imbriquent au gré des reliefs entre des statues du Bouddha, des lianes, des palmiers et des volées d'escaliers. Bonzes, nonnes et pèlerins glissent d'un lieu à l'autre sur des sentiers dallés de ciment craquelé, pris en filature par des chiens sauvages. Ici, pas de chichi, le cérémonial n'est réservé qu'aux grandes occasions. Seules obligations, se déchausser et oublier ses soucis de terrien.

Le long d'un sentier, on peut rencontrer des petits groupes de bonzes penchés sur des creusets de pierre. Les uns attisent le feu avec un soufflet, les autres surveillent au fond du récipient des boules de zinc mélangées au charbon de bois incandescent. Ce sont des bonzes-alchimistes. Héritiers d'une vieille tradition, ils tentent de transformer le zinc en or pour acquérir le pouvoir de devenir un *weikza*, un état qui leur permettra de prolonger leur vie jusqu'à l'apparition de Maitreya, le prochain Bouddha.

Sa popularité, le monastère la doit à son moine supérieur, le *sayadaw* U Vinaya. Un saint homme qui au fil des ans a pris en main le sort de milliers de paysans karens, réfugiés en leur pays, contraints d'abandonner leurs villages dans des territoires disputés par l'armée birmane et la guérilla. U Vinaya, bâtisseur d'écoles et de dispensaires, est devenu le guide spirituel et social de la région. Sa popularité s'est étendue à tout le pays. De partout, les pèlerins affluent pour recevoir sa bénédiction et écouter ses sermons d'altruisme et de sagesse. Sa popularité, il la doit aussi à sa langue bien pendue. Jamais il n'a hésité à vilipender les excès et dérives des généraux. Quand Aung San Suu Kyi est apparue sur la scène politique, il fut l'un des premiers sages bouddhistes à lui offrir ouvertement son soutien. Pour de nombreux Birmans, un pèlerinage à Thamanya, c'est aussi un acte de résistance passive.

Après six ans d'isolement, Aung San Suu Kyi tient à faire de sa rencontre avec le *sayadaw* un de ses premiers actes publics. Par dévotion bouddhiste mais aussi comme un geste de bonne volonté envers les généraux qui, plutôt que de risquer une confrontation périlleuse avec ce *sayadaw* trop populaire, ont pris le parti d'entretenir avec lui de bonnes relations.

Ses proches chuchotent une autre raison, plus confidentielle. Ils ont entendu dire, au cours des années de détention d'Aung San Suu Kyi, que l'image du *sayadaw* traversait parfois le mur d'enceinte pour visiter la maison. Quand on lui a mentionné ce fantôme, elle a souri.

Nourrie pendant des années au scepticisme et au rationalisme occidental, elle n'a jamais partagé la fascination de ses compatriotes pour le surnaturel et les superstitions. Elle sait que trop souvent ces croyances sont exploitées par des charlatans qui contribuent à maintenir le peuple dans un obscurantisme aisément manipulable par les gens de pouvoir. Mais, au risque d'être mal comprise, elle ne peut faire état trop ouvertement de ses réserves à l'encontre d'un phénomène ancré au plus profond de la culture populaire. Alors elle préfère en plaisanter. Un jour de 1988, Min Thein Jha, un des plus célèbres astrologues du pays qui s'était aussi avéré excellent orateur lors des manifestations contre le régime, avait trouvé refuge dans la maison d'Aung San Suu Kyi. Sa situation devenant risquée pour lui et son hôte, il avait décidé de se livrer aux militaires. Lorsqu'il était allé faire ses adieux à Aung San Suu Kyi, elle lui avait demandé avec un petit sourire aux lèvres : « Alors, avez-vous réussi à prédire ce qui va vous arriver ? » L'astrologue avait répondu, lui aussi en souriant : « Non, je sais seulement prédire l'avenir des autres. »

Elle s'est préparée à la visite de Thamanya en observant depuis quelques semaines, comme tous les pèlerins, un régime purement végétarien. Pour elle, petite mangeuse et de surcroît peu portée sur la viande, l'effort est davantage symbolique et spirituel.

Le 4 octobre 1995, elle quitte Rangoon dès quatre heures du matin avec une dizaine de personnes à bord d'un convoi de trois véhicules dont une Pajero à bout de souffle mise à sa disposition par un admirateur. « Nous étions bien sûr suivis par la police et les services de renseignements, ils avaient plus de véhicules que nous », se souvient l'un de ses accompagnateurs.

Les longues heures de route qui mènent à l'État karen sont éprouvantes pour le dos. La chaussée est défoncée et la Pajero semble avoir été désossée de ses amortisseurs. Mais à quelques kilomètres du monastère de Thamanya, au passage du porche qui en délimite le domaine, le dos se fait moins douloureux. La route s'est humanisée, transformée en « un lisse ruban noir, bien entretenu, louvoyant à l'horizon[1] ». C'est le *sayadaw* en personne, soucieux de faciliter la vie des paysans et l'accueil des pèlerins, qui veille au bon état de cette route. De ce violent contraste entre une chaussée défoncée, délaissée par les services de voirie gouvernementaux, et une bande de goudron parfaitement entretenue par des paysans volontaires, Aung San Suu Kyi tire des enseignements politiques. « Cela nous montre qu'aucun projet ne peut être mis en œuvre avec succès sans la coopération enthousiaste des gens concernés », écrit-elle. « Les gens contribueront allègrement par leur dur labeur et leur argent si on les traite avec gentillesse et attention et s'ils sont persuadés que leurs contributions bénéficieront réellement au public[2]. »

---

1. *Letters from Burma*, p. 9.
2. *Ibid.*, p. 17.

En début d'après-midi, le convoi s'immobilise au pied de la colline de Thamanya. Le *sayadaw* y a une résidence, et une seconde au sommet.

Il attend Aung San Suu Kyi dans un petit salon de réception, capharnaüm de fleurs de lotus, de coussins brodés, d'éventails, d'ombrelles, d'offrandes et d'images du Bouddha. C'est un vieil homme de quatre-vingt-cinq ans, frêle silhouette décharnée flottant dans les plis d'une robe pourpre. Sur son long visage, les chairs affaissées entourent une petite bouche en cœur. Il exhale la sérénité et la compassion que l'on attend d'un moine bouddhiste mais aussi un vague détachement convivial et complice. Derrière les paupières tombantes, brillent des prunelles vivaces qui semblent dire « qu'avez-vous donc fait ? »

Attend-il la fille d'Aung San ? Le pèlerin Suu Kyi ? Sans doute davantage cette Birmane qui, comme lui, œuvre pour une société plus juste. Un moine fait entrer Aung San Suu Kyi et les siens dans la petite pièce. Pour l'occasion, elle a revêtu une blouse de soie terre de Sienne moirée et un sarong orange tissé de zébrures noires et blanches. Par-dessus l'épaule droite, elle a passé une étole de soie rouge. Coquetterie rarissime, elle s'est accentué les contours de la bouche avec un discret trait de rouge à lèvres. Elle qui jamais ne porte de bijoux arbore au cou une amulette et à la poitrine un médaillon à l'effigie du *sayadaw*, petits présents reçus à son arrivée au monastère. Le *sayadaw* est assis dans un fauteuil légèrement surélevé, mains posées sur les genoux. Les visiteurs se signent à ses pieds et prient le Bouddha. Puis il leur demande, à l'exception d'Aung San Suu Kyi, de quitter le salon. Le tête-à-tête dure une demi-heure. Un privilège exceptionnel. « Aucun des généraux venus pour rencontrer le *sayadaw* n'a jamais eu cet honneur », confie un moine.

Pire, il semble qu'une malédiction hante leurs visites. Des années plus tard, les gens se gaussent encore d'une mésaventure dont aurait été victime le général Khin Nyunt lorsqu'il se rendit à Thamanya peu de temps après Aung San Suu Kyi. « Quand il a voulu quitter le monastère, son véhicule a refusé de démarrer, raconte le même moine. Il est remonté voir le *sayadaw* qui lui a fait comprendre que le démarreur lui obéirait à nouveau lorsqu'il ne serait plus en colère. » Dans les restaurants végétariens et les boutiques à souvenirs qui s'étalent au pied de la colline, les gens racontent d'autres histoires : « Le *sayadaw* a interdit toute photo de lui avec Khin Nyunt, au contraire d'Aung San Suu Kyi », « Le *sayadaw* a fait la leçon à Khin Nyunt », « Le *sayadaw*… ».

Que se sont dit U Vinaya et Aung San Suu Kyi ? Eux seuls le savent. Dans une de ses *Lettres de Birmanie*, elle soulève un coin du voile. « La première question qu'il me posa fut de savoir si j'étais venue à lui parce que je voulais devenir riche, écrit-elle. Non, répondis-je, cela ne m'intéresse pas de devenir riche. Il a poursuivi en expliquant que le trésor le plus fabuleux à découvrir était celui du nirvana. Naïve de moi qui avais imaginé que le *sayadaw* s'était référé à la richesse matérielle [1]… »

Sans doute lui a-t-elle aussi posé quelques questions sur la méditation. Car Thamanya est l'un des principaux centres de méditation *vipassana* du pays.

---

1. *Ibid.*, p. 12.

Le retour en 1988 d'Aung San Suu Kyi en Birmanie et sa réinstallation, durable cette fois, au sein de la société birmane, avaient tout naturellement ravivé sa foi bouddhiste. Elle avait toujours pris soin de la cultiver lors de ses séjours à Rangoon, visitant monastères et *sayadaws*, faisant ordonner ses fils au noviciat. Comme tout citoyen birman, elle fut imprégnée de bouddhisme dès sa naissance. La colline vis-à-vis la maison de son enfance, celle où elle vécut jusqu'à la mort tragique de son frère, hébergeait un monastère. Elle se souvient qu'à l'aube, chaque jour, les bonzes venaient recueillir les offrandes de la famille Aung San. « Je ne peux même pas me souvenir d'une époque de mon enfance où je ne connaissais pas les prières bouddhistes[1] », dit-elle.

Mais l'air d'Oxford résonnait davantage des carillons anglicans que des gongs bouddhistes. Et la récitation des mantras avait tendance à se diluer dans les brumes anglaises.

En 1988, la donne avait changé. Elle n'était plus une expatriée qui venait rendre visite à sa mère. Le discours à la pagode Shwedagon et la suite des événements l'avaient fait basculer dans un autre monde. Son moindre geste, qu'elle le veuille ou non, serait désormais politisé. Le bouddhisme allait aussi servir de terrain d'affrontement entre le régime et l'opposition. Ce n'était pas nouveau. « Pour l'armée, c'était une vieille histoire, cette utilisation du bouddhisme comme outil pour se maintenir au pouvoir et combattre les communistes, écrit le chercheur Gustaaf Houtman. Le Dépar-

---

1. *La Croix*, 21-22 avril 1996.

tement à la Guérilla psychologique, organisme dépendant du ministère de la Défense, est réputé pour mettre au point de nouvelles stratégies jouant sur la crédulité des bouddhistes birmans [1]. »

La Sangha, le clergé bouddhiste, fut l'un des fers de lance du soulèvement de 1988. « Le fait est que la Sangha est la seule entité que le régime s'avoue incapable d'incorporer à son cadre légal [2] », ajoute Houtman. Les moines en payèrent le prix. Parmi les milliers de manifestants qui s'écroulent sous les balles de l'armée en août et en septembre 1988, on recense 600 bonzes. Beaucoup sont emprisonnés, humiliés, torturés. Plusieurs centaines d'autres religieux se retrouvent sur les pistes de jungle, fuyant la terreur pour le monde incertain des frontières. Le long du fleuve Salween, sur la frontière thaïe, des moines construisent des pagodes de bambou pour les étudiants rebelles.

Après la formation de la LND en 1988, lors des tournées en province, Aung San Suu Kyi insiste pour que son convoi entame chaque étape par une visite au monastère local et à son moine supérieur. Geste de respect mais aussi subtile manœuvre politique qui permet de rappeler le rôle crucial joué contre les occupants par de nombreux bonzes au cours de l'histoire.

« Aung San Suu Kyi, rapporte un de ses anciens gardes du corps, ne demandait rien aux bonzes. Elle leur rappelait que sa mère lui avait toujours parlé de leurs préoccupations pour le peuple. Les moines s'en réjouissaient et immanquablement promettaient de prendre soin d'elle. »

---

1. Gustaaf Houtman, *Mental Culture*, p. 122.
2. *Ibid.*, p. 221.

128

En août 1990, la mort de deux bonzes, abattus par la police à Mandalay, déclenche une opération unique dans l'histoire du pays. À l'issue d'une réunion de 7 000 moines dans la grande ville du Nord, un boycottage des militaires et des policiers ainsi que de leurs proches est décidé. Cette décision repose sur un outil de contestation, appelé « le bol retourné », prévu par les canons bouddhiques. Il permet aux moines de se maintenir à distance des laïcs qui ont commis des offenses répertoriées sur une liste. Les moines annulent auprès des familles des gens en uniforme leur tournée matinale où traditionnellement ils reçoivent du peuple le premier repas du jour. Ces familles doivent désormais prendre elles-mêmes en charge l'incinération de leurs défunts. Un sacrilège !

L'armée met fin trois mois plus tard à ce boycottage avec la seule méthode dont elle est capable : la force. Les soldats se lancent à l'assaut de plus de 300 monastères et arrêtent plus de 3 000 moines et novices. Depuis 1996, la junte interdit aux membres de la LND d'entrer dans les ordres bouddhistes.

Ces affrontements ont laissé des traces dans la psyché des moines et du peuple. Tout au long des années qui suivront, la junte dépensera des fortunes pour tenter de se reconstruire une bonne réputation auprès des moines. Avec un certain succès. Les généraux, en construisant et en restaurant à grands frais des pagodes, en distribuant des titres ronflants, réussissent à amadouer et à corrompre de nombreux *sayadaws*.

En 2000, un bloc de marbre blanc de 500 tonnes, auquel des sculpteurs ont grossièrement donné la forme et les traits du Bouddha, est descendu par le fleuve de Mandalay à Rangoon à bord d'une barge géante. Le général Than Shwe, devenu numéro un de la dictature, a personnellement veillé au déroulement de l'opération qu'il a voulue digne des rois d'antan. La statue, hissée avec l'aide de centaines de dévots au sommet d'une colline de la banlieue de Rangoon, est installée et parachevée dans un temple du régime. Avec ses douze mètres de hauteur et ses huit mètres de largeur, il s'agit, dit la propagande, du « plus grand Bouddha de marbre au monde ».

Les généraux favorisent également le développement de centres de méditation en accordant aux étrangers des « visas de méditation », titres de séjour de longue durée qui leur permettent de connaître la sagesse de ce si beau pays...

La junte « tente de se racheter pour les ponts qui furent brûlés au cours de cette période en devenant plus "bouddhiste" que n'importe quel gouvernement précédent. Quel est donc ce genre de bouddhisme[1] ? » s'interroge Houtman.

« Le régime, poursuit Juliane Schober, spécialiste du bouddhisme d'Asie du Sud-Est, fait la promotion d'une vision du nationalisme bouddhiste birman comme une idéologie culturelle et politique pour légitimer son règne contesté[2]. » « Ces politiques, ajoute-t-elle comprennent l'organisation de rituels d'État et la construction de monuments religieux, la restructuration des domaines laïcs et monastiques et un travail de prosélytisme chez les minorités. »

---

1. *Ibid.*, p. 225.
2. *Burma at the Turn of the xxi*st* Century*, University of Hawai's Press, Honolulu, 2005, p. 122.

Aung San Suu Kyi, elle, se désole de trouver chez les dirigeants de la junte « si peu de bonté et de compassion dans leurs propos, dans ce qu'ils écrivent et font. C'est vraiment loin de la voie bouddhiste[1]. »

Le bouddhisme est un sujet de conversation fréquent avec les visiteurs. « Nous en parlions souvent, raconte Cristina Funes-Noppen, ancienne ambassadrice de Belgique. Elle ne portait pas dans son cœur les moines bouddhistes du Sri Lanka qu'elle trouvait très excessifs dans leurs prises de position politiques. Dans son pays, elle éprouvait une grande estime pour certains *sayadaws*, mais c'était malheureusement ceux qui étaient en difficulté avec la junte. Elle considérait d'autres *sayadaws*, qui eux ne connaissaient aucun problème, comme des vendus au régime. »

Au lendemain de son audience avec le *sayadaw* de Thamanya, Aung San Suu Kyi et les siens se rendent dès 4 heures du matin au sommet de la colline pour lui offrir son premier repas du jour. Après le petit déjeuner, le vieux moine redescend avec eux dans la vallée pour leur faire visiter ses écoles.

Aung San Suu Kyi le reverra en juin 2002, après avoir été libérée de sa deuxième période de détention.

Ce sera la dernière fois. Le *sayadaw* meurt un an plus tard, le 29 novembre 2003, à l'âge de 93 ans. Malade, il avait été transporté à l'Hôpital général de Rangoon. La junte a tenté de tirer une dernière fois profit de la situation en faisant rapatrier son corps en hélicoptère et en lui organisant de gran-

---

1. *La Voix du défi*, p. 28.

dioses funérailles. Son corps embaumé gît sous un couvercle de verre dans un mausolée de marbre et d'or qui domine la vallée luxuriante de l'État karen. Si l'on regarde sous la bonne lumière, on le voit sourire…

8

10 heures. Tout à sa lecture des enseignements du vieux bonze, elle n'a pas remarqué qu'au-dessus du lac des nuages pansus se sont amoncelés à sa surface. Comme un troupeau d'éléphants venus s'abreuver. Une rafale de vent lui fait lever la tête. C'est pour très bientôt. Elle ferme le livret et revient à l'intérieur de la maison. À la cuisine, elle trouve Daw Khin Khin Win occupée à nettoyer la vaisselle. Elle lui demande s'il y a du linge dehors. Oui, Daw Suu, je vais m'en occuper. Non, j'y vais, laisse-moi faire.

Le linge est encore humide, rapidement elle l'empile dans un panier. Soudain, de lourdes gouttes s'écrasent sur les étoffes. Fuyant le déluge, elle se précipite dans la maison avec son panier.

Daw Khin Khin Win vient l'aider à étendre les vêtements dans une pièce du fond qui sert de débarras. Elle lui signale d'énormes haut-parleurs qui s'empilent sous une fenêtre. Ils prennent tant de place, ils sont rouillés et ils attirent les insectes. Il faudrait s'en défaire, ce n'est pas propre. Ces haut-parleurs ont au moins dix ans. Ils sont muets aujourd'hui. Mais que de discours et de musique n'ont-ils pas crachés ?

Comme Prague, Rangoon va connaître son Printemps.

Un mois après sa libération, en août 1995, Aung San Suu Kyi et l'état-major de la LND ont une idée. Puisque le régime s'est engagé à nous laisser nous exprimer, eh bien faisons-le de la façon la plus démocratique, parlons en public !

L'annonce, par les comités locaux du Parti et, surtout, par le bouche à oreille, est faite : rendez-vous les samedis et les dimanches à 16 heures devant le 54, avenue de l'Université.

Dès le début, la foule répond présent. Des Birmans de tous âges, hommes, femmes et enfants, viennent de partout, à pied, en bus, en voiture, en train ou en bateau, pour voir et écouter Daw Suu. Les premiers arrivent dès l'aube pour s'assurer une place de choix, face au portail de la maison et à l'ombre des arbres de la propriété qui se projette par-dessus le mur d'enceinte. La foule s'organise dans une pagaille bon enfant. On a apporté une natte, une ombrelle, des bols repas et des bouteilles d'eau. Pendant la mousson, un parapluie ou un sac de plastique pour se couvrir la tête. Ils sont des milliers calmement assis, à envahir l'avenue. Des jeunes du service d'ordre de la LND ouvrent un couloir dans la masse humaine pour laisser passer les véhicules.

À 16 heures, Aung San Suu Kyi apparaît. Debout sur une estrade que l'on devine installée derrière le portail d'acier bleu, elle s'immobilise à mi-corps.

Qu'elle ait revêtu une blouse bleue, jaune, blanche ou le traditionnel *pinni* de la LND, la chemise de coton pêche orangée, elle prend toujours soin de se présenter à la foule sous son meilleur visage. Avant d'entrer en scène, elle consacre le temps qu'il faut à arranger une fleur de jasmin, de gardénia ou un bouquet d'organdi dans son chignon. « Cette coquetterie, c'est une manière de dire à ses partisans "regardez, je suis en forme, ne déprimez pas" », commente une de ses amies.

Elle adore les fleurs odorantes, le jasmin est sa favorite. « Ma mère avait coutume de citer un proverbe birman : "Un homme sans la connaissance, c'est comme une fleur sans parfum.[1]" »

Le plus souvent, elle est entourée de U Tin Oo et de U Kyi Maung, les vice-présidents du Parti. Sous les orateurs, debout de l'autre côté de la barrière, face à la foule, une dizaine de membres de la jeunesse du Parti, en chemise blanche et *longyi* noir, se tiennent en ligne, impassibles, veillant à la sécurité.

La foule applaudit, sans excès, on n'est pas à un concert de rock, sourit et plaisante, comme soulagée de retrouver cette liberté qu'elle avait effleurée lors de la campagne électorale, six ans auparavant.

Aung San Suu Kyi saisit le micro d'une main, une lettre de l'autre. C'est l'un des nombreux messages glissés dans une boîte à idées fixée à l'entrée de la propriété. D'autres lettres parviennent *via* les bureaux de province du Parti. Il y a des plaintes, des propositions, des plaisanteries. Beaucoup abordent la corruption et la répression, ces cancers qui pourrissent la vie de tant de Birmans. Une

---

1. *Parade Magazine*, 19 janvier 1997.

équipe de la LND est chargée de faire un tri. Aung San Suu Kyi s'est fixé une règle absolue : « Je ne fais jamais d'attaque personnelle, ce n'est pas notre politique, nous n'utilisons jamais de noms de personnes ni d'organisations. »

Lors de ces forums du week-end, chaque membre du triumvirat s'est réservé une spécialité. U Tin Oo répond aux messages traitant de l'armée, de la religion et de la loi, U Kyi Maung de l'économie, de l'histoire et de l'éducation, et Aung San Suu Kyi... du reste. Les réponses sont parfois préparées, souvent improvisées.

L'humour est omniprésent. « Les Birmans, enfin presque tous, ont un sens de l'humour très développé, dit-elle. Nous avons besoin de beaucoup de sentiments positifs pour garder en vie un mouvement comme le nôtre et progresser dans des circonstances difficiles. C'est toute la différence entre nous et les autorités, nous dépendons énormément de sentiments positifs pour notre succès, elles ne comptent surtout que sur des sentiments négatifs, l'intimidation. »

La voilà donc lisant des passages d'une lettre, soulignés au feutre. Quelqu'un s'étonne qu'un fonctionnaire, avec un salaire mensuel de 2 000 kyats, ait pu se bâtir une maison de cent millions de kyats ! « Vous vous rendez compte, lâche-t-elle dans le micro, j'ai fait le calcul, il faudra 50 000 mois à cet homme pour épargner l'argent nécessaire à la construction de sa maison ! » Le peuple éclate de rire.

Les sujets peuvent être moins drôles. Comme cette lettre dénonçant un officier de police municipal qui avait pourchassé une vendeuse de rue. Au cours de la poursuite, la pauvre femme était morte d'une crise cardiaque. Elle la lit sans mentionner le nom du policier. « Plus tard, ai-je appris, la municipalité a donné une compensation à la famille de la vendeuse. »

Toujours elle prend soin de se maintenir sur les rails de la non-violence. « Nous ne pensons pas vraiment que la manière d'amener la démocratie est en encourageant les soulèvements populaires, commente-t-elle. Nous croyons que la démocratie viendra de la force de la volonté politique des gens, exprimée à travers les partis politiques[1]. »

Toujours, elle en appelle à la responsabilité du peuple. « Je lui dis que, en démocratie, nous devons nous préparer à assumer la responsabilité des problèmes de notre pays. Une fois la démocratie acquise, il ne peut plus blâmer le gouvernement car il est le véritable gouvernement[2]. »

Le contenu de la plupart des lettres se suffit à lui-même. De certaines missives, elle tire des enseignements, propose des solutions. Un courrier de Mandalay évoque un match de football opposant une équipe locale et une formation de l'USDA (Union Solidarity and Development Association – Association de solidarité et de développement pour l'unité, l'organisation de masse utilisée comme façade civile par la junte).

Le match fut perdu par les gens de l'USDA et une partie de la foule s'est mise à se moquer des perdants. La police est intervenue et a battu les railleurs qui se sont étonnés : « Est-ce bien juste de nous battre ainsi, n'est-il pas vrai que l'USDA a

---

1. *Los Angeles Times*, janvier 1996.
2. *Ibid.*

perdu ? » « J'ai un peu développé le thème de la sportivité, expliquant que le sport, ce n'était pas que des résultats », explique-t-elle.

Ces discours du week-end s'inspirent du *thangyat*, une forme de comédie satirique qui mélange poèmes, musique et danse. Jadis instauré par les rois, le *thangyat* permettait à des artistes de venir, certains jours, faire entendre les griefs du peuple sans risquer la prison.

Les bustes d'Aung San Suu Kyi et de ses compagnons orateurs qui, surgissant des coulisses, se meuvent un peu figés sur une scène et font s'esclaffer une foule conquise évoquent également une autre tradition satirique birmane : le théâtre de marionnettes.

Ces forums bouleversent le paysage politique birman. Au cœur d'une dictature qui n'hésite pas à recourir au fusil et à la baïonnette, voilà que des voix, non seulement celles de personnalités de l'opposition mais aussi celles de nombreux citoyens, se font entendre en toute liberté ! Ces rassemblements sont filmés par les télévisions et les photographes du monde entier. Ils attirent de plus en plus de visiteurs étrangers. Expatriés, touristes, hommes d'affaires, militants des droits de l'homme, curieux ou sympathisants se réservent quelques heures le samedi ou le dimanche après-midi pour découvrir, sinon écouter, « la Dame de Rangoon », comme l'appellent désormais les journaux étrangers.

« Il y a un sentiment croissant d'engagement, explique à l'époque Aung San Suu Kyi. Car les gens comprennent que nous allons respecter nos promesses, que nous n'allons pas les décevoir, que nous sommes prêts à travailler, à souffrir ensemble. Il y a un incroyable sens d'unité entre ceux qui nous soutiennent et le Parti. »

Elle refuse toutefois de tirer la couverture à elle et reconnaît qu'à ce jeu de la démocratie, elle risque le moins. « Je bénéficie de la protection d'une réputation internationale, c'est pourquoi, en un sens, je dois être moins admirée que ceux dont le nom est inconnu et qui peuvent à tout moment être arrêtés et jetés en prison pendant des années. »

La junte observe ces week-ends de liberté avec un sentiment grandissant d'agacement. Dès le premier forum, elle a disséminé ses sbires au cœur de la foule. Les services de renseignements, la Branche spéciale de la police, le Bureau national d'investigation, chaque organisme de sécurité a dépêché ses agents. Ils ne se dissimulent même pas. Pendant les apparitions d'Aung San Suu Kyi, ce sont les seuls à lui tourner le dos et à prendre systématiquement la foule en photo. Mais certains d'entre eux, dit-on, ont dû être mutés. Ils avaient trop tendance à oublier leur mission et à se tourner du mauvais côté pour écouter les propos de l'ennemie !

« C'est l'une des choses à son sujet qui effraie la junte, lorsqu'elle est libre de sortir et de parler au peuple, commente une ancienne diplomate et amie. Car les gens comprennent ce qu'elle leur dit, elle utilise un langage très simple, sans prétention, qui ne leur passe pas au-dessus de la tête. Tout le contraire des leaders de la junte et de leurs discours magistraux. »

Simplicité du langage mais aussi perfection de la langue. U Tin Oo confie un jour à une autre amie d'Aung San Suu Kyi qu'elle s'exprime « avec le birman le plus pur, qui lui permet de se faire comprendre par tout le monde ».

Au début, ces rassemblements du week-end relèvent davantage des discours de Hyde Park, une concession limitée accordée à la liberté d'expression. Mais bien vite, on se déplace sur l'agora de la Grèce antique, foyer d'une démocratie vivante. Les harangues d'Aung San Suu Kyi débordent largement l'avenue de l'Université. Les généraux ne le supportent plus.

Ils sont d'autant plus ulcérés qu'en novembre 1995 la LND a décidé de quitter la Convention nationale. Cette Convention, lancée après les élections de 1990, rassemble un millier de Birmans censés représenter toutes les couches sociales et ethniques du pays. Réunie depuis 1993, elle est principalement chargée de rédiger un projet de nouvelle Constitution. Les dirigeants de la LND estiment qu'il s'agit d'un stratagème de plus pour permettre à la junte de gagner du temps et de renforcer son pouvoir. Les militaires furieux ont donc ajourné les débats en mars 1996.

Ils vont à nouveau resserrer l'étau.

Lors du dimanche 27 mai 1996, la foule est considérable : plus de 10 000 personnes. Ce jour vient en conclusion d'une réunion qui marque le huitième anniversaire des élections. Seuls 21 des 300 délégués invités à cette réunion ont pu y assister. Les autres ont été placés en détention provisoire. Mais lors de son discours, Aung San Suu Kyi franchit une de ces lignes jaunes que le SLORC invente et déplace au gré de la température politique. Elle annonce que son parti va s'atteler à la rédaction d'un projet de Constitution. Impensable puisqu'aux yeux de la junte toute modification de la Constitution est de l'unique ressort de la Convention.

Le SLORC estime que la « sorcière de la démocratie », comme elle qualifie Aung San Suu Kyi avec subtilité, a une fois de plus abusé de sa patience. Quelques jours plus tard, les généraux sortent de leurs képis une nouvelle législation fourre-tout destinée à punir « quiconque menace la stabilité de l'État ». Les discours du week-end deviennent hors-la-loi. La junte tolérera deux mois encore les cérémonies d'envoûtement de sa « sorcière » abhorrée. Mais elle multiplie les arrestations et les manœuvres d'intimidation. Le public se fait moins nombreux.

En juillet 1996, les généraux se sentent d'autant plus forts que la Birmanie se voit conférer le statut d'observateur au sein de l'Association des nations d'Asie du Sud-Est (ASEAN – Association of South East Nations – Association des nations d'Asie du Sud-Est), un groupe régional d'intégration économique qui à l'époque rassemble sept pays.

C'est la dernière étape avant l'adhésion comme membre à part entière.

Fin septembre, la troupe débarque et bloque l'avenue de l'Université. Le Printemps de Rangoon est terminé. Il aura duré un an.

9

10 h 10. Elle monte dans son bureau. Pousse un soupir. Par où commencer ? Des centaines de livres et de documents s'empilent sur les étagères, le bureau et le sol. Elle a tout lu et relu. Il y a les biographies de ceux qui comme elle ont lutté un jour contre une tyrannie. Il y en eut, des tyrans ! S'amoncellent aussi des ouvrages de politique internationale, des recueils de textes bouddhistes et philosophiques, des manuels de méditation, des pièces de théâtre, des nouvelles, des discours et des romans bien sûr, les grands classiques et de nombreux policiers. Les livres furent ses compagnons les plus intimes, les plus enrichissants de toutes ses années d'isolement.

Après sa première libération, elle avait organisé chez elle tous les quinze jours des séances de lecture et de débats littéraires pour les militants du Parti. On y discutait autour d'une nouvelle de Tchekhov, d'un poème de Ramprasad Sen.

L'autre jour, elle avait décidé de se lancer dans une campagne de rangement. Elle avait commencé, parce qu'il fallait bien commencer quelque part, à mettre de côté les classiques de la littérature indienne, les Tagore, Gupta, Rushdie. Découragée par l'ampleur de la tâche, elle s'était trouvé un pré-

texte pour redescendre et vaquer à autre chose. Aujourd'hui, plus d'excuse. Sur le bureau, elle a empilé des feuillets où elle s'est remise à écrire ses Lettres de Birmanie, des chroniques que des journaux asiatiques avaient publiées dès 1995. Mais, cette fois, il n'y a aucun moyen de les faire sortir de leur bureau-cellule. Et puis elle se demande parfois s'il se trouvera encore quelqu'un pour les publier. Le monde est si versatile. Tiens, une photo s'est glissée entre deux feuillets. C'est un cliché aux couleurs délavées d'un homme, grand, plutôt costaud, assez âgé, qui pose debout devant un parterre de stupas. C'est Léo, Oncle Léo, le vieil ami fidèle.

MORT POUR UN FAX

Depuis qu'Aung San Suu Kyi a surgi de ses brumes oxfordiennes pour venir bouleverser leurs cyniques jeux de pouvoir, les généraux dépensent une belle énergie à viser les siens de leurs flèches fielleuses. Elle en souffre, lorsqu'elles atteignent ses enfants, ceux de sa chair et ceux de sa cause. Mais à l'immense frustration des généraux, cette souffrance, elle l'intériorise. Comme les bonzes-alchimistes de Thamanya, elle s'efforce de la transmuter en énergie positive. Mais les archers sont tenaces, ils croient à la guerre d'usure.

En avril 1996, alors que les premières pousses du Printemps de Rangoon (voir chapitre précédent) commencent à se flétrir, la junte va exercer son machiavélisme sur une nouvelle cible. En escomptant que le sang de la victime éclaboussera cette fois Aung San Suu Kyi.

James Leander Nichols, Léo pour ses nombreux amis, est un de ces Birmans si typiques des années 1950, celles qui précédèrent l'arrivée au pouvoir de la dictature. Des années où tout était possible. Où Rangoon, malgré les rebelles qui frappaient à ses portes à coups de mortier et menaçaient l'existence de la jeunesse républicaine, brassait les dollars du riz et du teck tout en faisant la fête.

Dans les veines du petit Léo, qui naît à Rangoon en 1931, coule un mélange de sang birman, anglais et grec. Son père est propriétaire de la Nichols and Sons Ltd, une compagnie de transports maritimes. L'invasion des Japonais en 1942 force les Nichols, alliés des Britanniques, à trouver refuge en Inde. Nichols père meurt en route. Nichols junior, après des études à Darjeeling et la fin de la guerre, revient au pays. Adolescent entreprenant, il reprend l'affaire de son père avec l'aide d'un oncle. Il a vingt ans lorsque, en 1931, il épouse Felicity Anne, une Suissesse d'origine avec qui il aura cinq enfants. La même année il devient manager à Rangoon des United Liner Agencies, une autre compagnie maritime. Mais en 1962, le dictateur Ne Win, tout à son utopie de « Voie Birmane vers le socialisme », nationalise à tout va. Léo perd sa compagnie mais pas sa débrouillardise et son enthousiasme. En 1972, sa famille émigre en Australie. Peu tenté par l'aventure, il décide de rester en Birmanie. Il ne reverra qu'épisodiquement son épouse avec laquelle il a des rapports tendus. Il entretiendra en revanche de très bonnes relations avec ses enfants.

Comme d'autres Birmans spoliés, il se lance dans l'import-export, activité qui, dans une dictature coupée du monde comme l'était celle de Ne Win, consiste essentiellement à développer combines et ruses pour combler les petits et grands besoins d'une population en manque de tout. Avec les années, et profitant d'un inévitable relâchement du carcan autarcique, il met sur pied des projets dans le tourisme, la pêche, la restauration. Il devient aussi représentant officieux de quatre pays européens : le Danemark, la Norvège, la Finlande et la Suisse.

Au fil des ans, la silhouette de ce Birman quelque peu iconoclaste, plus souvent en pantalon qu'en *longyi*, s'impose dans ce grand village qu'est Rangoon. Il habite la Villa Anchorage, nom pompeux qui désigne une modeste maison de briques rouges encombrée de bibelots.

Léo, c'est un grand corps massif, un cou de buffle et un crâne chauve, un Tarass Boulba ou un Yul Brynner des tropiques, des surnoms que, par fausse coquetterie, il feint d'ignorer. C'est une grande gueule sympathique au rire légendaire qui trouve « toujours quelque chose d'amusant dans un désastre », sourit un ami. « Se lancer dans une conversation avec lui relevait du défi mental. On ne savait jamais ce qui se passait dans sa tête, sans parler du fait qu'il traitait toujours de cinq sujets à la fois. »

On le croise, un inévitable verre de whisky à la main, dans les cocktails des chancelleries et des sociétés étrangères pour lesquelles il représente une des rares passerelles sur le monde extérieur tolérées par la junte. « Tout le monde le fréquentait pour accéder aux gens importants du régime, il ouvrait des portes, raconte une de ses amies occidentales. Lorsque des Birmans voulaient sortir du pays, ils venaient lui demander d'intervenir, il connaissait les officiers des services d'émigration à qui il achetait des bons de sortie contre du whisky, des cigarettes. Il était le Monsieur Bricolage des Birmans. »

Mais ces réseaux de privilèges qu'il a opiniâtrement tissés, il les met aussi au service de maisons de retraite et de milliers d'enfants en soutenant financièrement des orphelinats partout dans le pays, *via* l'Église catholique de Birmanie ou des monastères bouddhistes.

Léo déborde de tout. D'énergie, de générosité, de vantardise, de charme, de fidélité. Fidèle, il l'est en particulier à Daw Khin Kyi, la mère d'Aung San Suu Kyi. Il l'a connue après son retour d'Inde à la fin des années 1960 grâce à un ami, U Myint Htein, ancien ministre de la Justice, devenu son avocat. C'est lui qui le soir du 31 mars 1988 appelle Aung San Suu Kyi pour lui annoncer que sa mère est gravement malade. Lui aussi, raconte un de ses amis birmans, « qui s'arrangeait pour faire venir de l'étranger les médicaments introuvables en Birmanie ». « Il se serait engagé auprès de Daw Khin Kyi à protéger sa fille après son décès », précise un diplomate occidental qui l'a bien connu. Pour Aung San Suu Kyi Léo est tout simplement « Oncle Léo, un très bon ami de la famille. Il s'est beaucoup occupé de ma mère, dit-elle. Comme elle, il avait une très mauvaise vue, il ne voyait quasiment plus d'un œil et à moitié de l'autre. Après le décès de ma mère, il a continué à s'occuper de moi comme un oncle ».

Lors des premiers mois d'assignation à résidence d'Aung San Suu Kyi en 1989, Léo parvient à lui faire parvenir un peu d'argent, quelques sacs de riz et des boîtes d'huile. Jamais il n'a été autorisé au cours de ces six années à rendre visite à celle qu'il appelle désormais sa fille. « Par la suite, précise Aung San Suu Kyi, la nourriture qu'il essayait de me faire passer ne m'est jamais parvenue. »

Comme l'écrit son fils William dans une lettre, Léo « n'est pas frénétiquement engagé dans la politique », ce qui lui vaut la bienveillance de la dictature. Mais à ses yeux, Aung San Suu Kyi représente « un espoir pour son pays et il aspire à la liberté que sa détermination apportera un jour au peuple de Birmanie ».

Lorsqu'elle est libérée en 1995, Oncle Léo devient un visiteur assidu de l'avenue de l'Université. Chaque vendredi matin, il prend le petit déjeuner avec « sa fille ». Il l'aide, comme il le peut, en mettant à sa disposition, en sus de ses qualités d'intermédiaire, un fax et une ligne téléphonique installés à son bureau, des services bien utiles pour une Aung San Suu Kyi sous constante surveillance et soumise à des restrictions maniaques. C'est par lui notamment que des messages et des bandes-vidéo prennent le chemin de l'étranger. Au besoin, lorsque la maison nécessite une réparation, il lui dégotte un jardinier, un plombier, un couvreur lorsque la maison nécessite une réparation.

Un jour de 1995, il lui offre sa cinq-portes Toyota, une petite voiture aux vitres fumées, sans se douter que ce présent sera à l'origine d'un extraordinaire quiproquo.

Au début des années 1990, Léo utilise ce véhicule chaque jour pour un immuable trajet. Les agents de la circulation connaissent tous la Toyota.

D'autant que leur propriétaire, par bravade et générosité, leur distribue allègrement par la vitre des billets de 90 kyats. Souvent, on les aperçoit saluant le véhicule comme s'il s'agissait d'un convoi officiel. Lorsque la voiture change de propriétaire en 1995, les policiers ne s'en rendent pas compte ! Mais les agents des services de renseignements qui suivent en permanence Aung San Suu Kyi s'agacent de voir ces policiers la saluer à certains carrefours. « Pourquoi saluez-vous cette femme ? » demande un jour un agent à un des policiers. « Quelle femme ? Il s'agit d'un vieil homme. » Un ordre est alors affiché dans les postes de police interdisant de se signer au passage du véhicule. Certains enfreignent la directive et se retrouvent mutés à des carrefours politiquement moins fréquentés !

Léo et son soutien ostentatoire à Aung San Suu Kyi commencent à agacer les autorités. Elles auraient pu à l'égard de cet homme qui leur rendit tant de services intervenir par paliers. Lui conseiller d'abord de mettre une sourdine à ce soutien trop politique, puis l'avertir, au besoin le menacer. Elles décident sans prévenir le recours à la manière forte.

À la fin mars 1996, Léo se rend à Bangkok pour subir une intervention chirurgicale aux yeux. À l'ami occidental qui l'héberge et l'interroge sur la réaction des généraux à l'égard de son soutien affiché à Aung San Suu Kyi, il répond : « Ils sont si stupides, ils ne m'attraperont jamais ! »

Erreur. Le 4 avril, de retour de Bangkok, lors d'un dîner, il fait part de son intention de célébrer la pâque dans quelques jours avec des amis. Le lendemain, jour du vendredi saint, les policiers l'arrêtent et l'emmènent aussitôt à la prison d'Insein. Motif : possession illégale d'un fax. Le 18 mai, il est condamné à trois ans de prison.

Mais on ne le renvoie pas de suite dans sa cellule. Il est d'abord conduit dans une annexe d'Insein où, pendant quatre jours, il est interrogé sans relâche. Les agents veulent lui faire avouer, entre autres, qu'il avait des relations intimes avec Aung San Suu Kyi... Comme si d'éventuels aveux pouvaient avoir une quelconque crédibilité ! Après trois semaines de régime cellulaire dans l'ancien quartier des condamnés à mort, il est ramené en cellule, dans un quartier réservé aux détenus de marque.

Mais le 22 juin, il meurt. Il avait soixante-cinq ans.

Officiellement, il est décédé d'une crise cardiaque à l'Hôpital de Rangoon où ses gardiens l'avaient fait emmener après l'avoir découvert inanimé dans sa cellule. En réalité, il était déjà mort. Le directeur d'Insein, craignant des ennuis, avait fait placer son corps sur un brancard avant de l'envoyer prestement à l'hôpital où il était donc officiellement décédé.

Nul ne connaîtra jamais les causes précises du décès de Léo Nichols. Léo était un homme en mauvaise santé, il souffrait d'un glaucome, de diabète et d'une trop forte pression artérielle. Les résultats de l'autopsie, longue liste de lésions à tous les organes vitaux publiée en détail dans la presse locale, ne sont pas probants. Une autopsie indépendante réclamée par le gouvernement danois est refusée.

La vérité est sans doute plus prosaïque. Selon plusieurs de ses amis, Léo serait mort des conséquences des mauvais traitements couplés à un excès de... nourriture. Il avait remis à sa fidèle servante une longue liste de victuailles en se disant que les gardiens se serviraient au passage. Surprise lorsque le colis arriva au complet. Léo avait distribué des denrées autour de lui mais, comme beaucoup étaient périssables, il avait fallu les consommer de suite. « Il a soudain été contraint de manger en quantité, ce qui a sans doute provoqué de graves troubles gastriques que son organisme fragile n'a pas pu supporter », suppute l'ami birman qui lui avait fait parvenir le colis.

« Je ne pense pas, commente Aung San Suu Kyi, que le régime avait l'intention de le faire mourir en prison, mais les conditions de détention en Birmanie sont si mauvaises et d'autant plus pénibles pour quelqu'un comme lui à la santé fragile. »

Ses parents et amis sont tous d'accord. « Sa condamnation à trois ans de prison fut en réalité une punition pour avoir aimé et aidé Daw Aung San Suu Kyi », écrit son fils William. « Comme le SLORC ne peut s'en prendre directement à elle, il le fait indirectement en frappant d'autres personnes, de préférence qui lui sont chères », ajoute à l'époque l'ambassadeur du Danemark.

Le régime expédiera à la sauvette les funérailles de Léo. Il exige qu'une liste des invités soit envoyée aux services de renseignements avant minuit, le jour du décès. Le lendemain, Léo est enterré à la va-vite, dans un cimetière délabré de banlieue, sous une pluie diluvienne, en présence d'une trentaine d'amis. De même les autorités font-elles pression sur les représentants locaux des Églises catholique et anglicane contactés par les amis pour l'organisation d'une cérémonie de souvenir. « Je suis désolé de ne pas être en mesure d'accorder ma permission pour un service public à la mémoire de notre défunt frère [...], mais nous prierons pour le repos de son âme en privé », écrit dans une lettre le père Bruno Sein Win, vicaire de Rangoon.

Cinq jours après le décès, Aung San Suu Kyi organise une cérémonie bouddhiste chez elle, en présence d'amis et de diplomates.

Mais le décès de Léo Nichols prend à l'étranger une tournure inattendue. Les généraux se retrouvent piégés à leur propre jeu. Ils avaient voulu blesser Aung San Suu Kyi en enfermant à Insein l'un de ses fidèles amis. Voilà qu'il a le mauvais goût d'y mourir, et sans prévenir !

Les journaux du monde entier rapportent le décès de l'ami d'Aung San Suu Kyi. Des diplomates des quatre pays européens qu'il représentait, accourent de Bangkok d'où ils couvrent la Birmanie, exigeant des explications. Le Danemark demande à l'Union européenne de prendre des mesures contre la Birmanie.

Ces gesticulations diplomatiques feront long feu. Léo ne mérite pas un combat de plus contre les dictateurs birmans.

La presse birmane, elle, sort les crocs. Le *New Light of Myanmar*, quotidien pamphlétaire de la junte en anglais, s'étonne de tout ce tapage autour de la mort d'un « escroc sans importance ». Et en profite pour esquinter son ennemie préférée : « L'habileté et l'intrigue de la *Maidawgyi* – la Bonne Mère – occidentale sont si grandes qu'elle peut même tirer profit d'un enterrement [1]. » Le quoti-

---

1. *New Light of Myanmar*, 9 juillet 1996.

dien, afin de démontrer les conditions « de luxe » dans lesquelles Léo vivait en prison, va jusqu'à publier en détail la liste des produits apportés par sa servante : « Deux paquets d'oignons frits, trois paquets de café instantané (60 sachets dans chaque paquet), trois boîtes de fromage... » Peut-être, ajoute le journal, « aurait-il fallu que les autorités achètent des médicaments de l'étranger [...] et amènent de jeunes, belles et blondes infirmières et médecins aux traits raffinés [...] pour le soigner[1] ? »

Ces étalages saumâtres n'impressionnent pas tous les Birmans. Léo, avec ses œuvres de charité, a laissé de bons souvenirs un peu partout. Dégoûtées par ces articles, deux femmes peignent les noms de leurs auteurs sur le dos de deux malheureux chiens errants avant de les bombarder de pierres. Léo, qui n'eût certainement pas sanctionné ces mauvais traitements, aurait sans doute adopté les deux chiens.

Un de ses proches amis rédigea un éloge à la mémoire de Léo : « Il avait une vision : la Birmanie deviendrait bientôt une terre où la vie serait meilleure pour son peuple. Il est dommage que le pouvoir en place ne pût faire preuve de magnanimité à l'égard d'un homme malade qui avait tant fait pour son pays. »

1. *New Light of Myanmar*, 15 juillet 1996.

10

10 h 30. Rien à faire, elle a du mal à se concentrer sur le rangement du bureau. Un coup d'œil par la fenêtre, la pluie vient de s'arrêter.

Elle redescend, ouvre la porte principale et s'immobilise quelques instants sur le perron. C'est l'un des instants suaves de la mousson. Lorsque le soleil de retour fait transpirer le sol et les végétaux. Quand la ménagerie des oiseaux, insectes, rongeurs, reptiles et batraciens qui peuple les rives du lac sort ragaillardie de ses abris. Quand la lumière, rebondissant sur les nuages en fuite, ronronne de tiédeur.

Elle entame une petite marche autour de la maison. Les herbes sauvages ont poussé et les mousses se sont infiltrées partout. L'autre jour, elle a distrait un serpent qui se tortillait sur l'allée.

Son dos douloureux lui interdit d'effectuer elle-même les travaux nécessaires. Il va falloir de nouveau implorer le ministre pour faire venir un jardinier. Elle s'arrête derrière la maison. Un générateur a été installé sous un auvent. Il sert souvent pour le moment, lorsqu'un orage chahute le réseau électrique et plonge le quartier à l'époque des rois. Quoi qu'il arrive, il faut faire tourner la machine une quinzaine de minutes chaque jour. Sinon, lui a-t-on dit, elle risque de ne plus démarrer au moment

153

opportun. Elle s'assure que le réservoir contient de l'essence et, d'un mouvement énergique qu'elle pourrait maintenant faire les yeux fermés, elle tire sur le démarreur. L'engin toussote et puis se met à ronronner. Elle reviendra dans un quart d'heure. Poursuivant sa promenade, elle se dirige vers le portail. Elle se souvient de ce jour de 1996 où, ici précisément, une dizaine de journalistes faisaient la queue devant la hutte des agents des services de renseignements. Chacun avait pris rendez-vous avec elle. Elle était arrivée en retard.

DES TÉMOINS GÊNANTS

« Les journalistes expérimentés sont un bienfait pour ceux d'entre nous qui vivent dans des pays où la liberté d'expression n'existe pas [1]. »

Dès les premières heures de son engagement dans le maelström birman, Aung San Suu Kyi fait de la construction d'une presse libre et de l'accueil des journalistes étrangers en Birmanie une priorité. Les hérauts de l'insurrection de 1988 ne l'ont pas attendue pour faire tourner des presses jusqu'alors réservées à la marmelade indigeste du régime. En quelques mois, des dizaines de publications, souvent des polycopiés qui ne durent que le temps des papillons, surgissent des campus et de salles de rédaction improvisées. Ils ont pour nom *La Lumière de l'Aube, Nouvelle Victoire, Scoop...* La plupart manifestent peu d'intérêt pour une information journalistique. Ce sont des étala-

---

1. *Letters from Burma*, p. 145.

154

ges d'éditoriaux, de satires, de caricatures qui ridiculisent les gens du pouvoir. De formidables exutoires, vingt-six ans sans liberté d'expression, qui vaudraient en démocratie une avalanche de procès à leurs auteurs. Qu'importe, les vannes sont ouvertes.

Après son discours fondateur de la Shwedagon, Aung San Suu Kyi s'efforce de répondre à toutes les sollicitations de la presse étrangère. Mais à Rangoon, les journalistes étrangers n'ont jamais été les bienvenus. Pour exercer leur métier, il leur faut un visa spécial que les chancelleries birmanes accordent au compte-gouttes. Une fois accrédité, le journaliste se retrouve non seulement avec un tampon sur son passeport qui l'identifie une fois pour toutes, mais aussi durant son séjour flanqué en permanence d'une paire de fonctionnaires en *longyi* chargés de rapporter ses moindres gestes et contacts.

L'enthousiasme éditorial de 1988 sera, comme tout le reste, asphyxié par le SLORC lorsqu'il prend le pouvoir en septembre. La reprise en main par les épaules galonnées marque aussi celle des journaux officiels.

Les trois lignes maîtresses du régime figurent désormais et obligatoirement en première page sous la forme d'un encadré comprenant les « Quatre objectifs politiques » – stabilité, reconsolidation… –, les « Quatre objectifs économiques » et les « Quatre objectifs sociaux » – exalter le dynamisme de l'esprit patriotique, exalter le moral et la moralité de la nation…

Ces journaux sont gavés de photos montrant le général-secrétaire numéro untel inaugurant un barrage, un moulin à riz, une pagode, un atelier de confection.

L'assignation à résidence d'Aung San Suu Kyi en 1989 et le déplacement des priorités éditoriales de la presse étrangère vers d'autres foyers de tension vont pendant quelques années réduire considérablement le nombre de demandes de visas de presse.

Lorsqu'en février 1994 l'élu américain Bill Richardson est le premier étranger en cinq ans, en dehors de la famille, à visiter Aung San Suu Kyi, il a négocié la présence dans sa délégation d'un journaliste et d'un photographe.

Après la libération d'Aung San Suu Kyi en 1995, la junte fait preuve d'une libéralisation inattendue à l'égard de la presse étrangère. Régulièrement, elle organise à Rangoon des conférences de presse pour expliquer sa politique. La plupart des journalistes accrédités, après avoir assisté à ces présentations cousues de fil blanc, filent chez Aung San Suu Kyi ou profitent de leur visa pour faire des reportages dans le pays. De nombreux autres journalistes débarquent en Birmanie nantis seulement d'un visa de tourisme. La junte laisse faire.

Un assistant d'Aung San Suu Kyi est chargé d'organiser les interviews après avoir, en principe, vérifié le bien-fondé de l'organe de presse. Mais comment savoir qui est qui, si tel magazine n'existe pas uniquement dans l'imagination d'un jeune admirateur ou d'un apprenti reporter ? Refuser une demande serait un acte de censure. Certains jours, les journalistes font la queue devant le portail du 54, avenue de l'Université. Pour le bonheur des vendeurs ambulants de nouilles et de sodas.

Aung San Suu Kyi se montre toujours disponible à l'égard de la presse étrangère. Devant les photographes, elle se présente vêtue avec coquetterie, parfois légèrement maquillée. Si le temps vient à manquer, ou si des tâches urgentes l'appellent, elle proposera de reprendre plus tard l'interview ou la séance photo.

« À cette époque, écrit-elle, j'ai rencontré des centaines de journalistes, professionnels et amateurs. Certains jours, j'ai dû donner tant d'interviews à la suite et en si peu de temps que je me sentais un peu étourdie [1]. » Elle avoue devoir faire parfois des efforts éreintants de communication. Certains de ses intervieweurs parlent à peine l'anglais, d'autres ignorent où est l'Union de Myanmar.

Certains journalistes lui reprochent de se répéter, de s'exprimer comme un robot, de ne leur livrer qu'un discours convenu, de langue de bois. Chacun voudrait, et c'est de bonne guerre, une révélation, un scoop ou une petite citation originale. Elle s'en excuse : « Parfois, je suis si fatiguée que je suis incapable de faire davantage que répéter les mêmes réponses aux mêmes questions. » Ces attentes sont d'autant plus frustrantes qu'elle repousse systématiquement les questions sur sa vie personnelle. Un cauchemar pour beaucoup de journalistes qui voudraient lui faire parler de ses fils, de son époux, de son frère... « Les gens, dit-elle, veulent toujours du drame, en particulier les journalistes [2]. »

---

1. *Ibid.*, p. 144.
2. *Asiaweek*, 11 juin 1999.

Lorsqu'une question l'agace, elle ne se prive pas de le faire savoir. Lors d'une conférence de presse, alors qu'elle a déjà répondu à une question sur les sanctions économiques, le même correspondant revient à la charge peu après. « Pourquoi êtes-vous si intéressé par ce sujet ? Vous avez de l'argent à investir en Birmanie ? » ironise-t-elle avec son accent d'Oxford le plus pur.

« Elle peut être cassante si on la contredit sur ses opinions politiques et sa tactique, que ce soit avec son entourage birman ou autre, comme des journalistes », précise Funes-Noppen.

En fait elle se retrouve en porte-à-faux.

Les journalistes lui savent gré dans son combat de ne pas se conduire en politicien « classique », mais certains lui reprochent, dans ses rapports avec la presse, de ne pas adopter les codes de séduction démagogique qu'utilisent ces mêmes politiciens. Ils attendent une petite phrase, une formule choc. Ils voudraient qu'elle reste elle-même sauf les jours d'interviews ! D'un autre côté, des contraintes politiques et culturelles limitent sa marge d'expression. Des propos qu'elle pourrait ou devrait tenir lors d'une conférence de presse à Londres ou à Paris seraient, à Rangoon, considérés comme déplacés et, tout en perdant leur impact, se retourneraient contre elle. Sa culture occidentale lui fait brûler d'envie de dénoncer tel général impliqué dans un trafic d'héroïne, mais sa birmanité l'en empêche.

Avec la fin des discours publics du week-end en 1996 et le resserrement général qui s'en suivra, le régime rétablit les restrictions sur la presse étrangère. Finies les conférences de presse régulières. À la fin 1998, les journalistes demandeurs d'un visa professionnel doivent s'engager à ne pas tenter de rencontrer Aung San Suu Kyi. Elle dénonce cette « campagne délibérée destinée à empêcher le monde d'entendre parler » de la LND[1].

Plusieurs journalistes étrangers, surpris en flagrant délit de faux tourisme, sont expulsés sans délai. Les journaux locaux rapportent l'intolérable atteinte à la sécurité nationale en publiant leur photo et leur biographie.

En septembre 1998, un photographe européen est victime de ces restrictions après une rocambolesque partie de cache-cache avec les agents des services de renseignements. Arrivé à Rangoon avec un visa de tourisme, il parvient, au bout de plusieurs jours, et après avoir déployé mille ruses, à organiser une séance de photos avec Aung San Suu Kyi au siège de la LND. Il arrive à l'heure prévue, avec l'intention de procéder aussi vite que possible pour ne pas attirer davantage l'attention des indicateurs qui font peu discrètement le pied de grue dans la rue. Quelques minutes devraient suffire. Mais Aung San Suu Kyi arrive avec deux heures de retard. La présence d'un étranger au siège de la LND est maintenant remontée à la Direction des renseignements.

À sa sortie, le taxi du photographe est immobilisé par quatre voitures qui se placent en travers de la chaussée. Les agents des renseignements se montrent fermes mais polis. « Monsieur, il y a une irrégularité sur votre passeport, veuillez venir avec nous à notre bureau. » Pris pour pris, le photogra-

---

1. Reuters, 30 novembre 1998.

phe décide de jouer jusqu'au bout les poils à gratter. « C'est un kidnapping, appelez mon ambassade… Je n'ai rien à me reprocher. » En fin d'après-midi, les agents font développer des films trouvés dans le sac du reporter. L'un d'eux revient fâché.

— Monsieur, vous êtes un très mauvais photographe. Tous vos films sont noirs !

— Je vous ai dit, je ne suis pas photographe.

— Ah bon, et qu'êtes-vous donc ?

— Assistant-opérateur.

— Un quoi ?

En réalité le photographe avait poussé les films, une technique qui consiste à augmenter artificiellement leur sensibilité et donc à faciliter la prise de vue en basse lumière. Le laborantin l'ignorait et avait développé les films à leur sensibilité nominale, détruisant ainsi leur contenu.

Échaudés, les agents tenteront de se venger en faisant déshabiller entièrement le photographe et en le fouillant jusque dans ses parties intimes. « C'est pour un magazine porno ? » lâche-t-il en rigolant avant d'être poussé *manu militari* dans l'avion du soir pour Bangkok. Entre l'interpellation et l'expulsion, plus de quatre heures se sont écoulées. Le nom d'Aung San Suu Kyi n'a pas été prononcé une seule fois !

Le photographe aura son portrait publié le lendemain dans un quotidien birman et son nom sera pour plusieurs années inscrit sur la liste des *persona non grata* en Union de Myanmar.

Les interviews d'Aung San Suu Kyi se font de plus en plus difficiles. Quand elle n'est pas en détention, le régime dresse un cordon sanitaire autour d'elle qui rend très ardus ses contacts avec des visiteurs étrangers non annoncés. Des diplomates, l'ambassadeur de Grande-Bretagne en particulier, jouent alors les intermédiaires entre elle et des journalistes, organisant interviews ou dîners.

À défaut de pouvoir rencontrer la presse étrangère comme elle l'entend, Aung San Suu Kyi fait parvenir ses messages sous forme de bandes-vidéo par l'intermédiaire d'un réseau d'organisations non gouvernementales basé à Bangkok.

Un jour de l'an 2000, au siège du Parti, à l'occasion de l'enregistrement d'une de ces vidéos, elle réserve une surprise à l'équipe de réalisation. L'objectif est de faire une série d'interviews, du simple militant au dirigeant, à l'occasion du dixième anniversaire des élections de 1990. On demande à chaque intervenant de s'asseoir sur une chaise et de donner son sentiment sur cet anniversaire. Le cameraman, un amateur bénévole, a pour consigne de fixer sa caméra sur un pied et de filmer chacun en gros plan.

Mais voilà qu'Aung San Suu Kyi débarque et se saisit du micro. « J'en ai assez d'être interviewée, je veux maintenant être l'intervieweuse », lance-t-elle avant de se précipiter dans une autre pièce. Le malheureux cameraman, ses plans de tournage bouleversés, ne peut que la suivre, sa caméra accrochée au fil du micro. Elle fait asseoir un ancien officier devenu militant de la LND. « Oncle, quel effet cela te fait-il d'être à la fois ancien militaire et membre de la LND ? » demande-t-elle toute ragaillardie. Le vieil homme, décontenancé, bégaye : « Oh, quand j'étais soldat, heu, peut-être ai-je commis des choses pas belles, mais heu, je suivais des ordres... Mais je donnerais, heu, ma vie pour la cause, jamais je n'abandonnerai. » Craignant d'accrocher trop longtemps le regard d'Aung San Suu Kyi, il n'ose fixer la caméra. Elle le taquine, tente de le faire rire, le pauvre s'enfonce dans ses hésitations. « Elle courait partout dans le bureau, posant des questions à tout le monde, raconte un témoin. Mais personne n'osait l'arrêter. C'était Daw Suu après tout. »

Dans le système ubuesque de la junte, Aung San Suu Kyi la journaliste risque donc la prison pour diffusion par des moyens illégaux, et, circonstances aggravantes, à l'étranger, d'informations sur l'opposition et sur... elle-même !

L'histoire restera sans conséquence mais elle rappelle qu'en Birmanie, exercer son métier de journaliste avec intégrité et éthique reste une des activités les plus risquées.

Au cours des ans, parallèlement à ses quatre quotidiens officiels, la junte a autorisé le développement d'un nombre croissant de publications privées hebdomadaires ou mensuelles. Chaque autorisation de publication est négociée à coups de pots-de-vin et est révocable du jour au lendemain. Les journalistes sont soumis à de telles restrictions que la plupart de ces publications ne traitent que de sujets légers ou font l'apologie d'une économie irréelle dont les taux de croissance et le dynamisme feraient rêver n'importe quel gouvernement sur terre. Ils doivent soumettre préalablement à un conseil de la censure leurs articles traitant de l'épidémie de sida, la corruption, le trafic de drogue, les catastrophes naturelles, la situation des étudiants, les relations avec les pays voisins comme la Chine... Imprimer le nom d'Aung San Suu Kyi est un acte de suicide éditorial. Le CPJ (Committee to Protect Journalism – Comité pour la protection du journalisme) relève le caviardage d'une critique du film *L'Homme au masque de fer*. Il avait eu l'audace de citer la devise des *Trois mousquetaires*, « Un pour tous, tous pour un », que le conseil de censure avait interprété comme « Aung San Suu Kyi pour le peuple birman, le peuple birman pour Aung San Suu Kyi [1] ».

Pour avoir tenté de faire leur métier, avec rigueur et indépendance, des journalistes birmans dépérissent en prison. Parmi eux, U Win Tin. Né en 1930, membre du groupe d'intellectuels et d'artistes qui accompagnèrent et guidèrent les premiers pas politiques d'Aung San Suu Kyi, il est emprisonné à Insein depuis 1989. Il a été condamné à une peine cumulée de vingt ans de prison, la première fois pour avoir hébergé une jeune militante de la LND qui avait avorté, acte illégal en Birmanie. En mauvaise santé, il a au cours de ces interminables années subi toute la gamme des sévices et humiliations à la disposition de la junte, dont cinq mois enfermé dans la cage d'un chenil ! U Win Tin, un des noms les plus anciens sur la liste de RSF (Reporters sans frontières) des journalistes en détention, n'a jamais manifesté qu'un regret : « Ne pas pouvoir lire des journaux autres que la presse gouvernementale [2]. » Sa libération est prévue en 2009.

---
1. CPJ, « Report Burma under pressure », 2002.
2. Reporters sans frontières, www.rsf.fr.

11

10 h 50. Après avoir éteint le générateur, elle se rend dans un volumineux préau sur un côté de la maison. Le lieu, tombé en décrépitude, a servi de dortoir, de cuisine, de salle de réunion et de jeux, aux étudiants en 1988 puis à la jeunesse de la LND en 1995. Aujourd'hui, il n'abrite que des instruments de jardinage et de vieux outils. Elle saisit un sécateur rouillé et se rend au bord du lac pour élaguer quelques arbustes.

Il fut un temps, lorsque le vieux dictateur Ne Win vivait non loin, sur une berge opposée, où le lac constituait une prison. Une de plus ! Des vedettes de l'armée veillaient jour et nuit. Des bunkers d'où pointaient les canons menaçants de mitrailleuses, émergeaient de la vase et des massifs herbeux. Le riverain qui posait le pied dans l'eau risquait sa vie. Mais en 2002, Ne Win est tombé en disgrâce, placé comme elle en résidence surveillée par les rejetons ingrats de cette dictature qu'il avait créée. Elle se souvient que, cette même année, des petits-fils de Ne Win, qui jouaient les terreurs avec d'autres enfants gâtés du régime au sein d'un gang baptisé « les Scorpions », avaient eux aussi été arrêtés.

Ne Win est décédé neuf mois après sa mise au placard. Mort dans l'indifférence comme un sans-

logis, incinéré à la va-vite, ses cendres répandues sur l'esplanade du dictateur inconnu, nul ne sait où... Lui qui rêvait d'une bible à la mémoire de son grand œuvre ne léguera que les pages les plus noires de l'histoire birmane contemporaine. Pas de quoi rassurer ses successeurs...

Les bunkers sont devenus des résidences pour serpents et crapauds. Les enfants des riverains peuvent enfin faire trempette dans les eaux désacralisées.

A-t-elle jamais songé à échapper à sa propre détention par cette voie ? À la nage, en pirogue ? La pensée, ridicule, la fait sourire. S'échapper de quoi ? N'a-t-elle jamais cessé de répéter qu'elle s'était toujours sentie libre... Plus libre certainement que Ne Win et les monstres qu'il engendra, prisonniers eux de la peur de perdre ce pouvoir qu'ils devinent au fond si fragile. Comment expliquer, si ce n'est par la peur, l'inanité des vicieuses attaques que Ne Win avait orchestrées contre Michael et elle dès qu'il avait senti le frémissement d'une menace contre sa toute-puissance ?

MADAME ARIS

La toute première arme utilisée par les généraux contre Aung San Suu Kyi, la veille de son discours à la Shwedagon, fut l'insulte sous forme de tracts pornographiques (voir chapitre 4). La machine à propagande s'applique d'abord aux publications gouvernementales.

Confortablement assis dans leur bureau du Département à la Guérilla psychologique, des fonctionnaires-rédacteurs trempent leur plume dans l'encrier nauséabond de la xénophobie. Pour donner l'illusion que leur prose ou leurs caricatures émanent du peuple, ils les signent d'une multitude de pseudonymes. Le lecteur des journaux et magazines, rassuré par ces signatures civiles, trouvera que décidément, si des gens comme lui pensent ainsi, il doit y avoir un fond de vérité !

L'argument central est d'une grossière simplicité : cette femme est à l'origine des maux que connaît le pays depuis 1988, or elle vient de l'étranger, pire elle est mariée à un étranger, c'est donc l'étranger qui tente de détruire notre civilisation. CQFD.

Seul défaut à cet argumentaire, cette femme est la fille du père de l'indépendance, du fondateur de l'armée. Les plumitifs du ministère de l'Intérieur vont donc constamment s'efforcer de la découpler de son père. Elle, « qui n'est pas la fille d'une personne ordinaire mais d'un leader national, au lieu de préserver la race de ses parents, la race du Myanmar tant adorée par son père, voilà qu'elle la détruit en mélangeant son sang avec celui d'un Anglais », lit-on dans le *New Light of Myanmar* [1].

Dans ces textes, le nom d'Aung San Suu Kyi est toujours amputé de la référence au père. Elle devient ainsi « Suu Kyi » ou lorsque l'auteur est d'humeur polie, « Daw – dame – Suu Kyi ».

Souvent, et cela simplifie tout, on l'appelle simplement madame Aris, du nom de son époux. Ce dégoût à mentionner sa filiation au père de l'indépendance se retrouve à tous les niveaux. Un

---

1. *New Light of Myanmar*, 5 septembre 1997.

ministre des Affaires étrangères birman, fonctionnaire censé offrir à l'étranger un visage plus avenant de la junte, avait beaucoup de difficultés à l'appeler autrement que madame Aris ou mademoiselle Suu Kyi...

Madame Aris est accusée des pires desseins. Elle « travaille en permanence à la destruction du peuple du Myanmar », lit-on ailleurs. « Elle tente de mettre en œuvre les plans de son époux britannique et de ses beaux-parents néocolonialistes sans égard pour ses ancêtres [1]. »

Parfois, tout à son obsession schizophrène, la junte sombre dans l'absurde. Dans l'édition du 20 juillet 1996 du quotidien *New Light of Myanmar*, au lendemain de la cérémonie d'anniversaire de l'assassinat d'Aung San au mausolée de Rangoon, on découvre deux articles qui auraient pu être publiés dans deux journaux de bords opposés. Le premier « rappelle » qu'Aung San Suu Kyi qui « a eu son sang mêlé avec celui d'un Anglais et a donné naissance à deux mi-castes [...] se trouve ici comme cinquième colonne. Elle bat du gros tambour car elle ne peut obtenir le rôle principal qu'elle souhaite, en tant que marionnette des impérialistes ou en tant que personne affamée de pouvoir », poursuit l'auteur de l'article. Quelques pages plus loin, le quotidien publie une photo qui montre Aung San Suu Kyi couverte d'un ample châle noir déposant une gerbe de fleurs au pied du monument. La légende dit le plus respectueusement du monde : « Daw Aung San Suu Kyi dépose

_____
1. Quotidien en birman *Kyemon*, 10 août 1996.

un panier de fleurs au mausolée Arzani », nom birman du monument[1].

En vrac, et au cours des ans, la voilà qualifiée de « Madame Destructrice de race », de « Lady Veto » outre les plus classiques « Princesse Fantoche », « Poupée Fantoche » ou du simple « Cette femme », « Cette personne »…

La logorrhée se déverse aussi sur Michael Aris qualifié de « Britannique d'origine jamaïcaine », référence géographique approximative à Cuba où naquit Michael de purs parents british.

Une biographie remaniée du couple circule peu après la libération d'Aung San Suu Kyi. On y apprend que l'émergence de son épouse sur la scène politique birmane a donné au « juif britannique Michael Aris, un universitaire inconnu de la culture et de l'art tibétain, une chance de briller sous les feux internationaux dont il n'aurait jamais rêvé auparavant ». Et, puisqu'on se barbouille de gâchis, autant s'y vautrer tout entier : « Il était notoire dans les cercles diplomatiques et parmi la population des pays voisins du Bhoutan au début des années 1970, que Michael Aris a trompé les Tibétains et certains moines tibétains qui lui ont confié des objets religieux, œuvres d'art et antiquités de grande valeur […] à des fins de recherche et de documentation […]. Le couple est parti avec une quantité colossale d'objets religieux qui n'ont jamais été restitués au Bhoutan. »

Les médisants exercent aussi leur talent hors papier.

Ils sont dotés à cet effet de l'arme absolue : la rumeur. Dans une dictature où l'information libre

---

1. *New Light of Myanmar*, 20 juillet 1996.

est inexistante, la rumeur devient l'information. À Rangoon, c'est l'un des sports favoris. On remporte la partie lorsqu'on est le premier à confirmer la rumeur. « Ah oui, je le savais déjà... » Preuve de votre appartenance au cercle des initiés.

Une histoire extraordinaire mélangeant rumeur et papier circule à Rangoon depuis des années, celle du « grand amant noir »... U Nan Nwe, le Birman qui à Londres dans les années 1960 fit la leçon à une jeune Aung San Suu Kyi accusée de calomnier son peuple (voir chapitre 2), la raconte avec la conviction de celui qui sait... « Lorsqu'elle travaillait aux Nations unies, dit le vieil homme, un rapport est arrivé sur le bureau de U Thant, le secrétaire général de l'Organisation. Ce rapport disait que la fille du général Aung San fréquentait beaucoup d'hommes et avait des rapports intimes notamment avec un "grand Noir". » Après une enquête diligentée par U Thant, un deuxième rapport aurait confirmé le premier. « Il a convoqué Aung San Suu Kyi qui lui a répondu que ce n'était pas ses affaires. U Thant avait les larmes aux yeux, car il était proche d'Aung San, mais il a demandé à sa secrétaire de mettre fin au contrat de la jeune femme. » La biographie réécrite du couple « rapporte » que « durant son séjour à New York, elle était constamment vue en compagnie d'un diplomate cubain noir. Le couple avait de nombreuses relations avec des New-Yorkais et des membres du corps diplomatique. »

De ceux qui connurent Aung San Suu Kyi jeune, aucun n'a jamais entendu parler de cette histoire. Surtout, elle ne correspond en rien à la personnalité plutôt moralement traditionnelle d'Aung San Suu Kyi qui de plus à l'époque prenait chaque jour le temps d'écrire une lettre d'amour à Michael expatrié au Bhoutan.

Cette histoire du Cubain noir ou du grand Noir, des Birmans en ont entendu plusieurs versions. Zaw Oo, étudiant durant l'insurrection de 1988 et aujourd'hui exilé aux États-Unis, s'en souvient. Mais il pense qu'au départ « elle a été inventée par quelqu'un de l'opposition jalouse d'elle. C'est le régime qui l'a reprise plus tard à son compte ».

Aung San Suu Kyi dit ne pas se formaliser de ces attaques. En judoka de la dialectique, elle retourne à son avantage l'assaut de son adversaire. « Leur propagande est si grossière qu'elle travaille en notre faveur, qu'elle fait d'eux nos alliés. Elle nous permet de gagner du temps », commente-t-elle.

Plus grave pour le régime, ajoute-t-elle, les « caricatures vicieuses ont retourné beaucoup de gens contre lui. Et ces gens commencent à penser qu'elles montrent exactement que le régime n'a aucune manière[1] ».

Comme d'habitude, elle préfère voir les choses avec humour et détachement. Lorsque les tracts la qualifient de *bogadaw*, ce qui en birman signifie péjorativement « femme d'un homme blanc », elle répond : « Eh bien, oui, effectivement je suis l'épouse d'un homme blanc... »

Pourquoi dès lors la junte consacre-t-elle tant d'efforts à ces campagnes ? « Ils ne savent tout simplement pas comment communiquer, interprète Aung San Suu Kyi. Ni avec nous l'opposition, ni

---

1. *Asiaweek*, 11 juin 1996.

avec les gens, ni avec la communauté internationale, ni avec la presse, ils n'ont aucune idée de ce
qu'est la communication. »

Et qui, à l'exception des convaincus, parcourt
ces vicieux étalages ?

À la fin des années 1990, la junte va finalement
déployer quelques efforts pour améliorer cette
déplorable communication. Le général Khin
Nyunt, à l'époque numéro deux, est le premier à
saisir la vanité d'une propagande trop brutale.

Le régime va louer à grands frais les services
d'une société de relations publiques américaine, la
Jefferson Waterman International, pour l'aider à
corriger l'image du pays mais aussi sa communication interne. Une des premières consignes est de
changer le nom de la junte. Le SLORC disparaît,
bienvenue au SPDC (State Peace and Development
Council – le Conseil d'État pour la paix et le développement). L'effort de lifting ne durera guère. Le
régime est incapable d'honorer les lourdes factures
de la compagnie américaine !

En 2000, un hebdomadaire à vocation économique en anglais, le *Myanmar Times*, est lancé avec
à sa tête un éditeur australien, déjà pionnier d'une
expérience similaire pour le compte du gouvernement vietnamien, autre dictature de la région.
Présenté comme le premier journal indépendant
du pays, il est en réalité le bébé des services de
renseignements de Khin Nyunt.

À la même époque, rappelle le CPJ, « les journaux officiels ont la permission pour la première
fois depuis des années de mentionner le nom de
Suu Kyi sans y accoler les insultes rituelles. Le
quotidien officiel *New Light of Myanmar* par exem-

ple ne fait plus référence à Suu Kyi comme à "un outil diabolique d'intérêts étrangers [1]" ».

Les caricatures scandaleuses, les calomnies crues se font plus rares, les attaques plus feutrées, plus subtiles dirait-on, même si l'on détecte toujours entre les lignes la même volonté de souiller Aung San Suu Kyi.

Dans un article intitulé « Est-elle comparable au mahatma Gandhi ? », le *Myanmar Times* parle d'elle comme de la « Femme LND ». Le texte emprunte des chemins assez lisses mais ne peut s'empêcher de rappeler qu'« elle s'ingénie à créer l'image de la désunion à l'intérieur du pays [2] ». On frôle la poésie...

La junte, pour mener ses œuvres de malveillance, se trouve parfois des alliés inattendus. Un homme d'affaires occidental qui vit à Rangoon depuis de nombreuses années et qui y connaît tout le monde, confie qu'une « grande partie des calomnies contre elle mais aussi les interprétations et déformations de ses discours proviennent non pas de la junte mais d'un petit groupe d'expatriés qui ne souhaite qu'une chose, la perpétuation de la dictature pour poursuivre ses petites affaires ». Des étrangers pour faire le sale boulot de la junte. Voilà un retournement de situation pour le moins ironique !

L'apparition d'Aung San Suu Kyi sur la scène politique birmane a une conséquence étonnante : la démystification d'Aung San. Désormais, le père de l'indépendance est d'abord considéré comme celui d'Aung San Suu Kyi ! Son portrait disparaît

1. CPJ, « Rapport Burma under pressure, 2002 ».
2. *Myanmar Times*, 10 et 16 juin 2006.

des billets de banque, remplacé par un lion, symbole également de l'USDA, et d'autres effigies royales. Son nom est rarement prononcé dans les discours officiels. Au musée du Bogyoke Aung San, le manoir où il passa ses dernières années en famille, le fascicule biographique normalement inclus dans le prix d'entrée n'est plus distribué...

12

11 h 15. Elle retrouve Win Mya Mya qui étend le linge à l'arrière de la maison. Un avion passe à la verticale. C'est le vol de 11 heures pour Bangkok. Les deux femmes plaisantent sur ces gens confortablement assis à quelques centaines de mètres au-dessus d'elles. Elles imaginent des têtes collées au hublot qui tentent une dernière fois d'apercevoir la grosse larme d'or de la Shwedagon figée dans la paume verte de Rangoon. Ou d'autres passagers déjà plongés dans un journal, avides d'informations sur un monde qu'ils avaient délaissé quelques jours. Des hommes d'affaires, des Birmans en goguette, des touristes étrangers... Ce terme soulève toujours chez elle une poussée d'ambiguïté. S'était-elle mal ou trop vite exprimée sur le boycottage du tourisme ? Et sur les sanctions économiques ? L'aide humanitaire ? On l'avait attaquée, violemment parfois. Ses adversaires, quoi de plus normal, mais aussi des alliés, des proches... Ces débats lui laissent un arrière-goût d'amertume. Elle aurait tant de choses à préciser, à expliquer, à clarifier.

Un prix Nobel de la paix et six ans de détention ont fait d'Aung San Suu Kyi une icône de toutes les luttes non violentes pour la liberté qui se jouent sur la planète. Sa silhouette menue vient intégrer avec grâce une photo qui réunirait les Gandhi, Martin Luther King, Adolfo Pérez Esquivel, Desmond Tutu, Dalaï-Lama, Václav Havel… Un magazine la compare même à Jeanne d'Arc !

Mais en plongeant, sans avertissement, du seuil de sa confortable résidence d'Oxford au creux de l'océan birman en pleine tempête, Aung San Suu Kyi imaginait-elle la force des courants qui tenteraient de la rejeter vers ses plages anglaises ?

« Elle savait que cela faisait partie du lot, qu'à partir du moment où elle devenait une figure de proue politique, elle serait critiquée çà et là », estime une de ses amies.

Le feu d'obscénités craché par les dictateurs ne surprend guère. Ces attaques, elle choisit d'y parer par la sagesse, le détachement et l'humour.

Mais lorsque les assauts surviennent d'autres bords, peut-elle toujours se contenter d'une esquive ?

Les premières critiques, formulées par des gens peu soupçonnés d'accointances avec la junte, apparaissent quelques mois après sa libération. Elles portent sur sa gestion du Parti, la LND, et plus généralement sur sa vision politique. « Même s'il y a un dialogue dans le futur, des activistes se plaignent qu'ils n'en sauront rien car Suu Kyi ne se confie qu'à une poignée de membres au sommet de la hiérarchie de la LND, dit un analyste dans un éditorial du quotidien thaïlandais, *The Nation*. Elle semble avoir ses chemins secrets, certains l'accusent même d'être inaccessible[1] ».

On entend, on lit qu'elle « n'a pas réussi à donner une direction au mouvement démocratique et manque d'une ligne de conduite politique[2] ». Ses années d'isolement, ajoute-t-on, l'ont rendue « arrogante, distante, peu disposée à écouter ».

« Elle est vraiment en dehors du coup, affirme un ancien cadre de la LND un an après sa libération. Elle vit dans l'isolement, dans un monde de rêve avec ses sympathisants et l'attention des médias. Les choses ont changé autour d'elle, mais la LND vit toujours dans le passé[3]. »

L'expulsion en 1997 de la LND de deux membres élus en 1990 au Parlement, engagement qui leur valut de longs séjours à Insein, mettrait en lumière ses « comportements dictatoriaux ». Les deux élus avaient rédigé un rapport où ils appelaient leur leader à « une approche politique plus réaliste ».

Ils ne sont pas rares ceux qui, las de se faire intimider, éreintés par des années de prison, découragés par le manque de progrès politique, décident de retourner à leur vie antérieure. Ces renoncements sont aussitôt exploités par la junte, toujours prompte à agiter les crécelles de la division. Souvent à leur corps défendant, ces déçus de la politique se retrouvent transformés dans les journaux gouvernementaux en héros qui ont eu le courage de déserter le parti ennemi.

---

1. *The Nation*, 23 août 1996.
2. *Prospect Magazine*, juillet 2001.
3. *Asiaweek*, juillet 1996.

À ces accusations, Aung San Suu Kyi répond :
« Quelques personnes nous ont quittés mais ils travaillaient pour le compte des autorités. Tout le monde n'a pas la même endurance[1]. » En fait, ajoute un responsable d'une ONG asiatique qui a travaillé avec Aung San Suu Kyi, « elle porte les gens en haute estime et est donc déçue lorsqu'ils ne répondent pas à ses attentes. Dans ces cas-là, elle peut se montrer dure avec son entourage ».

Une des critiques récurrentes porte sur son « manque de flexibilité », son « entêtement ». « C'est une femme de principes, poursuit son amie diplomate. Elle a des idées très précises sur la démocratie, la manière de gouverner, l'honnêteté, etc. Cela est parfois interprété comme un manque de flexibilité. Elle peut se montrer très flexible tant que ses principes ne sont pas remis en cause. »
On la stigmatise pour sa propension à rechercher la confrontation. « Je n'ai jamais souhaité qu'une chose, disait-elle en 1994 à l'Américain Richardson, c'est de confronter les gens autour d'une table. » Un avocat birman de Rangoon qui la connaît bien estime qu'elle « est à l'image de son père. Lui aussi était critiqué car il répondait souvent instantanément et avec autorité, et cela passait pour de l'agressivité ».
« Elle est plutôt têtue, reconnaît une Birmane de Rangoon qui a travaillé en 1988 pour la LND. Mais si elle ne l'était pas, comment pourrait-elle survivre, jamais elle ne serait là où elle est. Une chose est sûre, elle a peut-être commis des erreurs,

---

1. *Asiaweek*, 11 juin 1999.

comme tout être humain, mais tout ce qu'elle a fait elle l'a fait pour le pays. »

Cette détermination est l'une de ses armes les plus efficaces contre la junte. « Les généraux, interprète une amie, se comportent comme ces jeunes Birmans qui taquinent les jeunes filles jusqu'à les faire pleurer. C'est un jeu cruel car lorsqu'elles se mettent à sangloter, ils viennent les serrer dans leurs bras et les consoler. Aung San Suu Kyi, elle, a toujours refusé de pleurer, de manifester la moindre faiblesse, les seules fois où elle s'est inclinée, c'est devant la statue de son père. Tout cela constitue une source de frustration pour le régime. »

Au-delà de relents machistes peu subtils – gloserait-on à répétition sur « l'entêtement » d'un leader masculin ? –, ces remarques font davantage référence au caractère entier d'Aung San Suu Kyi, trait rarement observé chez un politicien !

Entière, elle l'est dans sa détermination, sa sincérité, sa générosité, sa loyauté mais aussi dans ses impatiences, ses sautes d'humeur. Plus d'un collaborateur, d'un proche même, a craqué sous une remarque, un geste d'énervement de la secrétaire générale du Parti.

« L'énorme affection et la loyauté qu'elle donne aux gens qui travaillent avec elle peuvent constituer un redoutable pouvoir mais aussi une terrible faiblesse, commente une amie. Car le moindre de ses propos peut prendre des proportions inouïes, beaucoup de gens ressentent toute critique ou remarque qu'elle pourrait leur faire comme une disgrâce. Parfois des gens la quittent pour cette raison. »

Dans ses rapports humains, Aung San Suu Kyi fonctionne beaucoup à l'instinct, au « feeling ».

« La façon dont elle va répondre à une situation dépend énormément du messager, poursuit cette amie. Si elle sent qu'elle peut vous faire confiance, vous aurez 100 % de son attention. »

« Michael craignait beaucoup que parfois les gens ne voient pas son côté humain, ajoute-t-elle. Il y avait tant d'attentes, un tel poids sur elle... » Crainte parfois justifiée... Un ambassadeur japonais s'est mis à pleurer après qu'Aung San Suu Kyi eut sèchement critiqué un projet de réparation de turbines hydroélectriques de son gouvernement. Des années plus tard, il s'en souvient encore.

On oublie que les modèles auxquels on la compare, les Gandhi, Mandela, Walesa, étaient de sacrées personnalités qui durent souvent imposer leurs vues par des moyens peu diplomatiques ! Eux aussi en leur temps durent prévenir des divisions dans leurs rangs, se séparer dans la douleur d'éléments diviseurs.

Comme beaucoup d'idéalistes, Aung San Suu Kyi se retrouve face à un dilemme : comment rester soi-même quand on veut faire de vous quelqu'un d'autre ?

Elle qui s'est donné pour règle absolue de ne jamais personnaliser la polémique, reçoit un jour de 1998 un coup de dague dans le cœur. L'agression vient de Ma Thanegy, son ancienne assistante. C'est une femme de sa génération, membre de l'élite culturelle et sociale birmane, un écrivain de talent un tantinet excentrique qui accompagna Aung San Suu Kyi tout au long de la campagne électorale en 1988 et 1989. Les deux femmes marchaient côte à côte lorsqu'au cours d'une tournée en province, un officier fou fut à deux doigts de faire tirer ses soldats sur elles et leurs accompagnateurs (voir chapitre 5). Elle fut arrêtée en même temps qu'Aung San Suu Kyi et passa près de trois ans à Insein.

En février 1998, elle publie un long article, « Le conte de fées birman », dans la *Far Eastern Economic Review*, hebdomadaire panasiatique de référence. « Ma Suu, écrit-elle, aurait pu changer nos vies de façon dramatique. Avec son influence et son prestige, elle aurait pu demander de l'aide à de gros pays donateurs comme les États-Unis ou le Japon. Elle aurait pu encourager des sociétés responsables à investir ici, créer de l'emploi [...]. Elle aurait pu engager un dialogue constructif avec le gouvernement et poser les fondations d'une démocratie durable. »

« À la place de cela, elle a choisi de faire le contraire, mettant la pression sur le gouvernement en disant aux investisseurs étrangers de rester à l'écart et demandant aux gouvernements étrangers de suspendre leur aide[1]. »

« Aung San Suu Kyi était absolument dévastée par cet article, rapporte une de ses amies occidentales. Elle ne pouvait pas comprendre, car elle était très proche d'elle. Elle se souvenait aussi que Michael avait aidé Ma Thanegy à écrire et corriger plusieurs de ses textes. »

Pourquoi cette trahison ? Plusieurs observateurs de la vie sociale à Rangoon estiment qu'elle relève d'abord d'un conflit de personnalités. « Il s'est produit quelque chose en prison », rapportent-ils. La junte, exploitant ses faiblesses, l'aurait « retournée ». Une de ses anciennes voisines de cellule se

---

1. *FEER*, 19 février 1998.

souvient : « Elle bénéficiait de conditions favorables, nous n'avions que de la nourriture pour chien, elle avait toujours le meilleur riz et des rations de viande. Aung San Suu Kyi, peu après sa libération, lui a fait savoir qu'elle ne voulait plus la voir chez elle. »

« Cette rupture est plutôt d'ordre personnel, il y a d'abord eu une forme de jalousie par rapport à Aung San Suu Kyi et puis son succès d'écrivain lui est un peu monté à la tête », commente un homme d'affaires de ses connaissances.

Ma Thanegy ne fera rien pour démentir son ralliement à la junte. Devenue collaboratrice régulière du *Myanmar Times*, l'hebdomadaire fondé par Khin Nyunt, elle se fera, *via* ses exposés sur la culture birmane lors de conférences à l'étranger, une avocate peu subtile de cette junte qu'en privé elle prétend toujours haïr. Au cours d'une de ces conférences à Washington, elle déclare que la presse internationale éprouve un penchant pour Aung San Suu Kyi parce qu'elle est « si belle et si charmante ». De nombreux dissidents la considèrent désormais comme un des porte-parole de la junte.

Divergence personnelle ou idéologique, le mal est fait. Cet article intervient alors que bouillonne un débat sur les sanctions économiques et l'aide humanitaire.

Dès 1995, Aung San Suu Kyi avait demandé aux sociétés étrangères de ne plus investir en Birmanie. L'affaire des compagnies française Total et américaine Unocal est alors en plein développement. Ces deux géants du pétrole se sont associés avec la junte pour exploiter un énorme gisement de gaz naturel au large des côtes birmanes dans le sud du pays.

Mais les soldats birmans sont accusés par de nombreux témoins d'avoir, au cours des travaux de construction d'un gazoduc terrestre, contraint des populations à quitter leurs villages, utilisé de la main-d'œuvre forcée et commis d'autres violations des droits de l'homme comme des viols. Jusqu'à quel point les deux géants pétroliers sont-ils complices de ces agissements ? La question suscite de vives polémiques et déclenche plusieurs actions judiciaires en Europe et aux États-Unis.

Des années plus tard, en 2004 et 2005, Unocal et Total, plutôt que de s'engager dans de longs procès aux conséquences incertaines, concluront des accords de compensation financière avec des ONG et des communautés proches du gazoduc.

« Les investissements étrangers nous font du mal car ils aident les autorités, déclare Aung San Suu Kyi. La plus grande partie des profits va aux militaires et à ceux qui sont connectés au gouvernement. L'effet de redistribution est négligeable[1]. »

Meilleure illustration de ces propos, avanceront les opposants birmans, le produit de la vente à la Thaïlande du gaz exploité par Total et le pétrolier malaisien Petronas. En 2005, on estime qu'il a rapporté un milliard de dollars, une manne qui ne profite qu'à la junte et lui permet notamment de se rééquiper en armements.

À l'époque où Aung San Suu Kyi lance son appel aux sanctions, à la fin 1995, les généraux s'apprê-

---

1. *Bangkok Post*, 19 Juin 1998.

tent à lancer une vaste opération touristique, l'« Année du tourisme en Birmanie » (Visit Myanmar Year).

Aung San Suu Kyi va exaspérer la junte en conseillant aux touristes... de ne pas venir ! Pour bien se faire comprendre, au cours d'un discours du week-end, elle traduit une de ses interventions en anglais à l'intention des étrangers présents dans le public. Elle lit une lettre envoyée par des habitants de Lashio, ville du Nord. « On les a obligés à reconstruire leur maison en briques et à participer à l'édification de nouveaux trottoirs, dit-elle. J'imagine qu'il s'agit d'impressionner les touristes lorsqu'ils viendront pour l'Année du tourisme. Voilà, poursuit-elle, une illustration claire d'un "investissement qui ne procure aucun bénéfice au public en général. Beaucoup de ces gens n'ont pas les moyens de reconstruire leur maison, ils ignorent s'ils devront la quitter ou la vendre". »

« Nous sommes intéressés par le bien-être et le bonheur du peuple de Birmanie sur le long terme, non pas par le plaisir et la chance de quelques égoïstes dans ce pays », avait-elle conclu.

Derrière ces débats, se tapit une question vieille comme le sous-développement et les dictatures : les réformes économiques entraînent-elles par automatisme une ouverture politique ou est-ce l'inverse ?

Aung San Suu Kyi et son parti ont tranché. « La LND croit qu'un système politique fermement enraciné dans la règle de la loi est essentiel à un développement économique sain [1]. Aussi, poursuit-

---

1. *Letters from Burma*, p. 44.

elle, je dis : "Investissez dans l'avenir." C'est-à-dire, investissez dans la démocratie pour la Birmanie, même si ce n'est que pour votre seul profit. »

La communauté internationale est divisée sur ses appels en faveur de sanctions économiques. Américains et Britanniques, et dans une moindre mesure les Européens, se prononcent en leur faveur. Au début 1997, Bill Clinton décrète l'interdiction de tout nouvel investissement américain en Birmanie. La Communauté européenne confirme des sanctions appliquées dès 1996, notamment sur la suspension des aides bilatérales autres qu'humanitaires. Elle retire par ailleurs à la Birmanie l'accès à un système de tarifs douaniers préférentiels en raison de l'utilisation du travail forcé. Plusieurs sociétés étrangères comme Amoco, British American Tobacco, Carlsberg, Heineken, Kuoni, Motorola, Pepsi ou Triumph finiront au cours des années par quitter le pays.

Mais en Birmanie les investissements occidentaux, à l'exception de gros contrats comme celui de Total et d'Unocal échappant aux sanctions, sont relativement limités. Le pays, aux yeux des investisseurs potentiels, offre trop peu de gages de stabilité.

Les principaux partenaires commerciaux sont d'autres pays asiatiques, les deux grands voisins, la Chine essentiellement et l'Inde, le Japon, Taiwan, la Corée du Sud et quelques « tigres » économiques d'Asie du Sud-Est comme la Thaïlande, la Malaisie et Singapour... Dans ces pays où l'opinion publique n'a pas ou peu d'influence, les investissements en Birmanie de sociétés nationales ne rencontrent aucune opposition. En réalité, les exigences d'Aung San Suu Kyi les comblent puisque le retrait ou l'interdiction des investissements occidentaux leur ouvrent autant de parts de marché !

Aung San Suu Kyi va étendre ses revendications à l'aide humanitaire. « Nous ne pensons pas que le moment soit adéquat pour la venue des ONG. Il est très difficile, sinon impossible, pour les ONG de travailler sans la permission des autorités, déclare-t-elle en 1998. Nous craignons toujours qu'elles soient manipulées par les autorités, comme certaines agences des Nations unies l'ont été[1]. »

Le sujet, beaucoup plus sensible, mobilise cette fois par-delà les milieux d'affaires classiques. Des ONG n'hésitent pas à attaquer de front le symbole qu'elles avaient jusqu'alors porté aux nues. « Des membres d'une ONG internationale qui était en plein milieu de négociations délicates (avec le gouvernement) pour l'établissement d'un projet à propos du sida dans le Nord, où le virus représente un gigantesque problème, nous ont confié qu'Aung San Suu Kyi les avait ridiculisés et fustigés lors d'une réception diplomatique », rapporte un mensuel britannique[2]. Lors d'une conférence à Amsterdam en 1998, poursuit ce mensuel, un représentant d'une organisation très connue « a tristement concédé qu'il était plus facile pour les ONG internationales (de travailler en Birmanie) lorsque Aung San Suu Kyi était en détention ».

Ces attaques, que la nature du travail humanitaire pimente de passion et d'émotion, lui font réaliser l'excès de ses propos originaux.

---

1. Altsean, interview 10 mars 1998.
2. *Prospect Magazine*, *ibid*.

Elle fait une mise au point : « Nous ne nous sommes jamais prononcés contre l'aide humanitaire en soi ni n'avons dit que toutes les ONG devraient quitter la Birmanie ou ne pas y venir [1]. » Elle répétera l'argument encore et encore : « Il ne s'agit pas simplement de distribuer de l'aide mais elle doit être donnée aux bonnes personnes et de la bonne manière, c'est-à-dire à celles qui en ont réellement besoin [2]. »

À plusieurs reprises, elle corrigera la trajectoire de certains de ses tirs un peu trop tendus. Lorsque, en 1999, un émissaire du Comité international de la Croix-Rouge débarque en Birmanie, après quatre ans d'absence, il ne souhaite rencontrer ni diplomates des ambassades américaine et britannique ni représentants de la LND pendant une période de six mois afin de ne pas politiser son action. L'objectif prioritaire est de pouvoir accéder aux prisonniers politiques dans la discrétion. Aung San Suu Kyi publiquement se demande qui est ce prétentieux délégué qui pense pouvoir négocier l'accès aux lieux de détention. S'il avait pris la peine de la rencontrer, fait-elle savoir, elle l'aurait convaincu de l'impossibilité de cette démarche.

Il obtient finalement cet accès et en six mois lui et ses équipes rendront visite à plusieurs milliers de détenus dont quelque 700 politiques. « Plus tard, confie-t-il, elle reconnaîtra qu'elle avait eu tort et que nous avions plutôt fait du bon travail, auprès des prisonniers politiques en particulier. »

1. *Asiaweek*, 11 juin 1999.
2. *Irrawaddy*, mai 2002.

Le débat sur les sanctions économiques et l'aide humanitaire met en lumière un tableau global inquiétant : depuis la libération d'Aung San Suu Kyi, la situation politique s'est figée. « Pour ce que je constate, il n'y a eu absolument aucune amélioration. En fait, je pourrais dire que je suis disposée à penser que les choses se sont même aggravées », déclare-t-elle dans une bande-vidéo parvenue à la Commission des droits de l'homme des Nations unies à Genève.

Aux appels répétés d'Aung San Suu Kyi et de la LND à un dialogue, la junte répond « oui, mais à nos conditions »... On parle de « dialogue de sourds » alors qu'en réalité il n'y a pas de dialogue. Les généraux, forts des soutiens économiques et politiques de leurs voisins asiatiques, jouent l'usure. En maintenant la pression sur les sympathisants d'Aung San Suu Kyi, ils s'emploient à faire le vide autour d'elle. En exploitant ses faiblesses et erreurs de communication, ils portent des coups de ciseaux à l'icône, espérant qu'elle finira par se briser. Des observateurs posent désormais la question ouvertement : n'était-elle pas plus utile en détention qu'à l'extérieur ?

Comme toujours, elle refuse de se démonter. « L'expression d'impasse a le don de m'agacer, dit-elle[1]. En apparence, le paysage politique en Birmanie paraît figé, mais, en réalité, une dynamique est à l'œuvre. Cela me fait penser à l'image du lac gelé employée autrefois par Václav Havel : à la surface, tout est lisse ; mais, en profondeur, des poissons nagent encore. »

---

1. *L'Express*, septembre 2002.

13

11 h 30. Elle a regagné la salle de séjour et s'est assise dans le fauteuil à côté de la commode où trône la radio. Cette boîte à l'électronique rudimentaire représente sa seule passerelle quotidienne sur l'univers qui s'étend au-delà du portail. Elle est restée fidèle aux stations qu'elle a tant écoutées lors de ses six premières années de détention, la BBC, la VOA, la DVB, Radio Asia, RFI… C'est l'heure du grand journal du service mondial de la BBC, avec son long chapitre consacré à l'Asie. Les piles sont presque à plat. Il n'y en a plus dans la maison, il ne faudra pas oublier de les inscrire sur la liste de demain.

Le journaliste de la BBC entame son journal. Irak, Bande de Gaza, Israël, Liban, Iran, Corée du Nord, le monde répète ses malheurs avec tristesse. Tiens, la Birmanie. Y aurait-il du neuf ?

La BBC annonce la reddition à la junte du jeune leader Karen Johnny Htoo. Elle se souvient de cette étrange affaire. C'était en 2000. L'histoire d'enfants jumeaux de la minorité karen, dont ce Johnny, qui avaient créé leur propre mouvement de guérilla, l'Armée de Dieu, dans la jungle près de la frontière thaïe. Un commando de dix étudiants birmans radicaux qui avaient trouvé refuge au quartier général de cette « Armée de Dieu » avait pris en otages des centaines de personnes dans un hôpital thaï. Les forces spéciales thaïes avaient attaqué l'hôpital et exécuté les dix étudiants au petit matin. Tragique épilogue d'un acte nourri par le plus profond des désespoirs. Elle avait rédigé un communiqué dans lequel elle déplorait « le manque d'éducation » de ces jeunes sauvageons. On lui avait rapporté à l'époque que ses commentaires avaient suscité sarcasmes et critiques. On avait blâmé son manque de connaissance ou, pire, d'intérêt pour ce dossier compliqué des minorités ethniques qui empoisonne l'histoire du pays depuis les premiers jours de l'indépendance. On lui avait même reproché, tout Aung San Suu Kyi qu'elle fût, de se comporter avant tout en représentante de la majorité birmane. Elle avait trouvé ces attaques injustes.

LE CASSE-TÊTE ETHNIQUE

Dans son livre *Mon pays et mon peuple* qu'elle publie en 1985, Aung San Suu Kyi consacre un chapitre aux « peuples minoritaires de Birmanie ». C'est un livre destiné aux enfants, elle se borne donc à des considérations ethniques encyclopédiques. Mais on saisit çà et là quelques bouts de phrases qui laissent entrevoir l'existence d'une situation géopolitique extrêmement plus complexe. Des propos tenus par des observateurs étrangers faisant état « de dissensions ethniques au sein de la nation birmane, mettent en doute l'unité du pays et donnent à penser que les autorités la maintiendraient artificiellement », écrit-elle[1]. Étrangement, elle ne donne pas les chiffres de la population. Or ils sont édifiants. Les minorités ethniques de Birmanie représentent de 30 à 40 % d'une population estimée à 50 millions d'habitants[2]. Quelque vingt millions de Birmans ne sont donc pas d'ethnie birmane ! Ethnologues et historiens s'affrontent depuis toujours sur la définition et le nombre exact de minorités ethniques. Mais on s'accorde en général à dire que ces minorités sont constituées de quelque sept groupes principaux comprenant de cent à cent cinquante sous-groupes, chacun possédant son propre dialecte.

On trouve de tout au sein de ces populations ethniques : des coupeurs de tête, des gitans de la mer, des femmes-girafes. Elles sont bouddhistes, chrétiennes, musulmanes ou animistes. Elles exploitent le jade, le rubis, cultivent le riz, l'opium, élèvent des éléphants, chassent le tigre.

Ces minorités, dont les plus connues sont les Arakanais, les Chins, les Kachins, les Karens, les Môns ou les Shans ont pourtant toutes une histoire mouvementée avec les Birmans.

Une des plaies toujours à vif date de la Deuxième Guerre mondiale lorsque les Karens avaient combattu aux côtés des Britanniques contre la toute jeune armée birmane alliée aux Japonais.

Le temps a réglé nombre de ces contentieux, fût-ce souvent de manière imparfaite. Mais, lorsque l'insurrection de 1988 propulse Aung San Suu Kyi à la tête de l'opposition, de nombreux groupes

---

1. *Se libérer de la peur*, p. 100.
2. Il s'agit d'une estimation. Le dernier recensement officiel fut effectué en 1983, mais il ne tient pas compte de vastes régions du pays échappant au contrôle des autorités.

ethniques sont toujours en rébellion armée contre les dictateurs de Rangoon. Loin de la capitale, au cœur de chaînes de montagnes qui de l'Ouest à l'Est ceignent la moitié supérieure de la Birmanie comme un fer à cheval, ces guérillas se battent pour l'autonomie de leur peuple, les unes avec de puissants canons, les autres avec de rudimentaires kalachnikov. La presse occidentale publie régulièrement des reportages sur la guérilla karen qui, le long de la frontière thaïe, combat depuis les premiers jours de l'indépendance en 1948.

En 1989, le manifeste politique de la LND consacre un chapitre à sa politique sur les minorités ethniques. Il établit que les intérêts des groupes minoritaires seront pris en considération après la formation d'un gouvernement démocratique. Tollé des minorités qui veulent aussi participer aux négociations sur ce gouvernement !

Les secousses du séisme insurrectionnel qui font trembler Rangoon et les grandes villes birmanes en 1988 n'atteindront les confins du pays et leurs mouvements rebelles qu'après la prise du pouvoir par le SLORC.

Au lendemain des massacres commis par les nouveaux dictateurs, des milliers de jeunes Birmans trouvent refuge dans les camps des guérillas ethniques (voir aussi chapitre 5). Mais l'accueil est le plus souvent méfiant. Aux yeux des maquisards karens, môns ou kachins, ces exilés restent avant tout des Birmans. Ils savent aussi que parmi eux se trouvent des espions infiltrés par la junte. Plusieurs dizaines d'entre eux seront démasqués et promptement exécutés. La confiance n'est donc pas de mise. Certaines guérillas comme celle des

Môns endoctrinent les malheureux étudiants, déjà en proie au paludisme et à la dysenterie, dans des séances de lavage de cerveau dignes de Pol Pot ! Dans des cabanes surchauffées, des « instructeurs » martèlent des versions remaniées de l'histoire des peuples de Birmanie à de pauvres jeunes gens écrasés de fièvre qui quelques semaines auparavant brandissaient l'étendard de la démocratie sur les barricades de Rangoon. De plus, sans attendre, le vieux virus birman du factionnalisme est venu infecter les organisations d'étudiants à peine constituées. Les rêves d'une conquête démocratique déferlant des frontières vont vite s'effondrer. La junte organisera d'ailleurs, avec force publicité et la coopération de l'armée thaïe, le « rapatriement volontaire » de groupes d'étudiants égarés.

L'hiatus est énorme entre les réalités de Rangoon et celles des frontières. Lorsque la LND a été formée et des élections furent annoncées, « nous ne pensions pas qu'Aung San Suu Kyi pourrait jouer un rôle crucial, se souvient Saw David Taw, porte-parole de la Karen National Union (KNU), la rébellion karen. Même si nous la respections comme fille de son père, nous pensions qu'elle était sous influence d'anciens militaires comme U Tin Oo ou U Kyi Maung. Nous étions persuadés que la LND ne gagnerait pas les élections ».

Le scepticisme provient aussi de déclarations maladroites et ambiguës d'Aung San Suu Kyi. Lors d'une conférence de presse en juin 1989, tout à ses efforts pour convaincre l'armée qu'elle est la digne fille de son père, elle déclare qu'elle est prête à se rendre au front, là où Birmans et Karens s'affrontent, afin de « s'occuper elle-même » des soldats birmans. Une autre fois, elle se dit prête à « déposer des couronnes de fleurs autour du cou des soldats sur le front[1] ».

Lors de la campagne électorale de 1988-1989, elle se rend dans la plupart des régions ethniques pacifiées. Les Shans, les Chins, les Môns et tant d'autres l'accueillent en libératrice. Tous attendent d'elle qu'une fois au pouvoir elle tienne davantage compte de leur particularisme ethnique afin qu'ils cessent de n'être que de jolis modèles folkloriques pour calendriers touristiques.

Cet espoir est sinon balayé, au moins mis entre parenthèses lorsque Aung San Suu Kyi se retrouve assignée à résidence.

Mais un des maîtres de la nouvelle junte, le général Khin Nyunt, a d'autres plans. Dès la fin 1989, il commence à signer des accords de cessez-le-feu avec plusieurs mouvements de rébellion, et non des moindres. Ces accords, conclus au cas par cas et non de façon globale comme l'exige un collectif de minorités, font de ces guérillas des milices locales alliées au SLORC. En échange de cet armistice, ces groupes peuvent garder leurs armes et uniformes. Ils ont surtout la liberté de poursuivre leurs affaires comme ils l'entendent.

Pour les Was et les Kokangs, deux ethnies vivant le long de la frontière chinoise dans le Nord, cette liberté d'entreprise représente un blanc-seing accordé à leur principale et extrêmement rentable activité : la production et le trafic d'opium et d'héroïne. Pour d'autres, ce sera le commerce de teck ou de jade. L'armée birmane ainsi désengagée de vastes territoires peut se redéployer contre les

---

1. Houtman, *Mental Culture*, p. 290.

groupes toujours en rébellion et leur mener une vie de plus en plus dure. Plusieurs d'entre eux finiront par rendre les armes.

À sa libération en 1995, Aung San Suu Kyi rouvre le dossier ethnique mais toujours avec une certaine distance. « La méfiance des groupes ethniques envers les Birmans est bien naturelle après tant d'années où le gouvernement n'a pas comblé leurs aspirations, déclare-t-elle. Mais l'effort doit venir des deux côtés, les groupes ethniques doivent aussi en consentir pour parvenir à une forme de compréhension. »

Geste symbolique, pour manifester son attachement à cette cause, et en dépit des difficultés, elle se fait prendre en photo, devant le portrait géant de son père, vêtue de la tunique traditionnelle karen de coton blanc.

À la mi-1996, parmi ses nombreux visiteurs, elle reçoit chez elle Steve, un jeune Américain né en Thaïlande et engagé dans un travail de volontariat auprès des minorités rebelles. Il se souvient de cette femme « toute petite, très humble, avec un charisme de feu, une femme de fer qui dégageait un grand leadership ». La conversation s'oriente vite sur le dossier des minorités ethniques. Aung San Suu Kyi se confie : « Nous les Birmans avons beaucoup opprimé les minorités dans le passé, nous les opprimons toujours et nous les opprimerons dans le futur. Je veux changer cela, nous voulons l'unité du pays, je ne suis pas seule mais nous avons besoin d'aide. »

Inspiré par ces propos, Steve, de retour en Thaïlande, fait la tournée des rébellions ethniques. À chacun des leaders, il propose l'idée d'un séminaire interethnique.

Huit mois plus tard, en janvier 1997, des délégués représentant douze ethnies, dont plusieurs signataires d'un accord de cessez-le-feu avec la junte, parviennent à échapper à la vigilance des services de renseignements pour se rassembler à Mae Tha Raw Hta, une base dans la jungle karen non loin de la frontière thaïlandaise. Là se tient pendant plusieurs jours le Séminaire des nationalités ethniques. C'est la réunion interethnique clandestine la plus importante depuis une dizaine d'années. L'objectif est de réaffirmer l'unité face à la junte. Un accord en treize points est signé. Il assure notamment le soutien des minorités à la démocratie et à Aung San Suu Kyi et exige que toute négociation soit désormais tripartite, entre la junte, la LND et les ethnies.

Une cassette-vidéo sur cette réunion de Mae Tha Raw Hta est envoyée à Aung San Suu Kyi. Sa réaction est cette fois sans ambiguïté : « La LND et moi-même soutenons tous les points de cet accord sans exception. » Elle tient également à rappeler qu'une « union réelle et durable doit être de nature fédéraliste ». Hélas, tient-elle à préciser, « il y a toujours cette réminiscence des premiers jours [de l'indépendance] où le mot "fédéral" sous-entendait le droit à la sécession ». Or, insiste-t-elle, aujourd'hui « les nationalités ethniques n'exigent pas la sécession mais simplement leurs droits au sein d'une réelle union fédérale ».

« Depuis lors, ajoute Saw David Taw, le porte-parole de la KNU, il s'est produit un énorme changement, les groupes ethniques se sont mis à lui faire confiance. »

Mais sa marge de manœuvre reste extrêmement limitée. La « pacification » des régions ethniques est du domaine réservé de Khin Nyunt. De plus, dans les territoires ethniques disputés, ces vastes « zones grises » des États karens, karennis, shans ou arakanais qui échappent à l'administration de la junte, elle reste une quasi-inconnue. Pour la majorité de ses habitants, la priorité y est la survie, la politique à Rangoon, une affaire d'extraterrestres.

Aung San Suu Kyi ne manque toutefois pas une occasion de dénoncer l'hypocrisie des cessez-le-feu signés entre la junte et des minorités. La plupart sont fragiles, ils ne font qu'enrichir les dirigeants de ces mouvements et pérenniser l'existence de vastes et influents potentats féodaux, au détriment de l'unité du pays que les généraux clament partout vouloir consolider.

Chez les trafiquants de drogue Was, la cessation des hostilités a consolidé un État dans l'État où le fusil fait force de loi. C'est en réalité un narco-État qui profite aux barons de la drogue locaux mais aussi dans une large mesure aux généraux à Rangoon et à l'économie chancelante du pays. Aung San Suu Kyi déplore que dans ces régions « la seule façon pour les gens d'exprimer leur mécontentement soit de prendre les armes[1] ».

Chez les Kachins, une autre ethnie du Nord, le produit de l'exploitation de gigantesques mines de jade va dans la poche des leaders qui ont signé un accord avec la junte. La population, elle, continue de vivre dans la misère, ravagée par une épidémie de sida et la toxicomanie.

---

1. *Asiaweek*, 11 juin 1999.

196

« Bien que le régime militaire affirme qu'il a réalisé l'unité avec les minorités ethniques, la vérité est que celles-ci souffrent énormément de toutes les formes de répression », dit Aung San Suu Kyi en 2000 dans un message lu à la session annuelle de la Commission des droits de l'homme des Nations unies à Genève. Elle donne l'exemple de l'État môn, un État du sud du pays où la rébellion a signé un accord de cessez-le-feu en 1995. Elle rappelle entre autres l'interdiction d'enseigner la langue môn dans les écoles, pourtant garantie par le protocole.

Lorsque, en 2002, elle reprend ses tournées en province, elle y est de nouveau accueillie avec enthousiasme. À chaque étape, chez les Arakanais, les Shans ou les Môns, des milliers de personnes viennent l'encourager et écouter ses discours sur la nécessaire unité du pays. La junte, pensant l'avoir enfin domptée, fait le dos rond. Mais, en 2003, ce sera le retour à la confrontation et le temps d'une nouvelle mise à l'écart d'Aung San Suu Kyi.

Les soldats de la junte eux, loin des yeux du monde, poursuivent leurs opérations de nettoyage ethnique dans de vastes régions des États karens, karennis, shans et arakanais. Sous prétexte de se débarrasser des rébellions armées, la junte regroupe des populations dans des centres de relocalisation sous son contrôle et exploite le bois précieux, les minéraux et autres ressources naturelles de ces territoires, quand elle ne fait pas le vide pour faciliter la construction de barrages hydroélectriques.

Plus de 170 000 réfugiés vivent, certains depuis plus de vingt ans, dans des camps en Thaïlande et au Bangladesh. Plusieurs centaines de milliers d'autres, des paysans chassés de leur village, se terrent dans la jungle, en attendant de pouvoir regagner leurs rizières. Certains attendent une semaine, un mois, un an, une décennie... On les appelle les « IDP », les Personnes déplacées à l'intérieur (Internally Displaced People). Les soldats birmans ont toute liberté. Tuer, torturer, violer, battre, incendier, piller, recruter de force... sont les seules règles de ces campagnes.

Sur ce pays de la peur hanté par ses propres enfants, la junte tire un rideau de propagande décoré d'images idylliques et désuètes d'une mosaïque colorée de peuples.

« Les peuples du Myanmar communiquent dans leur propre langage, portent leur propre style de vêtements, dont le *longyi*, savourent leur propre nourriture, prient à leur propre manière, jouent leurs propres jeux, célèbrent leurs propres festivals, se soignent avec leurs propres médecines traditionnelles, et pratiquent leurs propres rituels, tout en restant aussi "Myanmar" que possible à tous égards », peut-on lire sur le site web officiel du gouvernement birman...

14

12 heures. Elle s'est assoupie quelques minutes à la fin du journal de la BBC. Elle se lève pour se rendre à la cuisine. C'est bientôt l'heure du déjeuner. En quittant la salle de séjour, elle redresse un petit cadre sur une table. Une photo de Michael. Il y a de la mélancolie dans les yeux bleus. Ou est-ce cette forme de détachement, cette impression d'être ailleurs que donnent souvent les érudits, les passionnés immergés dans un monde à eux ?

Elle sourit. Elle revoit comme si c'était hier Michael s'approcher de sa mère par une fin d'après-midi. C'était lors d'une visite au début des années 1980. Il l'avait accompagnée ainsi que les deux garçons pendant les grandes vacances à Oxford. Ce jour-là, en gendre bien éduqué, il avait demandé à sa belle-mère la permission de minuit car il était invité à une réception d'ambassade. Autorisation accordée. Elle l'avait écouté en coin et échangé un regard complice avec sa mère.

À la fin juillet 1998, Aung San Suu Kyi décide de se rendre en voiture dans une circonscription à l'ouest de Rangoon pour rencontrer des cadres du Parti. Les relations entre elle et la junte se sont à nouveau détériorées. Deux mois auparavant, à l'issue d'un congrès, la LND a sommé la junte de convoquer pour le 21 août prochain le Parlement issu des élections de 1990. La junte n'aime pas qu'on lui donne des ordres.

À deux reprises déjà en ce mois de juillet, des soldats ont empêché Aung San Suu Kyi de poursuivre sa route.

Une première fois, elle avait été interpellée à 70 kilomètres de Rangoon et reçu ordre de faire demi-tour. Comme elle refusait, une trentaine de soldats avaient surgi et soulevé la voiture avec ses passagers, avant de la reposer sur la route en direction de la capitale. Elle plaisantera avec une amie de l'incident : « La prochaine fois, je me déplacerai avec un véhicule plus lourd. » Mais à mesure que les heures passaient, la foule s'était rassemblée autour de la voiture, distribuant vivres et eau à ses occupants. Les soldats, exaspérés par cette manifestation de popularité, avaient menacé le chauffeur avant de le contraindre à reprendre le volant.

Lors de la deuxième interpellation, au même endroit, elle avait décidé après consultation avec des dirigeants de la LND de revenir dans la capitale. Quelques jours plus tard, la voilà de nouveau assise à l'arrière de sa voiture, accompagnée de deux chauffeurs. Elle reprend la même direction.

Alors qu'elle s'apprête à traverser un pont à une trentaine de kilomètres de Rangoon, des soldats bloquent la route avec des barbelés et des sacs de sable. La région n'est pas sûre, disent-ils, et sa protection insuffisante. Aung San Suu Kyi refuse de rebrousser chemin. Elle estime qu'elle a le droit comme toute citoyenne birmane de se déplacer sur cette route. Elle patientera donc le temps qu'il faudra. Mais cette fois, les soldats ne semblent pas pressés.

La chaleur et l'humidité de la mousson transforment bien vite en étuve le véhicule bloqué sur le bas-côté de la route. Le temps passe… Un jour, deux, trois… Elle a décidé de ne boire et manger que le minimum. Elle veut éviter de sortir de la voiture pour satisfaire des besoins naturels et offrir aux soldats une chance de la prendre en photo en situation humiliante. Elle recourt, pour affronter cette situation inattendue, à la méthode qui lui a déjà permis de supporter six ans de détention : la méditation. Parfois, elle s'autorise une brève sortie de la voiture pour des exercices d'assouplissement. Les paquets de biscuits s'épuisent et les soldats refusent l'accès au véhicule à des membres de la LND venus apporter des vivres. Ses deux chauffeurs recueillent de l'eau de pluie dans des parapluies.

L'affaire s'internationalise. Au même moment à Manille, capitale des Philippines, le ministre birman des Affaires étrangères, un homme qui donne du « Madame Aris » systématique à Aung San Suu Kyi, retrouve pour une réunion ses collègues de l'ASEAN dont la Birmanie est devenue membre à part entière en 1997. Les journalistes l'assaillent de questions sur le face-à-face qui se joue près d'un pont dans son pays. « Un coup de publicité ! » répond-il. À Rangoon, des diplomates demandent de pouvoir lui rendre visite. Pas question, mêlez-vous de vos affaires, leur répond-on. L'état de santé d'Aung San Suu Kyi commence à inquiéter ses partisans. Elle ne s'était visiblement pas préparée à une confrontation si longue.

Au bout de six jours, les généraux donnent l'ordre de la ramener à Rangoon. Deux femmes soldats extraient de la voiture une Aung San Suu Kyi qui, pourtant au bord de l'évanouissement, se débat. Elles la forcent à s'asseoir à l'arrière d'un véhicule de police et tout au long du trajet, une heure et demie, elles vont l'immobiliser en la maintenant par les poignets.

Une de ses proches amies parvient à lui rendre visite quelques heures après son retour à la maison. « Elle était complètement déshydratée et couverte d'ecchymoses sur les jambes et les bras, elle avait l'air d'un cadavre, je pensais vraiment qu'elle allait mourir », raconte-t-elle.

Malgré son épuisement, Aung San Suu Kyi parvient à crier au « kidnapping » et à faire savoir qu'elle est « plus forte que jamais ». Elle s'engage aussi à poursuivre son action aussi longtemps que le régime n'aura pas libéré les élus qu'elle continue d'emprisonner.

Aung San Suu Kyi vient d'inventer une nouvelle forme de résistance non violente, le « harcèlement routier ».

Deux semaines plus tard, elle recommence !
Le 12 août 1998, quelques jours avant l'ultimatum lancé par la LND sur la convocation du Parlement, elle décide de repartir sur la même route, vers la même destination. Cette fois, on l'y a préparée. Un groupe d'amies qui ont vécu et travaillé

cinq ans dans un désert où elles ont appris les techniques de survie vont la conseiller. « Nous lui avons expliqué comment utiliser des sels réhydratants et d'autres médicaments destinés à enrayer des infections urinaires, comment garder une certaine fraîcheur à l'intérieur du véhicule », précise l'une d'elles. Une ONG à Bangkok se charge de faire parvenir le matériel difficile à trouver à Rangoon comme des couches jetables pour bébés, des protéines, des vitamines, des tissus rafraîchissants, des ventilateurs à batterie et même un Scrabble de voyage…

Cette fois, elle quitte la capitale à bord d'une petite camionnette plus confortable et avec une quinzaine de personnes. Le convoi est intercepté à proximité du même pont ! Les soldats, afin de dégager la route, déplacent son véhicule et l'immobilisent sur un pont de bois prévu pour les chars à bœufs.

S'engage alors une course entre photographes. Qui aura le premier la photo d'Aung San Suu Kyi dans sa camionnette ? L'un d'eux met au point un plan avec U Tin Oo, resté à Rangoon. Le vice-président du Parti enverra un message à Aung San Suu Kyi *via* un militant en lui demandant d'ouvrir sa vitre au passage du taxi du photographe. Celui-ci jouera les touristes en route vers un monument historique, une vieille pagode de bois située à quelques dizaines de kilomètres au-delà du pont. Mais l'opération échoue. À un barrage, des militaires méfiants l'interceptent et, « soucieux de la sécurité du touriste », se joignent à lui pour l'accompagner jusqu'au monastère !

À nouveau, les jours passent. La junte, dans un communiqué surréaliste, précise qu'elle a fourni des cassettes de musique religieuse ainsi que des enregistrements de Madonna et de Michael Jackson « pour le plaisir » d'Aung San Suu Kyi, ainsi qu'une ambulance, une ombrelle de plage, des chaises de jardin, des gâteaux et des boissons.

Mais, malgré une meilleure préparation, la santé d'Aung San Suu Kyi donne des signes d'inquiétude. Elle est prise d'étourdissements et de difficultés respiratoires. Les dirigeants de la LND finissent par la convaincre de revenir à Rangoon. Cette fois, le face-à-face a duré treize jours. Ses médecins diagnostiquent un dysfonctionnement rénal et une hypotension. Il était temps, estiment-ils, qu'elle interrompe son action.

L'ultimatum de la LND passe. La junte ne convoque évidemment pas le Parlement et fait arrêter d'autres élus. À la fin de l'année 1998, 182 des 392 parlementaires élus en 1990 et 600 membres de la LND sont derrière les barreaux.

Mais un jour du début janvier 1999, alors qu'elle remue ciel et terre pour avoir des nouvelles de ses sympathisants emprisonnés, elle reçoit un coup de téléphone de Michael. Il a la gorge serrée : « Je suis malade, un cancer de la prostate mais ne t'en fais pas, je vais m'en tirer. »

La dernière visite de Michael remonte à janvier 1996. Par la suite, l'ambassade de Birmanie ne lui a plus accordé de visa. Puni, pense-t-il, pour avoir sorti et publié une déclaration de son épouse. De sa dernière visite, il dit : « Les jours que j'ai passés avec elle la dernière fois, complètement isolé du monde, restent parmi mes meilleurs souvenirs de nos années de mariage mouvementées. Ce fut merveilleusement paisible. Nous avons eu tout le temps de parler. Je ne soupçonnais pas que cela serait la dernière fois que nous serions ensemble[1]. »

Depuis 1989, il est parvenu avec une dévotion et une énergie infatigables à cumuler trois fonctions : père célibataire, chercheur-enseignant et attaché de presse de son prix Nobel d'épouse.

Le voilà soudain assailli de questions sur la Birmanie, un pays hors de sa sphère de compétence ! L'horreur pour un universitaire. « Soudain, il est obligé de se consumer dans tout ce qui se rapporte à la Birmanie », dit son ami Peter Carey.

Il réussit étonnamment bien dans ses nouvelles tâches. Tout en évitant de se mettre trop en avant, et donc de ne pas ajouter de l'eau au moulin xénophobe des dictateurs, « il a dès le début énormément soutenu son épouse, commente Ann Pasternak Slater, l'amie du couple à Oxford. Il a pris en main, avec habileté et initiative, sa publicité en Angleterre, et plus largement en Occident, s'assurant toujours, lorsque la moindre menace pesait sur elle, que la presse s'y intéresse ».

Les amis et connaissances du couple sont tous d'accord. Sans le volontarisme de Michael, Aung San Suu Kyi aurait éprouvé infiniment plus de difficultés dans son combat. « Beaucoup de gens ne réalisent pas que Michael aurait pu être un époux exigeant, explique l'une d'elles. Que le mouvement doit lui être énormément reconnaissant pour s'être montré si honorable dans cette situation. »

L'épreuve semble le galvaniser. « Il avait acquis une force énorme, était totalement passé aux commandes, poursuit Pasternak Slater. À beaucoup

---

1. *The Oxford Times*, 29 mars 1999.

d'égards, il fut au sommet de son rôle d'époux lorsque Suu et lui ne vécurent pas ensemble, et qu'elle se trouvait dans une situation précaire. »

Michael a estimé plus judicieux de vendre la maison de Park Town, peut-être lui rappelle-t-elle trop « sa Suu », et d'acheter un petit appartement à Norham Gardens, un autre quartier d'Oxford dont il apprécie les parcs et les villas victoriennes.

La junte, jamais à court d'un persiflage, avait à l'époque affirmé que ce déménagement avait été payé avec l'argent du Nobel... Il a transformé une petite pièce en bibliothèque, y rangeant des centaines d'ouvrages et de manuscrits sur ses contrées fétiches, le Bhoutan, le Sikkim, le Tibet... De la salle de séjour et la chambre, il a fait un sanctuaire dédié à son épouse. Des photos d'elle sont accrochées partout aux murs, posées sur les commodes. Le diplôme du Nobel de la paix est encadré en bonne place. Au-dessus du lit pend une peinture géante, copie par un artiste birman d'une photo prise au monastère bouddhiste de Thamanya (voir chapitre 7). Michael en a fait imprimer des cartes qu'il distribue aux amis et connaissances. Seule infidélité à Aung San Suu Kyi, la jaquette d'un livre de la comédienne anglaise Joanna Lumley elle aussi accrochée au mur. Cette actrice, une des premières « James Bond girls » et incarnation de Purdey dans *Chapeau melon et bottes de cuir*, avait loué les services de Michael jeune lors du tournage au Bhoutan d'un documentaire inspiré de ce livre. Il avait gardé pour elle une admiration de midinette.

Quelques mois avant de tomber malade, Michael avait invité à Oxford une correspondante d'Aung San Suu Kyi qui lui faisait régulièrement parvenir les nouvelles et les cassettes-vidéo reçues de Rangoon. Elle se trouvait à Londres pour une conférence.

« S'il vous plaît, si vous avez le temps, prenez le train et passez me dire bonjour », lui avait-il proposé avec sa douceur caractéristique.

Il l'avait emmenée, pour une sorte de pèlerinage, visiter les lieux d'Oxford qui avaient vu passer Aung San Suu Kyi. « Vous voyez, c'est ici que ma Suu a fait ses études. Et ici qu'elle a reçu son titre de doctorat honorifique (Honorary Doctorate). Et là… »

« C'était très mignon, se souvient-elle. On réalisait qu'entre eux deux c'était une relation stable, à quel point c'étaient deux âmes sœurs. Il était très paternel, prenait soin de vous en permanence, "vous avez faim, soif ?", exactement comme elle. »

Michael avait raccompagné sa visiteuse à la gare. Au moment d'embarquer, il l'avait embrassée sur chaque joue. « Quand j'ai revu Aung San Suu Kyi à Rangoon quelques semaines plus tard, je lui ai fait deux bises, l'une de ma part et l'autre de Michael. »

Au moment où les médecins confirment le diagnostic de la maladie, Michael partage l'appartement d'Oxford avec son cadet Kim. L'aîné Alexander a quitté la Grande-Bretagne en 1997 pour étudier aux États-Unis. Kim s'est vu proposer d'intégrer l'université de Durham, celle-là même où son père avait étudié l'histoire trois décennies plus tôt. Mais les études universitaires ne l'attirent pas. Michael travaille sur plusieurs projets dont la biographie d'un pandit (savant) bouddhiste bengali du XIVe siècle et la fondation d'un centre d'études tibétain et himalayen.

Son ami Carey se souvient d'un coup de téléphone au début janvier 1999. « Michael m'a dit : "J'ai deux nouvelles, une mauvaise, j'ai un cancer, et une bonne, je vais le vaincre". »

Il entame un traitement dans le meilleur hôpital d'Oxford. Des membres de la communauté exilée des Tibétains dont il est très proche viennent lui tenir compagnie. Aux amis qui l'appellent ou l'encouragent par e-mail, il répond : « Ne vous en faites pas, je m'en sortirai. » Il leur fait part de son intention de se rendre à Rangoon pour son anniversaire, le 27 mars prochain.

Michael avait-il perçu des signes avant-coureurs de sa maladie ? Quelques mois avant de recevoir la confirmation de son cancer, lors d'un séjour en Écosse à l'automne 1998, il avait arrêté de fumer et passé de longues heures à parcourir la lande à pied, comme s'il avait voulu rafraîchir son existence.

Au début les médecins estiment que ses chances de survie sont élevées. Mais son état se détériore rapidement. La maladie atteint les poumons et la colonne vertébrale. Michael se déplace avec de plus en plus de difficulté.

Il a fait une demande de visa auprès de l'ambassade de Birmanie. « Permettez-moi simplement de dire adieu à mon épouse… » Des amis sont prêts à affréter un avion sanitaire pour Rangoon. La junte rejette la supplique. Terrifiée à l'idée qu'il vienne mourir en terre birmane mais surtout consciente que s'offre à elle l'occasion rêvée de se débarrasser de cette empêcheuse de sévir en rond. Pourquoi Daw Suu Kyi n'irait-elle pas en Angleterre ? Après tout, n'est-il pas normal qu'une épouse en bonne santé visite son conjoint malade plutôt que l'inverse ?

Des présidents et des Premiers ministres, en particulier de pays asiatiques en bons termes avec Rangoon comme le Japon, la Malaisie et Singapour, le secrétaire général des Nations unies, des prix Nobel, en appellent à l'humanité des généraux.

Mais s'ils lui proposent le tapis rouge pour sortir du pays, ils ne garantissent pas qu'il sera toujours déroulé à son retour. La junte lui dépêche le colonel Than Tun, le « baby-sitter », qui fut son officier de liaison pendant ses six ans d'assignation à résidence. L'officier affirme lui avoir proposé la « garantie » qu'elle pourrait revenir en Birmanie après son voyage en Grande-Bretagne. Mais un porte-parole du gouvernement devait préciser que cette permission du retour « serait soumise à la condition qu'elle n'utilise pas ce voyage à des fins politiques [1] ».

À Than Tun elle répond : « Je ne pars pas », avant de lui montrer la porte.

Il y a chez elle une double méfiance, envers la junte bien sûr mais aussi envers Than Tun. Car en réalité, la confiance qu'elle a établie au cours des années à l'égard du « baby-sitter » s'est émoussée. Son entourage l'a mise en garde : « Faites attention, ce Than Tun joue depuis le début un double jeu, toutes les confidences que vous avez pu lui faire, il les a rapportées à ses supérieurs. »

« J'ai donc pris cela pour une invitation à m'en aller, ce que j'ai fait [2]. » « C'était une tentative à peine voilée de m'exiler de mon pays, un chantage politique [3] », déclare-t-elle.

---

1. Reuters, 26 mars 1999.
2. AFP, 27 mars 1999.
3. BBC citée par *AFP*, 16 mars 1999.

Même Alexander et Kim, qui appellent leur mère pour lui demander de faire le voyage, ne la font pas fléchir. « Imaginez comme il a été dur de leur dire non », confiera-t-elle[1].

En refusant de quitter la Birmanie, c'est aussi un traitement de faveur qu'elle entend refuser, celui de pouvoir partager une douleur avec les siens alors que tant de ses sympathisants sont morts seuls en prison, loin de leur famille.

Il ne reste à Aung San Suu Kyi que le téléphone. Alors que Michael est confiné à l'hôpital, elle s'arrange pour, chaque soir, lui parler dans sa chambre. La junte s'en rend compte et coupe sa ligne téléphonique. L'ambassade américaine lui offre un téléphone portable. Mais elle n'a pas la licence qui lui permet d'utiliser l'appareil à domicile. Elle se souvient d'Oncle Léo emprisonné pour possession illégale d'un fax. Pas question de leur donner un nouveau prétexte. Elle se rend à la résidence de l'ambassadeur de Grande-Bretagne qui lui propose d'utiliser son propre téléphone. Mais les autorités, apercevant sa voiture entrer dans la propriété, coupent la ligne du diplomate. Elle utilise donc le portable des Américains chez l'ambassadeur britannique...

Le 27 mars 1999, Michael Aris meurt à l'hôpital Churchill d'Oxford, entouré de ses deux fils et de son frère jumeau Anthony. Le jour de ses cinquante-trois ans... Pour ses amis ce n'est pas un hasard. « Le bouddhisme tibétain vous prépare beaucoup à la mort, et qui sait, à choisir le moment de votre passage », commente l'un d'eux.

---

1. *The Statesman*, 5 septembre 2000.

Une amie fidèle d'Aung San Suu Kyi apprend la nouvelle d'un diplomate britannique. « Je me suis précipitée chez elle, elle était en larmes. Elle m'a dit que Michael était mort le cœur brisé car il ne pouvait plus être avec elle. »

Les onze années qui se sont écoulées depuis le retour d'Aung San Suu Kyi à Rangoon en 1988 « avaient bien sûr laissé de profondes traces sur sa santé, commente Carey. Elles l'avaient laminé. Imaginez la maison familiale de Park Town qui soudain n'a plus rien d'une résidence typique d'Oxford, les coups de téléphone, les fax sans arrêt, les marées du chaos birman qui viennent en permanence s'échouer à votre porte. Et celle que vous aimez, la partenaire de votre vie, si loin... Comme un décès prématuré ! Tout ce tapage, et Michael, un être tellement discret, si sensible... C'était une corde difficile à maintenir ».

Le lendemain du décès de Michael, Aung San Suu Kyi rédige une courte déclaration : « J'ai été si privilégiée d'avoir un époux tellement merveilleux, qui a toujours témoigné la compréhension dont j'avais besoin. Rien ne peut m'ôter cela. »

La junte publie à son tour un communiqué et se dit « prête à fournir toute forme d'assistance à Madame Suu Kyi si elle souhaite assister aux funérailles et aux affaires de famille en ces moments de deuil ». Elle ne leur fait pas l'honneur d'une réponse.

Les funérailles de Michael suivies de la crémation ont lieu le 31 mars à Oxford. C'est une cérémonie d'une grande dignité en présence de la famille et des proches. Un moine bénédictin, ami de Michael, et des bonzes issus des deux grandes branches du bouddhisme, se partagent les rites religieux. Anthony le frère jumeau, Alexander, Kim et Peter Carey prononcent chacun un bref éloge. « Quand la mort est sur les lèvres, il ne faut jamais perdre courage. Il en fut ainsi avec Michael jusqu'à la fin ; inébranlable, généreux, merveilleux Michael, tu vas nous manquer à tous, puissent les vols d'ange filer vers ton repos », dit avec émotion Carey. Une réception, suivie par de nombreuses personnes, est ensuite organisée au St. Anthony's College.

Le vendredi 2 avril, sept jours après le décès, comme le veut la tradition bouddhiste, Aung San Suu Kyi organise chez elle une cérémonie en hommage à Michael. À l'entrée, elle a fait déposer un livre de condoléances ainsi qu'un portrait de Michael sous lequel est écrit « vale », une contraction de « valediction », « adieu » en anglais.

En signe de sympathie, le Dalaï-Lama lui a fait envoyer un chapelet de bois. Un groupe de cinquante-trois moines, comme l'âge de Michael, a été invité avenue de l'Université. Avant la cérémonie d'offrande de nourriture et de robes aux moines, des sympathisants distribuent des éventails de bambou aux invités. Plus d'un millier de personnes, dont des diplomates américains, européens et japonais, y assistent. Des autres pays asiatiques, seul un diplomate philippin a fait le déplacement. U Kyi Maung, le vieux compagnon de route de la LND avec lequel elle s'est brouillée, a tenu à venir lui présenter ses condoléances.

Le 54, avenue de l'Université n'avait plus accueilli autant de monde depuis la libération d'Aung San Suu Kyi quatre ans auparavant.

Michael Aris laisse une œuvre remarquable de livres, monographies, articles et autres contributions à l'histoire et la culture himalayennes. Mais il craignait, avant de mourir, que ses travaux en cours ne soient laissés en friche. Il trouvait aberrant qu'il n'existe pas de centre permanent d'études himalayennes en Grande-Bretagne. Ses dernières forces, il les a consacrées à mobiliser les sommités d'Oxford sur ce projet. Deux riches familles proches des Aris se sont engagées à y consacrer deux millions de dollars. Au bord de l'évanouissement, Michael s'était rendu en ambulance au palais du prince Charles. Le fils aîné de la reine d'Angleterre lui avait promis son soutien officiel à condition que son nom ne fût pas utilisé à des fins politiques. Le Fonds Mémorial Michael Aris pour les Études tibétaines et himalayennes est officiellement né à Oxford quelques mois plus tard. C'est son frère jumeau Anthony qui en assure la gestion.

Deux semaines après le décès de son père, Kim est autorisé à se rendre à Rangoon. Il y reste treize jours et sera suivi par Alexander. La presse gouvernementale annonce la nouvelle, précisant que le « gouvernement a fourni toute forme d'assistance et de coopération pour leur heureuse réunion de famille ».

Ces gestes de bonne volonté ne durent guère. La journée du 9 septembre – 9/9/99 – qui s'annonce fait peur à la junte. Tous les numérologues et astrologues du pays y vont de leur interprétation sur cette combinaison unique de « 9 ». La rumeur de Rangoon déferle : l'opposition va décréter cette date « jour de la Démocratie », par référence au 8/8/88, date d'un massacre qui a à jamais souillé l'histoire du pays. Alors, afin de couper les ailes aux révolutionnaires potentiels, les généraux emprisonnent de plus belle. Le jour dit, rien ne se produit. Dans un message, Aung San Suu Kyi, sarcastique, déclare : « Je ne vois pas moi-même pourquoi le 9 septembre devrait être un jour spécial. À nos yeux, chaque jour est un jour spécial pour la démocratie [1]. »

La partie de bras de fer entre Aung San Suu Kyi et les généraux s'éternise. « La répression se fait à grande échelle, mais le monde n'en a pas saisi l'ampleur car elle s'est étalée sur plusieurs mois, déclare-t-elle dans un message lu aux Nations unies [2]. On en arrive au point où les activités du régime s'apparentent à des actes criminels. »

La junte parle maintenant d'anéantir la LND et sa meneuse charismatique. Dans un article qu'elle écrit pour le *Washington Post*, Aung San Suu Kyi fait référence à ce vocabulaire d'holocauste : « Des mots comme "annihiler", "écraser" ou "exterminer" décrivent au mieux les intentions déclarées du régime militaire à l'égard de la Ligue nationale pour la démocratie [3]. »

Le rouleau compresseur de la répression lamine le moindre de ses mouvements. Un jour où elle se rend chez des parents de prisonniers, une demi-douzaine de voitures et une colonne de motos encerclent son véhicule. Des agents des renseignements collent leurs caméras sous le nez des gens venus l'accueillir. « Un comportement normal », commente-t-elle.

---

1. World Voices Campaign and Burma Campaign UK.
2. Session du 9 avril 1999 de la Commission des droits de l'homme, Genève.
3. *Washington Post*, 16 juillet 2000.

Cette nouvelle période d'extrême tension n'empêche pourtant pas la junte, en avril 2000, d'accepter la nomination du diplomate malaisien Razali Ismail comme nouvel émissaire spécial du secrétaire général des Nations unies.

Le 24 août 2000, Aung San Suu Kyi décide de se rendre non loin de Rangoon pour une réunion avec des militants de la jeunesse du Parti. Une douzaine de membres du Parti dont U Tin Oo, le vice-président, l'accompagnent à bord de deux véhicules. C'est sa première escapade hors de la capitale depuis le dernier épisode de la guérilla du « harcèlement routier » deux ans auparavant. Ce qui devait arriver arriva... La petite expédition est stoppée à Dala, un bourg à une trentaine de kilomètres de Rangoon, après avoir traversé une rivière en ferry. Des soldats viennent déplacer les véhicules à deux cents mètres de la route et en dégonflent les pneus.

La junte, avec son inénarrable sens de l'humour, déclare que « Daw Suu Kyi visite la petite mais charmante ville de Dala ».

Elle publie des photos montrant des hommes chargés de sacs en plastique qui se dirigent vers les deux voitures immobilisées. La légende dit : « Les compagnons de voyage de Suu Kyi reviennent d'un magasin d'alimentation tout proche, à temps pour le thé. »

La propagande militaire diffuse aussi d'autres clichés, destinés à humilier l'entourage d'Aung San Suu Kyi. On voit U Tin Oo et un autre homme à moitié nus prenant un bain dans l'eau d'un fossé. Le vice-président de la LND confiera plus tard sa gêne par rapport à ces photos tout en ajoutant qu'Aung San Suu Kyi avait eu raison de ne pas sortir de sa voiture pour ne pas risquer de se retrouver dans une telle situation embarrassante.

Au neuvième jour, des policiers anti-émeutes ramènent de force Aung San Suu Kyi et ses compagnons à Rangoon. Le même jour, des agents des services de renseignements font une descente au siège de la LND. Ils fouillent les locaux et en repartent après avoir confisqué de nombreux documents.

Le 21 septembre 2000, Aung San Suu Kyi est à nouveau placée en résidence surveillée.

15

12 h 30. Aujourd'hui, elle déjeune seule. Avant d'aller se reposer, Daw Khin Khin Win a préparé des nouilles shans aux tomates et aux crevettes séchées qu'elle a laissé à réchauffer dans une casserole. Elle les mange légères, pas trop épicées. Ces derniers temps, la digestion s'est faite irrégulière. Il faudra en parler à son médecin. Quand doit-il venir, d'ailleurs ? Dans trois ou quatre jours ? En principe, le docteur Tin Myo Win lui rend visite chaque mois. L'accord qu'il a conclu avec les autorités est clair : il peut accomplir sa mission auprès d'elle à condition de n'apporter que son stéthoscope et son tensiomètre. Même les médicaments doivent figurer sur la liste. Il les achète et les fait remettre à l'homme du matin. Mais ni l'accord ni les policiers ne peuvent pénétrer dans la mémoire du médecin. Aussi, dès qu'il la retrouve à la maison, avant de l'examiner, il s'efforce de dérouler la liste de messages que les uns et les autres lui ont demandé de transmettre. À son tour, elle lui confie ses messages. L'autre jour, elle lui a demandé de faire parvenir quelques mots au fidèle homme du matin : « S'il te plaît, ne tombe pas malade car sans toi, je serais dans le pétrin. »

La junte sait tout cela. Elle a tenté de lui imposer un de ses propres médecins mais elle a refusé.

Elle ne peut terminer ses nouilles. Ce soir peut-être. Après-demain, si l'estomac se montre plus dispos, elle cuisinera un kaukswe *pour elle et ses deux compagnes. Un plat traditionnel tout simple à base de poulet, de lait de coco et de nouilles, qu'elle a le don de relever juste ce qu'il faut en y ajoutant les proportions parfaites de gingembre, d'ail et d'oignon.*

Comme celui qu'elle avait préparé pour l'émissaire des Nations unies.

UN ÉMISSAIRE DÉSABUSÉ

Razali Ismail n'est pas le premier émissaire que les Nations unies propulsent dans le marécage birman. Chacun s'y était englué. L'un d'eux, en quatre ans de mission, ne fut même pas autorisé à se rendre en Birmanie !

En nommant Razali, Kofi Annan, secrétaire général de l'ONU, semble avoir joué plus finement. Cet homme né en 1939, mince, plutôt grand, au cheveu noir et dru, à la réputation de bon vivant, semble avoir gardé une fraîcheur et une énergie de collégien. Les couloirs du Palais des Nations unies à New York ont peu de secrets pour lui. Depuis dix ans, il y est le représentant permanent de la Malaisie. Il a la confiance de son Premier ministre, Mahatir Mohamad, grand pourfendeur de l'arrogance occidentale à laquelle il oppose le concept parfois fumeux des « valeurs asiatiques », un homme d'État un peu mégalomane mais qui a fait de son pays, avec des méthodes souvent vigoureuses et controversées, une vitrine de l'Asie moderne et libérale. Les tours jumelles Petronas à Kuala

Lumpur, le circuit de formule 1 de Sepang, la Silicon Valley asiatique de Cyber Jaya, c'est lui.

Mahatir est aussi un des rares dirigeants sur terre en qui le général Than Shwe, numéro un de la junte birmane depuis 1992, ne voit pas un diable œuvrant à sa perte. Au crépuscule de sa vie politique, Mahatir se verrait bien en artisan d'une pacification de la Birmanie.

À vrai dire, malgré cette confiance entre Mahatir et Than Shwe, Razali hésite à accepter la mission. « Après dix ans aux Nations unies, j'en avais un peu par-dessus la tête de la politique », commente-t-il. Mais la Birmanie l'intrigue, avec « son gouvernement intransigeant et tout le reste ». Et puis il y a une autre raison, enfouie au cœur de l'histoire familiale : Razali a des origines birmanes. « Du côté de ma mère, cela remonte à plusieurs générations, c'étaient des musulmans de Moulmein chassés du pays. » Des amis qu'il a en commun avec Kofi Annan finissent par le convaincre.

Le mandat est plutôt vague et pour le moins peu ambitieux : « Je n'avais pas d'instructions particulières, on me demandait d'écouter, d'observer et de parler, on ne s'attendait pas à davantage. » Le raisonnement de Razali est simple : qu'on le veuille ou non, « en Birmanie, les militaires sont en charge, la seule façon d'y introduire la démocratie est donc de convaincre les militaires ».

Razali estime qu'il est « en réalité le premier à être envoyé là dans un réel effort pour parvenir à une réconciliation dans le pays et la libération d'Aung San Suu Kyi et des autres détenus politiques, le premier à parler en fait aux deux parties, en demandant en alternance à elle et au gouvernement quels sont leurs besoins et positions[1] ».

Le 29 juin 2000, il débarque à Rangoon pour prendre les premiers contacts et tâter le pouls du pays. Après une brève rencontre avec le général Khin Nyunt, il frappe au portail du 54, avenue de l'Université, accompagné d'un représentant du siège de l'ONU à New York et d'un délégué du PNUD.

Razali a lu les rapports des précédents émissaires. L'un d'eux souligne qu'il « est plus commode de parler avec les généraux qu'avec Aung San Suu Kyi » !

Vêtue d'une blouse et d'un *longyi* bleus, une fleur de jasmin dans les cheveux, Aung San Suu Kyi entre dans le petit salon où l'attendent les trois visiteurs. Le charme opère instantanément sur un homme que la gent féminine attire toujours comme à l'époque des premiers émois adolescents. « Une femme très attirante, élégante, polie... », se souvient-il. Compliment qu'il ne peut s'empêcher de lui adresser à haute voix : « Non seulement vous êtes très courageuse, mais aussi attirante », lui lâche-t-il. « C'était à l'évidence un faux pas inconcevable », reconnaîtra-t-il plus tard[2].

La conversation aborde des généralités sur la nécessité pour la Birmanie, à la traîne depuis quarante ans, de se développer, de se doter d'un gouvernement compétent. Elle écoute, manifeste son intérêt pour la gouvernance de Mahatir.

---

1. *Number One Wisma Putra*, compilation d'anecdotes originales de diplomates malaisiens publiée par le ministère des Affaires étrangères malaisien.
2. *Ibid.*

Razali resserre l'entretien sur elle.

— Vous savez, beaucoup de gens ont le sentiment que dans vos relations avec les chancelleries vous donnez la priorité à l'Occident, que vous laissez de côté les Asiatiques.

C'est un vieux débat qui remonte à 1988 mais qui n'a jamais été clairement tranché. Aung San Suu Kyi roulerait pour l'Occident et dédaignerait les pays asiatiques. Elle préférerait refuser une invitation à l'ambassade de Chine ou de Thaïlande pour se rendre à celle de Grande-Bretagne ou des États-Unis.

Elle répond.

— Peut-être, mais on ne peut pas nier que l'Occident s'est toujours montré un fervent supporter. Regardez l'ASEAN par exemple, elle a fait si peu pour nous...

Peut-on lui donner tort ? Il y eut çà et là des manœuvres d'approche par des pays asiatiques. Mais la plupart du temps, à l'exception de quelques actions engagées par le Japon, elles restèrent sans suite. Razali lui-même se souvient d'un dîner organisé par l'ambassadeur de Malaisie avant son arrivée. Aung San Suu Kyi s'y était rendue de bonne grâce mais peu après le ministère des Affaires étrangères à Kuala Lumpur s'était plaint auprès de l'ambassadeur. D'autres diplomates asiatiques, à la suite de rencontres avec Aung San Suu Kyi, avaient rédigé des rapports qui lui étaient favorables, provoquant l'ire des Birmans et mettant fin à ces rapprochements.

Une ancienne diplomate occidentale confirme qu'Aung San Suu Kyi était toujours « heureuse de rencontrer des représentants d'autres pays asiatiques mais que c'était eux, de crainte de trop s'en rapprocher et d'ainsi risquer de nuire à leurs bonnes relations avec la junte, qui refusaient de la rencontrer ».

« On a continué à se chamailler sur ce sujet puis je l'ai sondée sur ses principes, poursuit Razali. C'est quelqu'un qui s'accroche à ses principes, ce n'est pas une politicienne. »

Razali quitte la Birmanie en étant optimiste. Il a le sentiment qu'il pourra « très bien s'entendre » avec elle.

Mais lorsqu'il revient trois mois plus tard, Aung San Suu Kyi est de nouveau assignée à résidence. Cette fois, il va rencontrer ensemble deux des principaux maîtres de la Birmanie, Khin Nyunt bien sûr, et le général Than Shwe. Tous deux, entourés d'officiers et de ministres, l'attendent dans un salon du War Office, l'état-major, un vaste complexe d'immenses bâtiments construits à Rangoon dans le plus pur style soviétique. Dans l'immense salle glaciale, le mobilier rococo en teck massif voisine avec de géantes tapisseries kitsch racontant les pages glorieuses de l'histoire du pays.

On a peine à imaginer le général Than Shwe à la tête de la sinistre dictature birmane. Avec un visage rondouillard aux traits flasques, la paupière tombante et le sourire transparent, comme fatigué, on l'imagine plutôt en grand-papa débonnaire faisant sauter ses petits-enfants sur ses genoux. Pour beaucoup, Than Shwe reste un mystère. Les diplomates et hommes d'affaires qui ont parfois le « privilège » de le rencontrer lors d'une audience officielle ou de faire quelques pas en sa compagnie lors d'une partie de golf, le définissent d'abord par... ses manques. Manque de charisme, manque d'énergie, manque de culture, manque de goût pour les voyages… « Le moins concevable des leaders », commente un homme d'affaires qui l'a croisé à plusieurs reprises. Christina Funes-Noppen, ancienne ambassadrice de Belgique, se souvient lors de la présentation de ses lettres de créance, avoir « surtout parlé avec lui de bouddhisme. Mais ses connaissances étaient assez rudimentaires, du style superstitieux ».

Comment donc ce dirigeant aux allures falotes a-t-il réussi à traverser les tempêtes, surmonter les purges de ce régime paranoïaque et s'affirmer au sommet du pouvoir ? « Nous avions le sentiment qu'il s'agissait d'un prête-nom, commente un ancien ambassadeur. Eh bien, nous l'avons sous-estimé. »

En réalité, derrière son masque d'ourson pataud, Than Shwe est un loup rusé. Sa longévité politique, il la doit à une étonnante capacité à éliminer tout élément au sein de l'armée qu'il soupçonne de déloyauté ou de désobéissance. Il tire avec talent les ficelles de la division et de l'affaiblissement au sein de ses propres rangs. Lorsqu'il élimine, dit-on de lui, il coupe la fleur, la tige et les racines…

Khin Nyunt, lui, semble aux yeux des Occidentaux plus facile à cerner. « Fils adoptif » du vieux dictateur Ne Win, il fut l'un des plus jeunes dirigeants du SLORC en 1988. Chef des puissants services de renseignements, il fut proche, « très proche », disait même la rumeur de Rangoon, de Sanda Win, la fille favorite de Ne Win, qui des années durant fit danser à Rangoon bien des pantins que le père fabriquait dans son cerveau dérangé.

Il n'a à première vue rien d'un caudillo exalté. C'est un petit homme mince à la raie parfaite qui protège son regard derrière le reflet de larges lunettes. Un homme d'affaires occidental qui l'a bien connu dans les années 1990 le décrit comme un « officier très solide qui n'a pas besoin d'apparaître agressif. Un homme toujours impeccablement sapé, immaculé même !, avec ce regard clinique dont vous comprenez que rien ne lui échappe ».

Mais le sourire charmeur et des manières timides un peu efféminées cachent une extrême dureté et un don diabolique pour la manipulation. « On peut dire sans crainte de se tromper que les Birmans en ont peur, car ils savent qu'il sait… », ajoute l'homme d'affaires.

Une des premières œuvres de Khin Nyunt fut, à la tête du SLORC, de partager la responsabilité du massacre en septembre 1988 de plusieurs centaines de manifestants. Par la suite, il a imprimé son sceau en consacrant beaucoup d'énergie à négocier des accords de cessez-le-feu avec des minorités ethniques rebelles (voir chapitre 13).

L'accord signé avec les Was et les Kokangs, gros producteurs d'opium et d'héroïne, qui fera de la Birmanie un narco-État, vaudra aussi à Khin Nyunt auprès de la presse étrangère le surnom de « prince des Ténèbres ».

En quelques années, celui qui porte le titre officiel de « Secrétaire 1 » de la junte va faire des services de renseignements une impitoyable machine inquisitrice. Pas un geste, une parole, un coup de téléphone d'un opposant, ou d'un concurrent potentiel, n'échappe à la monstrueuse essoreuse qu'il a installée au sommet du système. Des micros sont cachés dans les chambres des grands hôtels, là où les affaires et les intrigues se nouent. Des informateurs à peine déguisés en vendeurs de nouilles installent leurs étals face aux domiciles d'opposants. Des citoyens sont formés à rapporter les moindres faits et gestes de leur suspect de voisin. Khin Nyunt constitue des dossiers sur tout le monde.

Infatigable, il impose sa présence partout dans le pays. Son hélicoptère est toujours le premier à atterrir à côté d'un barrage, d'une route ou d'une clinique que l'on inaugure.

Un ancien ambassadeur occidental qui l'a côtoyé met l'accent sur une facette moins noire de Khin Nyunt. « S'il est raisonnable de soupçonner que ses mains, en tant que dirigeant des services secrets, sont tachées de beaucoup de sang et qu'il fut responsable de nombreux actes inhumains, il peut aussi présenter un cœur tendre, dit-il. Malgré un agenda extrêmement chargé, il a toujours pris le temps de visiter des orphelinats, des hospices pour vieillards et d'autres œuvres de charité. Et dès qu'il avait fait comprendre qu'il soutenait ces institutions, la vie quotidienne y devenait plus facile. »

Khin Nyunt fait aussi partie de la plupart des délégations birmanes qui s'aventurent à l'étranger. On l'y trouve « impressionnant, plaisant », certains osent le qualifier de « modéré », mais c'est surtout comme « pragmatique » qu'il émerge des conversations et jugements.

Voilà donc Razali en présence de deux des hommes qui font la pluie et – beaucoup moins – le beau temps en Birmanie.

Après les présentations d'usage, Than Shwe, comme à son habitude, se lance dans un long monologue. À l'exception du vice-ministre des

Affaires étrangères qui sert d'interprète, aucun autre officiel birman ne parlera.

« Mon souhait, dit et répète Than Shwe, est d'instaurer au Myanmar une démocratie dotée d'une ferme direction, comme chez votre Dr Mahatir. »

Invité à s'exprimer, Razali explique qu'il se sent doté de « l'instinct d'un citoyen de l'ASEAN » et qu'à ce titre il peut mieux comprendre les choses. Il croit alors que les généraux apprécient ce particularisme. Il se trompe. En fait, comprendra-t-il plus tard, « ils se disent que cette appartenance asiatique me rendra plus malléable… ».

Après que Than Shwe a donné son accord pour une reprise de contact avec Aung San Suu Kyi, il se tourne vers Khin Nyunt et dit à Razali : « C'est lui qui s'occupera de cela. » Puis il quitte le salon. Avec Khin Nyunt, le diplomate se montre plus direct : « Pourquoi votre pays a-t-il autant de retard ? Regardez le Cambodge, il reçoit plus d'aide internationale que vous, et la Corée du Nord qui se permet de faire du chantage avec les Américains. Il y a d'autres pays non démocratiques mais eux reçoivent une aide », assène-t-il.

Une méthode de travail est alors mise au point. Lors de ses visites, tous les deux ou trois mois, Razali rencontrera chaque partie, des membres du gouvernement et Aung San Suu Kyi séparément et à deux reprises. Ainsi, par son intermédiaire, un dialogue s'installera entre l'opposante et la junte.

À la même époque, les généraux décident également de renouer un dialogue direct avec Aung San Suu Kyi. C'est la première fois depuis 1994 lorsque, toujours assignée à résidence, elle avait rencontré les dirigeants de la junte. Les deux parties décident de garder l'information secrète. On veut éviter de donner le sentiment que le processus de réconciliation nationale se fait sous la pression extérieure.

Razali donne son approbation à ce développement mais il pose une condition : chaque partie doit s'engager à le tenir au courant de ces discussions, lors de ses visites à Rangoon. En échange, il gardera le secret.

Avec Aung San Suu Kyi, comme il l'avait pressenti, le courant passe bien. Un soir, au terme de la deuxième rencontre d'une de ses visites avenue de l'Université, elle l'invite à dîner avec un autre diplomate. Elle a cuisiné elle-même un *kaukswe*. Elle l'a concocté léger et peu épicé. Les estomacs de ces étrangers sont parfois si fragiles !

Razali a apporté une bouteille de vin rouge français. Elle, comme à son habitude, mange très peu et refuse de toucher à l'alcool. On parle de tout et de rien, on plaisante, mais on analyse aussi ce qui s'est dit du côté des généraux.

À chacune de ses visites, Razali rencontre Aung San Suu Kyi. Ils passent de longues heures à discuter et examiner les innombrables points de litige, parfois en tête à tête.

« Paradoxalement, commente une ancienne diplomate et amie d'Aung San Suu Kyi, "cela devenait probablement plus pratique pour elle de rester en détention pendant que se déroulaient les discussions, ainsi le monde extérieur ne venait pas s'en mêler". »

Aung San Suu Kyi se montre optimiste comme elle ne l'a plus été depuis longtemps. « Si on peut s'enfermer dans une pièce avec les généraux, les choses peuvent se résoudre, chaque obstacle tombera un par un. Après tout je suis la fille de mon père », confie-t-elle à Razali.

Jamais elle n'évoque d'éventuelles conversations qu'elle aurait eues directement avec la junte. Razali, fidèle à son engagement de non-interférence, ne pose pas de question.

Mais un jour, lors d'un entretien avec Khin Nyunt, il tombe des nues. Celui-ci lui montre une série de photos. On y voit Aung San Suu Kyi en discussion avec des émissaires de la junte et même lors d'un dîner avec l'état-major au complet ! Khin Nyunt lui donne des détails sur ces rencontres.

Le lendemain, il se rue avenue de l'Université, furieux.

— J'ai un œuf à peler avec vous ! Ainsi vous avez eu plusieurs rencontres avec eux et vous ne m'avez rien dit...

Aung San Suu Kyi joue les surprises.

— Oh, ils vous en ont parlé ! Ils avaient pourtant promis de ne rien révéler. J'avais donc promis la même chose mais maintenant qu'ils vous ont parlé, je peux moi aussi tout vous raconter !

Libérée du secret, elle lui détaille ses rencontres avec des émissaires de la junte. Mais elle se dit frustrée par le niveau de ses interlocuteurs. « Ces gens ne sont pas en position d'échanger des arguments, des points de vue, ils ne sont en définitive que les oreilles du gouvernement. »

Razali rencontre d'autres acteurs de la vie birmane, des membres de la LND, des hommes d'affaires, des représentants d'ONG et des émissaires des groupes ethniques. Chaque fois aussi, il insiste pour voir le ministre de l'Intérieur à qui il réclame systématiquement la libération en bloc des prisonniers politiques. Elle ne viendra jamais…

Aung San Suu Kyi, elle, n'est pas totalement isolée dans sa maison. De temps en temps, elle reçoit, après approbation des autorités, des diplomates américains, européens, japonais, des représentants des Nations unies en visite à Rangoon.

Razali tente de « promouvoir » Aung San Suu Kyi auprès de Than Shwe. « Traitez-la comme votre jeune sœur, montrez-lui comment fonctionne un gouvernement », lui dit-il.

En marge d'une visite officielle de l'état-major de la junte birmane en Malaisie en septembre 2001, Razali parvient à organiser un petit déjeuner avec Than Shwe. « Je lui ai dit : "Tirez-en parti, c'est une personne qui peut vraiment vous faire amener de l'aide, c'est la seule capable de justifier au niveau international un rôle militaire honorable dans une démocratie, incluez-la dans vos plans." Il m'a répondu : "Oui, oui…" Et il n'a rien fait. »

Il se rend compte qu'il est inutile et improductif de parler de la libération d'Aung San Suu Kyi. « Cela le mettait de mauvaise humeur, il ne supporte pas d'entendre son nom, la chimie avec elle n'existe tout simplement pas. »

Les efforts de Razali portent aussi sur une simplification de l'approche humaine et du discours d'Aung San Suu Kyi. L'intelligence de cette dernière, sa vivacité d'esprit font mauvais ménage avec ce qu'un diplomate appelle « les cerveaux musclés de la junte ». Razali interviendra auprès d'elle, lui conseillant d'essayer de se mettre davantage à leur niveau, comportement, note-t-il, qu'elle adopte d'ailleurs sans se forcer lorsqu'elle s'exprime devant le peuple !

Razali réalise également que d'autres facteurs moins rationnels influencent les généraux. Le rôle de certaines épouses, jalouses de voir apparaître une autre femme dans le jeu de pouvoir de leur mari, n'est pas négligeable. Mais surtout, il y a l'influence énorme des astrologues. Le recours permanent à l'interprétation des cycles astraux et des nombres, déplore Razali, « constitue un réel obstacle sur la voie qui mène vers la démocratie. Tous ces prophètes affirment que ce n'est pas le moment, et les généraux les croient et cela paralyse le processus ». Il a un jour proposé en plaisantant à un ami diplomate d'aller consulter E.T., une des voyantes les plus célèbres et les plus prisées de Birmanie. « Allons la voir et convainquons-la de nos efforts, ainsi elle fera ses prédictions en notre nom. »

Le 6 mai 2002, après 19 mois de détention, Aung San Suu Kyi est libérée.

Même si les discussions ne sont jamais entrées dans les détails comme le processus constitutionnel ou la phase de transition, le gouvernement estime que le niveau de confiance est suffisamment restauré. Il s'engage donc à lui rendre sa totale liberté de mouvement.

On reconnaît à Razali l'importance de son rôle dans cette libération. Aung San Suu Kyi le remercie mais souligne qu'il reste beaucoup à faire : « Il s'est montré un excellent ami de la Birmanie et nous a aidés à démêler quelques petits nœuds dans l'écheveau, j'espère qu'il sera toujours présent pour nous voir surmonter les gros obstacles[1]. »

Le gouvernement annonce la poursuite du dialogue. Mais le bassin aux requins où nage la junte s'agite de remous inhabituels. Than Shwe et Khin Nyunt, les grands mâles qui avaient jusqu'à présent réussi à se cantonner chacun sur son territoire, se sont engagés dans une lutte à mort. Than Shwe pense que Khin Nyunt est allé beaucoup trop loin dans la mission auprès de l'opposition qu'il lui a confiée. Il est persuadé que le prince des Ténèbres exploite ce rôle pour se forger une stature d'homme de compromis, se fabriquer un personnage acceptable par l'opposition et la communauté étrangère. Une menace directe à son pouvoir absolu. Il est encouragé dans ses convictions par le général Maung Aye, chef de l'armée de terre et ennemi juré de Khin Nyunt.

Le dialogue annoncé a donc déjà du plomb dans l'aile. L'antipathie de Than Shwe envers Aung San Suu Kyi, autre menace sur son pouvoir, se transforme en quasi-révulsion. Razali en subira les conséquences.

Quelques mois après sa libération en mai 2002, Aung San Suu Kyi s'apprête à se rendre dans l'État shan pour réactiver les activités de la LND. Razali débarque à Rangoon, et va lui faire une première visite. Elle lui propose, ainsi qu'à un autre diplomate, de venir la voir pour la seconde visite à Taungyi, capitale de l'État shan. « Cela changera de Rangoon, ce sera plus relax. » Excellente idée, pensent les deux hommes qui par ailleurs ont un rendez-vous avec Than Shwe avant de prendre l'avion

---

1. *Time*, 5 mai 2002.

pour le Nord. En arrivant dans le salon de réception, les deux diplomates sentent l'air chargé d'électricité. Than Shwe prend la parole, et d'une voix blanche, fait traduire : « Je suis mécontent de la manière dont se déroule la visite de monsieur Razali. Mais je n'ai pas le temps d'épiloguer, je dois présider un Conseil des ministres dans quelques minutes. Voyez donc cela avec Khin Nyunt. »

Commence alors un marchandage entre Razali et Khin Nyunt. Ce dernier, mal à l'aise, se sentant piégé par le cadeau empoisonné que lui a remis son supérieur, met fin abruptement à la conversation : « Monsieur Razali, si vous insistez pour vous rendre à Taungyi, vous ne mettrez plus jamais les pieds dans ce pays ! »

Le rendez-vous n'a pas duré cinq minutes.

Le deuxième diplomate, qui, lui, n'était pas visé par l'ordre suprême, a pu gagner Taungyi où il passa une agréable soirée à discuter avec Aung San Suu Kyi.

La mission de Razali deviendra de plus en plus difficile. En réalité elle est terminée. Même s'il reviendra plusieurs fois à Rangoon, il réalisera que le processus de dialogue qu'il avait contribué à réamorcer est à nouveau bloqué.

Les critiques commencent à pleuvoir. Sa mission, dit-on, n'a produit aucun résultat. Certains lui reprochent ses « propos trop optimistes ». Il devient le nouveau bouc émissaire d'une nouvelle démonstration d'impuissance des Nations unies.

Aung San Suu Kyi montera au créneau pour le défendre : « Je pense qu'il est injuste de faire apparaître M. Razali comme s'il n'avait rien réalisé. Il a contribué à établir une meilleure compréhension entre le SPDC et nous-mêmes, dit-elle. Mais, bien sûr, à la fin c'est à nous – le peuple de Birmanie – de régler nos propres problèmes et quelqu'un comme M. Razali, avec toute la meilleure volonté du monde, peut seulement nous aider aussi loin que nous sommes préparés à accepter son aide [1] ».

Lui estime que sa mission a au moins eu deux conséquences positives. « Aung San Suu Kyi, dit-il, a accepté de revenir sur certaines positions de principe dans l'intérêt du peuple, au risque de donner l'impression de faire des concessions. Elle a même accepté l'idée qu'il puisse y avoir une représentation parlementaire pour les militaires, allant jusqu'à imaginer que ce rôle puisse être inscrit dans la Constitution. » Il pense également qu'« elle s'est recentrée vers l'Orient ». « Après sa deuxième libération, en 2002, elle fera des efforts, commente un diplomate qui a participé à de nombreux entretiens avec Razali. Elle cherchera à limiter les visites des Occidentaux et à favoriser les contacts avec les pays de la région. »

Razali aura des mots durs pour l'ASEAN. La doctrine d'engagement constructif prônée par l'organisation à l'égard de la Birmanie « n'est qu'une excuse pour perpétuer le *statu quo*, assène-t-il. L'ASEAN devrait se montrer très embarrassée par la situation [2] ».

Les critiques de Razali reviennent aussi sur une polémique apparue au début de sa mission. La société malaisienne Iris avait signé un contrat de livraison de puces électroniques dans le cadre d'un programme de passeports biométriques développé

---

1. BBC, 12 décembre 2002.
2. *Malaysiakini*, 16 juin 2003.

pour la junte. Or Razali est président et actionnaire à 30 % de cette société. Il répond que la société avait manifesté son intérêt pour ce contrat avant sa nomination comme envoyé spécial des Nations unies. « Par la suite cela a pris une tournure plus spécifique, mais jamais je n'ai parlé d'Iris aux dirigeants birmans[1]. » Il espère clore la polémique en soulignant qu'Aung San Suu Kyi a manifesté « sa totale confiance dans son intégrité ».

Il se pose même la question de sa démission. « Au bout du compte, vous devez vous demander si vous êtes qualifié pour la mission. Sinon, vous devez démissionner. Je pense que je suis qualifié. » Mais les explications ne suffiront pas, cette affaire lui restera collée à la peau et sera exploitée par plusieurs mouvements d'opposition à la junte. Quant au projet de passeport biométrique, il fut par la suite abandonné.

1. *Malaysiakini*, novembre 2002.

16

13 heures. Le déjeuner terminé, elle s'assied dans la salle de séjour et branche le lecteur de CD que son fils Kim lui a amené de Londres il y a déjà tant d'années. L'appareil est souvent tombé en panne ces derniers temps. Elle a pu chaque fois le confier à l'homme du matin qui l'a fait réparer. Elle insère un de ses disques favoris, une longue variation pour synthétiseur et flûte. Souvent, en début d'après-midi, elle se fait une tasse de thé et se laisse envelopper par la musique, un lied de Brahms, un concerto de Tchaïkovski. Quelqu'un lui a apporté un jour du Rakhmaninov et du Wagner. Trop lourd. Trop junte... Parfois, elle se repasse des discours du Dalaï-Lama ou de Gandhi.

Puis elle se replonge dans le projet de Constitution qu'elle avait commencé à rédiger avec l'état-major du Parti. Au bout d'une quarantaine de minutes, son esprit se met à patauger dans les alinéas et les articles du document. Elle décide de s'interrompre.

Elle reprend un travail de couture commencé la veille sur la blouse de soie qu'elle portait en 1995 lors de sa visite au sayadaw *de Thamanya. Elle sourit. L'image d'elle en train de repriser un vêtement colle si peu avec celle de la femme intransigeante, décalée de la réalité, qu'avaient souvent d'elle les hommes d'affaires étrangers à Rangoon.*

DE CHARMANTS HOMMES D'AFFAIRES

Dès sa première libération en 1995, Aung San Suu Kyi avait tenu à rencontrer en personne des représentants de la communauté des affaires à Rangoon. Un monde dont elle connaissait peu la culture et les mécanismes, qu'elle donnait parfois le sentiment de dédaigner mais dont elle savait qu'une démocratie digne de ce nom aurait besoin. Elle s'était efforcée d'écouter et de dialoguer avec des responsables de l'industrie touristique et d'entreprises multinationales. Résultat mitigé car, en même temps, elle et son Parti appelaient aux sanctions économiques ! Une muraille de méfiance s'était dressée entre les deux univers.

Lorsque, en mai 2002, Aung San Suu Kyi est libérée de sa deuxième longue période de détention, le débat sur les sanctions économiques fait toujours rage.

La plupart des observateurs, des représentants d'ONG et des milieux d'affaires en Birmanie estiment que les sanctions ne marchent tout simplement pas. De telles mesures, insistent-ils, ne sont efficaces que si elles produisent rapidement des effets et surtout si elles sont appliquées par tout le monde. On est loin de ces deux conditions. Les sanctions, ajoutent-ils, sont d'autant moins efficaces qu'elles n'affectent pas l'exportation de gaz naturel, devenue première source de revenu du régime.

La junte, relayée par sa presse et quelques hommes d'affaires, joue sur l'émotionnel. Des ouvrières qui se sont retrouvées au chômage après le départ forcé de leur entreprise occidentale ont, entend-on, sombré dans la prostitution… Des rapports parfois issus de sources douteuses, citant des chiffres contradictoires, ajoutent à la confusion, donnant des arguments à chaque camp sans véritablement permettre de dégager des conclusions nettes. Seule certitude, la junte reste bien agrippée à son trône et le dialogue tant espéré n'enregistre aucun progrès.

Un homme d'affaires occidental qui dirigeait une multinationale contrainte de quitter la Birmanie en 2003 se montre extrêmement sévère à l'égard des lobbies d'opposition et de leur travail en faveur de sanctions. « Mon entreprise employait mille personnes, toutes payées en dollars, qui à leur tour faisaient vivre quatre à cinq mille Birmans, précise-t-il. Ils bénéficiaient d'une protection sociale et plusieurs avaient l'occasion de voyager à l'étranger pour des sessions de formation. Aujourd'hui, ceux qui ont retrouvé un emploi sont exploités par des sociétés régionales sans scrupules. »

À ses yeux, le développement de la Birmanie ne viendra que d'un « apport d'investisseurs extérieurs couplé à un vaste plan de développement économique soutenu par la Banque mondiale et d'autres institutions internationales, quitte à enrichir deux cents généraux ». Et de poser cette question provocante aux lobbies qu'il dénonce : « Que voulez-vous, prétendre faire la leçon aux généraux ou aider 50 millions de Birmans à accéder à une vie meilleure et à rejoindre le reste du monde ? »

Le régime, lui, jouera toujours le détachement par rapport à ce débat. « Il n'y a pas de signe que nous soyons tracassés par les sanctions. Non pas que nous les souhaitons mais nous ne les craignons pas parce que nous avons vécu auparavant vingt-six ans en ne comptant que sur nous et que nous avons de bons voisins[1] », déclarera en 2003 l'ambassadeur birman à Londres, Kyaw Win. Les Chinois, Indiens et Thaïs apprécieront le compliment.

Aung San Suu Kyi, quant à elle, se demande « à quoi riment toutes ces discussions sur les sanctions. Elles sont limitées et beaucoup de ceux qui en pâtissent sont les gens des milieux d'affaires. Nous n'avons aucune preuve qu'un grand nombre de Birmans souffrent des sanctions. De toute manière, la plupart des affaires en Birmanie ont été montées par des pays qui n'ont pas imposé de sanctions[2] ».

En revanche, si elles ont peu d'effets sur un plan économique, à ses yeux elles restent un « outil politique efficace[3] ». Fidèle à cette ligne, elle réitère à chaque occasion ses appels en faveur de sanctions auprès de la communauté internationale « aussi longtemps qu'il n'y aura pas de dialogue[4] ».

Mais les dix-neuf mois de détention, les conversations qu'elle eut en secret avec des émissaires de la junte et les longues heures passés avec Razali

---

1. BBC cité par *Irrawaddy*, 16 juin 2003.
2. *Dabbladet*, 12 mai 2002.
3. DVB (Democratie Voice of Burma – radio d'opposition birmane émettant d'Oslo (Norvège)), mai 2002.
4. DVB Paes 2003.

l'ont convaincue de s'ouvrir davantage aux milieux d'affaires.

Le Tuesday Club (Club du Mardi) est en 2002 à Rangoon la principale association d'hommes d'affaires. Il compte quelque 70 membres, pour la plupart des étrangers, et organise régulièrement des dîners avec des invités, des représentants des Nations unies, d'ONG ou du gouvernement birman. Le Club a pour règle de n'inviter ni diplomates ni journalistes afin de ne pas politiser ces rencontres.

Un jour, un membre du Club propose d'inviter Aung San Suu Kyi à l'un de ces dîners. Les autorités, consultées, donnent leur accord mais pour un déjeuner et en présence d'une délégation restreinte.

Elle accepte l'invitation à condition que les membres de cette délégation soient présents en Birmanie depuis un certain temps. Elle ne veut pas perdre son temps à jouer les consultantes ou les attractions auprès de nouveaux venus. Le président du Club cherche donc cinq ou six candidats pour ce déjeuner. La personnalité de l'invité est telle qu'il va sans doute falloir tirer au sort, pense-t-il. Mais seuls trois volontaires se proposent… La plupart des membres avaient en fait demandé l'autorisation préalable à leur siège à l'étranger. « Non, trop politique », avaient répondu les patrons. Le choix du lieu se porte sur le Traders, un de ces grands hôtels qui ont poussé ces dernières années au centre de Rangoon et dont l'un des membres du Club est le directeur.

Le 21 août 2002, le chauffeur d'Aung San Suu Kyi immobilise la petite Toyota sous le porche de

239

l'hôtel. Les responsables de la sécurité ont été mis au courant, mais pas le reste du personnel. Le hall d'entrée grouille d'agents des services de renseignements. En voyant arriver Aung San Suu Kyi, « le portier manque de s'évanouir », se souvient l'un des hôtes. D'autres membres du personnel et des clients s'immobilisent, stupéfaits de découvrir en chair et en os Daw Suu pour les uns, la célèbre dissidente politique pour les autres.

Le déjeuner est prévu dans un des salons-restaurants mais au dernier moment il est décidé de le déplacer d'un étage et d'installer le couvert dans la suite présidentielle. Il est de notoriété publique que les salons et chambres du Traders, lieu de rencontre favori pour hommes d'affaires, espions, journalistes et amants illégitimes, sont infestés de micros et de caméras. La décision de déménager le déjeuner d'un étage n'est qu'une précaution aléatoire. Rien ne dit que la suite n'est pas déjà sur écoutes.

Les cinq convives, Aung San Suu Kyi, trois membres du Club et un diplomate qui a servi d'intermédiaire, prennent place à la table garnie de bouquets de fleurs. Le chef a fait apporter plusieurs plats, fruits de mer, poisson, poulet, légumes préparés à l'occidentale et servis en petites portions.

Mais l'atmosphère est lourde de gêne. En s'asseyant, Aung San Suu Kyi lance au diplomate un de ses regards de cobra dont elle est capable, l'air de dire : « Dans quel guêpier m'avez-vous mise ! »

La conversation démarre pourtant. On parle des enfants, de la mousson, des changements à Rangoon... Puis elle se lance à l'assaut du directeur de l'hôtel : « Si nous avions eu notre mot à dire dans la gestion du pays, votre hôtel n'existerait pas. Rendez-vous compte, une telle tour si proche de la pagode Sule, c'est une grave erreur, il fallait préserver le vieux Rangoon et bâtir cet hôtel en périphérie ! »

La construction du Traders avait suscité une polémique car, aux yeux de nombreux Birmans, l'établissement constituait un affront par sa proximité et sa taille à la pagode Sule, un des lieux sacrés historiques de la capitale. À l'époque également, les deux principaux actionnaires de l'établissement n'étaient autres que les hommes d'affaires sino-birmans Steven Law et son père Lo Hsing Han. Ce dernier, trafiquant notoire d'héroïne, s'est officiellement retiré de ce commerce et a signé l'un des accords de cessez-le-feu avec la junte, mais le fils Steven était frappé d'une mesure d'interdiction d'entrée sur le territoire américain. Depuis, l'hôtel avait été revendu au goupe singapourien Shangri-La.

Aung San Suu Kyi s'assagit et en souriant soulage le malheureux directeur qui ne sait où se mettre : « Je sais que vous n'y êtes pour rien, vous n'étiez pas ici à l'époque. »

L'atmosphère se détend et la conversation s'emballe pour ne plus s'interrompre. Les trois hommes d'affaires lui expliquent en quelques mots les raisons de leur présence en Birmanie. Entre deux bouchées de calamar, Aung San Suu Kyi embraye.

— Vous savez, une chose que nous n'accepterons jamais c'est que la Birmanie devienne un fournisseur de main-d'œuvre bon marché pour le reste du monde. Si le développement économique n'est pas contrôlé, le pays risque de se trouver exploité par d'autres.

— Bien sûr, mais vous devez vous rendre compte que la Birmanie ne s'enrichira pas du jour au lendemain, regardez la Malaisie ou la Thaïlande, toutes deux ont commencé à se développer grâce au travail intensif et à une technologie de base, répond un des hôtes.

— Oui, mais hélas ce pays n'a pas les personnes compétentes pour organiser un tel développement. Il faut qu'une médiation soit organisée entre nous et le gouvernement.

— Certes…

— Pourquoi vous les hommes d'affaires ne joueriez-vous pas ce rôle ? Vous pourriez expliquer au gouvernement la bonne façon d'aller de l'avant. Moi si je leur dis ça, ils ne m'écouteront pas, à leurs yeux je ne suis qu'une politicienne.

— Et le tourisme, êtes-vous toujours contre ?

— Il y a toujours eu un malentendu là-dessus. Nous n'avons jamais prôné le rejet du tourisme par principe mais nous disons que nous ne voulons pas d'un tourisme qui bouleverse les traditions de notre pays, comme cela s'est produit en Thaïlande. Pourquoi ne leur expliqueriez-vous pas cela aussi ?

Le déjeuner, commencé à 12 h 30, était prévu pour durer une heure. Mais il s'éternise. À l'extérieur de la salle, les agents des services de renseignements commencent à se montrer nerveux. Que peuvent-ils bien se raconter ?

La conversation s'oriente vers la politique.

— Pensez-vous que Khin Nyunt soit quelqu'un de disposé à travailler avec vous et votre parti pour le développement du pays ? demande le président du Club.

— Oui, je le pense.

— Et Than Shwe ? Je pense qu'il se satisfait de la situation actuelle.

— Oui, je suis d'accord avec vous.

Elle laisse à ses interlocuteurs une forte impression de sincérité. « J'étais assis face à elle et j'avais déplacé les fleurs pour que nous puissions nous parler les yeux dans les yeux, se souvient l'un d'eux. Elle n'a jamais cligné des yeux, vous pouviez presque palper sa sincérité. Je suis sorti convaincu qu'elle voulait réellement améliorer la situation dans son pays, qu'elle avait une approche positive. »

« C'est quelqu'un qui sait très bien écouter, ajoute-t-il. Elle a réponse à tout mais son défaut est que ses réponses relèvent davantage d'une idéologie politique. »

Un second invité conclut qu'elle ferait « une excellente directrice de société mais pas une bonne gérante. Peut-être est-ce dû au temps et à l'isolement ».

Enfin, à 15 heures, tout le monde se lève, on se sert la main, en promettant de se revoir. Aung San Suu Kyi, connue pour son appétit de moineau, n'a rien laissé dans son assiette. « C'était plutôt bon signe », plaisante un des hommes d'affaires. « Ce fut le plus beau jour de ma vie », confiera même l'un d'eux.

La délégation du Club a rédigé un rapport de deux pages sur ce déjeuner qu'il a envoyé à Khin Nyunt. Il est resté sans réponse.

D'autres rencontres entre Aung San Suu Kyi et des représentants de grosses sociétés occidentales auront lieu. Cette année-là, elle reçoit également chez elle le représentant régional et le futur patron du groupe pétrolier Total.

De sa part, c'est un réel signe d'ouverture car la présence de Total en Birmanie continue d'alimenter des manifestations et des actions judiciaires en Occident. Elle ne s'est jamais privée de la dénoncer. « Nous ne pensons pas que la présence de Total contribue à un règlement pacifique de la situation en Birmanie car elle ne fait qu'encourager le maintien des autorités militaires », avait-elle déclaré en 1996. Elle avait même consacré un vers à Total dans un de ses poèmes, « Le Pays calme » :

> *Les Chinois veulent une route,*
> *Les Français veulent le pétrole,*
> *Les Thaïs pillent la forêt,*
> *Et le Slorc mange le gâteau,*
> *Au Pays calme, personne ne peut entendre*
> *Ce que l'on étouffe par le meurtre*
> *Et recouvre sous la peur.*

La conversation avec les deux dirigeants de Total est « franche et aborde tous les sujets », rapporte un des participants. Les deux Français tentent de la convaincre que, si leur société quitte la Birmanie, elle sera remplacée par un concurrent moins scrupuleux. Ils lui proposent d'organiser un voyage en hélicoptère sur le site riverain du gazoduc qui traverse la péninsule du Tenasserim, dans le sud du pays. Elle donne son accord. Mais la junte, soucieuse de ne pas lui donner l'occasion de sortir du seul rôle qu'elle lui reconnaisse, celui de secrétaire général de la LND, refusera cette requête.

A-t-elle été convaincue par les arguments des patrons de Total ? Rien n'est moins certain. « La France, dira-t-elle peu après, à travers le gazoduc de Total, est le principal investisseur européen dans mon pays. Vu de Rangoon, Paris n'apparaît pas comme un ardent défenseur de la démocratie et du respect des droits de l'homme. Ni en Birmanie ni ailleurs dans le monde[1]. »

À la même époque, à l'occasion d'un séminaire à Rangoon sur les droits de l'enfance, elle est invitée à un autre dîner. Parmi les convives, le grand patron du pétrolier américain Unocal, partenaire de Total dans l'exploitation du gaz naturel. À la fin de la soirée, alors que, sur le perron de la porte, elle s'apprête à remonter dans sa voiture, elle revient sur ses pas et se dirige vers l'Américain : « D'accord, je suis prête à visiter le site du gazoduc. »

Là aussi, la junte refusera.

Lors d'une nouvelle réunion, cette fois en compagnie de représentants étrangers de l'industrie touristique, elle rappelle la nécessité de ne pas vouloir à tout prix, à l'instar des Thaïlandais, faire du tourisme la première source de devises. Un des participants dira par la suite à un général : « Si vous pouviez vous mettre d'accord avec cette femme, tous vos problèmes seraient résolus. »

Un homme d'affaires occidental qui travailla plusieurs années en Birmanie se souvient qu'elle « avait compris l'importance des investissements dans le développement du pays. Mais elle souhai-

---

1. *L'Express*, septembre 2002.

tait que ces investissements fussent orientés vers des secteurs touchant directement aux intérêts de la population, comme l'agriculture ou la santé ».

En 1996, elle avait, dans un texte poétique, consacré une de ses *Lettres de Birmanie* aux investisseurs étrangers. « Observer les hommes d'affaires qui viennent en Birmanie avec l'intention de s'enrichir, c'est un peu comme observer des passants dans un verger qui arrachent les jeunes pousses pour leur fragile beauté, insensibles à la laideur des branches dépouillées, inconscients du fait que par leur action ils mettent en péril la fertilité des arbres et commettent une injustice à l'égard de leurs propriétaires légitimes [1] », avait-elle écrit.

Multiplier les rencontres et les échanges avec les milieux d'affaires était certainement une démarche sensible et nécessaire pour prévenir un pillage en règle du verger birman. Mais hélas, les plus grands maraudeurs, les sociétés chinoises, indiennes, thaïes, malaisiennes, taïwanaises, japonaises et autres, n'ont jamais répondu à ses invitations.

---

1. *Letters from Burma*, p. 88-89.

17

14 h 30. Elle remonte dans sa chambre, ferme la porte, enfile un pantalon de kimono, déroule la natte au pied du lit et s'installe dans la position du lotus. Plus exactement en semi-position du lotus. Son dos récalcitrant ne lui permet plus d'immobiliser ses deux pieds par-dessus les cuisses. Elle ferme les yeux, prend son souffle et s'évapore pour une heure de méditation. C'est la deuxième de la journée. Il y eut la première au lever, à 4 h 30.

Au début d'une séance, l'esprit s'égare. Des images viennent polluer l'espace mental, qu'elle va tenter de chasser par le souffle de la sagesse intérieure. Images indésirables, forcées par le subconscient ; un général assis sur son trône, un homme enchaîné sur une route, une femme fuyant un village en feu... « La plupart de nos souffrances proviennent de notre incapacité à contrôler notre esprit... », lui ont dit et répété ses maîtres de méditation.

Lors d'une de ses rares rencontres avec les chefs suprêmes de la junte, elle avait conseillé l'exercice à un général. Il lui avait répondu qu'il avait d'autres moyens pour assurer sa paix intérieure.

Aung San Suu Kyi a toujours pris soin de ne jamais attaquer l'institution de l'armée. Elle rappelle encore et encore que son père en fut le fondateur. Que la *tatmadaw* est sa sœur aînée. « J'éprouve un sentiment de cordialité à l'égard de l'armée birmane. On m'a appris à considérer les soldats comme les fils de mon père, dit-elle. J'ai donc toujours éprouvé un sentiment familial à l'égard des forces armées de Birmanie [1]. » Elle a même, dans un emportement quelque peu lyrique, déclaré qu'elle était « prête à rejoindre au front les soldats » qui combattaient les mouvements ethniques rebelles ! (Voir chapitre 13.)

Mais elle sait aussi que cette sœur aînée, on l'a mignotée à outrance en lui octroyant plus de 40 % des dépenses annuelles du pays, alors que la santé, par exemple, doit se contenter de 0,4 %. On l'a gavée pour la transformer, avec ses 400 000 soldats, en l'une des plus imposantes armées sur terre.

Elle a toujours pris soin d'éviter toute personnalisation de la situation. Au contraire des généraux qui, eux, n'ont cessé de se focaliser sur elle. En la transformant en seule interlocutrice digne de leur intérêt, ils en faisaient aussi un parfait bouc émissaire et réduisaient au passage au rang de figurants les autres personnalités de l'opposition.

Cette personnalisation des relations avec Aung San Suu Kyi commence en 1988, dès l'arrivée au pouvoir du SLORC. Au début les raisons sont purement protocolaires. Aux yeux des généraux, elle est

---

1. BBC, 12 décembre 2002.

d'abord la fille du Bogyoke. À l'époque, elle ne constitue pas encore une sérieuse menace pour leur pouvoir.

Lorsque la mère d'Aung San Suu Kyi meurt à la fin décembre 1988, Khin Nyunt et les autres proconsuls du SLORC sont les premiers à venir lui présenter leurs condoléances. Deux jours plus tard, le 4 janvier 1989, à l'occasion du jour de l'Indépendance, ils invitent Aung San Suu Kyi et plusieurs dirigeants des partis politiques qui se sont formés au cours des mois précédents à un dîner officiel. « Ce soir-là, rapporte un témoin, Aung San Suu Kyi fut le centre d'attention. Avec son charme et son birman parfait, elle a complètement volé la vedette aux généraux. »

Le niveau de la confrontation sera atteint peu après lorsqu'elle se lance dans la campagne électorale. Où qu'elle se rende, dans les grandes villes ou les régions les plus reculées du pays, elle provoque l'enthousiasme et convainc les foules. Désormais, elle est beaucoup plus que la fille du Bogyoke. La menace que certains généraux avaient pu appréhender se concrétise. En 1989, incapables de la museler par l'intimidation, ils l'enferment chez elle pour six ans.

Ils ne se reverront que cinq ans plus tard, en 1994, lors de deux rencontres organisées alors qu'elle est toujours en détention (voir chapitre 6).

L'espoir qu'avaient pu nourrir ces entretiens et la libération d'Aung San Suu Kyi en 1995 resteront sans lendemain. Pire, tout au long des années qui suivront, les torrents de la répression et de l'intimidation interrompus par de rares filets d'espoir éphémère n'arrêteront pas de déferler sur le pays.

Il faudra attendre le 29 janvier 2002 – huit ans !
– pour que les adversaires se revoient en tête-à-tête.
Entre-temps, Razali a été nommé envoyé spécial
des Nations unies et Aung San Suu Kyi de nouveau
placée en détention. Mais l'atmosphère s'est apai-
sée. Un dialogue a enfin été renoué quelques mois
auparavant.

La nouvelle rencontre, la troisième seulement
depuis 1988, a lieu dans un des salons d'accueil du
gouvernement. Il s'agit d'un dîner offert par l'état-
major de la junte à la direction de la LND. Than
Shwe, Khin Nyunt, Maung Aye – le chef de l'armée
de terre –, pas un des maîtres suprêmes ne
manque.

Les choses ne se passent pas très bien. Ou plutôt
ne se passent pas.

Les dés sont pipés dès le départ. Aung San Suu
Kyi voudrait profiter de cette rare occasion pour
aborder une discussion politique franche, entrer
dans les détails. Mais les généraux ne sont pas
venus pour cela. Pour eux, ce dîner est l'occasion
de reprendre contact les yeux dans les yeux, sans
plus. Collision de deux conceptions, l'orientale et
l'occidentale, de la mondanité…

Alors, le dîner se transforme en un long monologue de Than Shwe. Aucun autre officier n'ose
prendre la parole. Chacun se croit contraint de rire
aux plaisanteries du vieux chef. On entend les four-
chettes cliqueter !

« Aung San Suu Kyi, rapporte un participant,
après avoir tenté de briser la glace, se tait. » Le seul
à qui elle adresse la parole est le général Maung
Aye, un homme dont elle a déjà eu l'occasion de
louer les qualités de soldat. Ils discutent d'environnement, de déforestation. Elle le trouve « plutôt

ouvert, plutôt bien ». Ironique lorsque l'on sait qu'au cœur de ces mêmes forêts menacées, dans les régions reculées des minorités ethniques en rébellion, les soldats de Maung Aye tuent, violent, pillent, incendient…

Ce dîner, qui précédera de trois mois sa deuxième libération, lui aura au moins permis de retrouver Khin Nyunt, l'homme désormais en charge du dialogue.

Plus de dix ans après leur apparition simultanée dans l'arène politique, voici à nouveau leurs destins qui se croisent.

Ses premières impressions sur Khin Nyunt étaient vagues. Lors des premières prises de contact, elle l'avait trouvé « plutôt charmant ». Mais c'était pour se reprendre aussitôt et préciser qu'il s'agissait « d'une manière birmane d'être charmant[1] ! ». Plus tard, elle ajoutait : « Je ne le connais pas vraiment […]. On ne peut pas dire qu'il y ait une animosité personnelle entre nous. Bien sûr nous n'aimons pas du tout ce que font les services de renseignements militaires, dirigés par Khin Nyunt, mais ce n'est pas personnel[2]. »

Au terme du dîner de janvier 2002, elle se montre plus circonspecte. En privé, elle le qualifie de « caméléon » et de « faux derche ». Khin Nyunt de son côté parle d'Aung San Suu Kyi comme de sa « petite sœur ». Une expression ambiguë qui en birman peut aussi signifier « jeune assistante »…

Quant à Than Shwe, elle ne sait trop qu'en penser. Sa toute première impression, en 1994, avait

1. *The Nation*, 12 juillet 1995.
2. *Asiaweek*, 11 juin 1999.

été celle d'un homme « très nature, très honnête et franc[1] ». Mais plus tard, lorsqu'on l'interroge sur le maître de la junte, elle répondra par une moue de scepticisme.

Mais à vrai dire, quelle idée précise peut-elle se faire de la personnalité de ces hommes qu'au cours de ces longues années elle n'a rencontrés que quelques heures, et qui n'ont jamais accepté de discuter franchement ? Quelle autre idée que celle nourrie par leurs actes ?

Nanti de sa mission d'interlocuteur, Khin Nyunt s'est-il trouvé un destin ? Rêve-t-il d'entrer dans l'histoire de son pays comme le militaire qui a pu conjuguer armée et démocratie ? Songe-t-il à un ticket commun avec Aung San Suu Kyi qu'il a pourtant tant fait pour détruire ? Pense-t-il à ces autres pays comme l'Afrique du Sud, où des tyrans se réconcilièrent avec leurs victimes ?

Un terrain d'entente semble avoir enfin été défriché. Au milieu des années 1990, explique un homme d'affaires à Rangoon, « Khin Nyunt était considéré comme la voix de la raison au sein du gouvernement, prêt à des accommodements avec l'extérieur. J'avais le sentiment qu'il était le seul à atteindre un niveau où la communication avec Aung San Suu Kyi était possible ».

« Aung San Suu Kyi, ajoute Funes-Noppen, pensait que peut-être Khin Nyunt, non par conviction mais par opportunisme politique, aurait pu parvenir à un compromis avec elle. »

Aung San Suu Kyi, elle, reste extrêmement méfiante. Comme le dit une ancienne diplomate, « en raison de son expérience précédente, elle ne

---

1. *The Nation*, ibid.

faisait confiance à aucun d'entre eux et elle sent qu'elle doit être très très prudente ». Mais lorsqu'elle entame le dialogue, « elle fait de gros efforts pour faire abstraction de ses sentiments personnels, et éviter qu'ils n'influencent sa capacité à travailler avec eux ».

Khin Nyunt semble s'être pris au jeu. « Au début, commente Razali, Aung San Suu Kyi croyait que Khin Nyunt agissait uniquement au nom des militaires, qu'il n'avait pas de vision au-delà d'eux. » Mais au fur et à mesure de ses discussions secrètes avec des représentants de la junte, elle réalise qu'il a dorénavant son propre agenda. Et que ses ambitions le mettent en porte-à-faux avec son supérieur Than Shwe. Même si elle n'éprouve aucune sympathie personnelle pour l'homme, elle met en garde un diplomate qui travaille avec Razali : « N'exposez pas trop Khin Nyunt, cela jouera contre lui. »

Mais l'homme s'expose lui-même. Aux yeux de nombreux autres dirigeants asiatiques, il devient le Birman fréquentable.

Se croit-il intouchable ? Pense-t-il que les dossiers qu'il a constitués sur les uns et les autres lui garantissent l'immunité éternelle ? Que le mouvement est irréversible ?

Pour Than Shwe, c'en est trop. Il est persuadé que lui seul a le pouvoir de maintenir l'unité du pays. Et que Khin Nyunt est prêt à le vendre aux diables de la LND et de sa Siva en blouse jaune. Ses astrologues le lui ont dit et répété : l'incarnation moderne des grands rois de Birmanie, c'est lui. Il ne se sent pas seul. Loin s'en faut. Il a dans sa poche des hommes comme Maung Aye, un officier impitoyable mais populaire auprès des soldats. Lui, contrairement à Khin Nyunt, peut se targuer d'avoir mouillé son treillis dans les jungles impossibles des pays karen et shan. Lui, contrairement à Khin Nyunt, est le soldat des soldats. Au fond, Khin Nyunt est un politicien revêtu d'un uniforme. Il doit tomber.

Maung Aye sait aussi que les dossiers les plus compromettants que Khin Nyunt garde par-devers lui renferment des preuves accablantes sur d'énormes affaires de corruption concernant ses proches.

Un événement semble avoir joué un rôle déterminant dans la chute de Khin Nyunt. L'homme qui avait signé en 1989 des accords de cessez-le-feu avec les minorités de trafiquants de drogue avait aussi fait de sérieux efforts pour les convaincre de réduire dramatiquement leur production d'opium et d'héroïne. Il comptait ainsi améliorer la déplorable réputation de son pays en obtenant notamment du gouvernement américain qu'il reconnaisse publiquement ses efforts.

À cet effet, la junte, en mai 2002, avait signé un contrat pour un an de 450 000 dollars avec la société de lobbying américaine DCI Associates. Objectif : convaincre les décideurs occidentaux, et en particulier le gouvernement américain, des efforts de la junte dans sa lutte antidrogue. Échec total. En septembre 2003, le président américain George W. Bush, estimant que la Birmanie a « échoué de façon marquante » dans sa lutte antidrogue, annonce le refus de son administration de reprendre son assistance. Il n'avait bien sûr pas échappé aux experts américains que, tout en réduisant leur production d'opium et d'héroïne, les seigneurs de la drogue s'étaient recyclés dans la manufacture industrielle, tout aussi rentable mais beaucoup moins visible, d'un autre stupéfiant : la métamphétamine !

Cette décision constitue un énorme camouflet pour la junte et discrédite Khin Nyunt auprès de Than Shwe et sa faction. « Khin Nyunt en fut très affecté », rapporte Razali.

Toujours persuadé que Khin Nyunt est indispensable dans un processus de réconciliation – il n'ose dire le seul ! – Razali tente de plaider sa cause auprès de Than Shwe.

Lors d'une de ses dernières visites à Than Shwe, faisant fi du conseil d'Aung San Suu Kyi, il lui dit : « Donnez davantage d'autorité à Khin Nyunt pour négocier et rapprocher les parties. » Than Shwe fait une moue de désapprobation. « Je pense que lui et les siens avaient déjà perdu leur attirance pour Khin Nyunt », conclut le diplomate malaisien.

En 2003, lors d'un passage en Malaisie de Khin Nyunt nommé entre-temps au nouveau poste de Premier ministre, Razali parvient à le rencontrer en tête-à-tête à l'aéroport avant son départ pour Rangoon. Il semble très inquiet. À cette époque, Aung San Suu Kyi a entamé sa troisième période de détention, le régime s'est à nouveau durci.

— Les autres ne veulent plus de vous à Rangoon, dit-il à Razali.

— Est-ce vraiment si dramatique ?

— Oui, Aung San Suu Kyi et la LND ont commis une grave erreur en exigeant sa libération avant de rejoindre la Convention nationale.

— Mais est-il toujours possible de les ramener dans un dialogue ?

— Non, c'est trop tard, ce n'est plus possible.

« La situation semblait très sombre, très triste, il m'a donné l'impression que lui-même était sous le coup d'une menace », poursuit Razali.

Depuis son éclosion politique en 1988, si l'on excepte les deux entrevues protocolaires lors du décès de sa mère et du dîner qui le suivit le 4 janvier 1989, Aung San Suu Kyi aura donc rencontré personnellement Than Shwe à deux reprises et Khin Nyunt en trois occasions. On peut certes invoquer une vieille tradition asiatique selon laquelle, dans une négociation, un chef apparaît au début, délègue ensuite et ne se montre à nouveau que le jour de la signature de l'accord. Mais si peu de contacts directs en tant d'années, n'est-ce pas plutôt de la part des généraux la preuve qu'ils n'ont jamais sérieusement envisagé qu'Aung San Suu Kyi puisse un jour jouer un rôle politique majeur ?

Cet ostracisme des dirigeants a au cours des années beaucoup déteint sur beaucoup de militaires pour qui Aung San Suu Kyi est même devenue une pestiférée. Il ne faut à aucun prix être surpris en sa présence. En 2002, une riche joaillière organise pour son mariage une somptueuse réception à l'hôtel Inya Lake où se bouscule le gotha militaire et civil de Rangoon. Des invités se lèvent et applaudissent à l'arrivée d'un convive. Qui est-ce ? Khin Nyunt ? Un ministre ? C'est Aung San Suu Kyi. Elle a été libérée de sa deuxième période de détention quelques jours auparavant. Lorsqu'ils s'en rendent compte, les officiers et les membres du gouvernement présents se lèvent et quittent la salle.

18

16 heures. Après la méditation, elle redescend à la cuisine faire bouillir l'eau pour le thé. Un volet a claqué du côté du petit salon. Elle va le refermer et sort sur la véranda. Debout, bras croisés, elle ferme les yeux, aspire le souffle du vent qui s'est brutalement levé sur le lac et pousse vers la berge une nouvelle horde de nuages. Le paysage a soudain perdu ses couleurs mais raffermi ses contours. Une obscurité d'éclipse s'est abattue sur le lac.

Le premier coup de tonnerre la fait sursauter. Instinctivement, elle baisse la tête comme pour l'éviter. Le ciel s'affaisse, plus bas encore que ce matin. Comme tant de Birmans, elle a toujours idéalisé le romantisme de cette saison de mousson. Elle y a consacré une de ses Lettres de Birmanie, « *Songes de pluie* »... *Elle se souvient mot pour mot d'un paragraphe :* « *Je sautillais sous une averse de mousson, faisant gicler de la boue entre mes doigts de pied, une petite galopine mince et brune se délectant du sentiment frais, pur de la pluie et du sens de la liberté* [1]. »

Le martèlement de la foudre lui rappelle le tintamarre que faisait Kim dans la maison, il avait onze

---

1. *Letters from Burma*, p. 116.

ans à l'époque, lorsqu'il s'amusait à monter et descendre les escaliers, luttant avec un concurrent imaginaire. Un des étudiants lui avait demandé de se calmer, le bruit risquait de déranger sa grand-mère alitée dans son semi-coma au rez-de-chaussée. Elle passait par là et avait entendu la remontrance. « Bah, laisse-le faire, ainsi sa grand-mère saura que son petit-fils est tout près d'elle, ça la rendra heureuse », avait-elle dit à l'étudiant. Ce fut un des derniers moments d'insouciance familiale.

LA FAMILLE SACRIFIÉE

Dans un de ses textes, Aung San Suu Kyi raconte une poignante anecdote. En mai 1992, alors qu'elle vit sa première période de détention, pour la première fois depuis deux ans et demi, la junte accorde des visas à sa famille. Kim, son fils cadet, débarque à Rangoon. « D'un garçon d'à peine douze ans au visage rond il s'était transformé en un adolescent stylé plutôt "cool" », écrit-elle [1]. Puis elle ajoute : « Si je l'avais rencontré dans la rue, je ne l'aurais pas pris pour mon petit garçon. »

Elle a toujours veillé à ne pas mélanger les genres. « Je veux que ma famille puisse conserver son intimité, dit-elle. Les gens s'intéressent à moi pour la politique que je fais, restons-en donc là [2]. »

Quand elle s'autorise une référence à un épisode de sa vie privée, c'est pour élargir les rideaux sur la scène plus vaste de son autre famille : la famille

---

1. *Letters from Burma*, p. 24.
2. *Asiaweek*, 11 juin 1999.

publique, le peuple birman. L'épisode de la transformation physique du jeune Kim lui permet d'évoquer le sort de nombreux prisonniers politiques, des Birmans détenus pour la même cause, eux aussi privés de leurs enfants, qui vivent cette situation au quotidien mais dans des conditions infiniment plus dures.

C'est aussi une façon de rappeler qu'en décidant en 1988 de reprendre le flambeau que son père avait laissé en veilleuse quarante ans auparavant, elle avait par décence pris le parti de sacrifier sa propre vie personnelle.

« Du jour où je me suis engagée dans la politique, mon mariage ne pouvait évidemment plus être un mariage normal », déclarait-elle en 1996. Elle ajoutait : « Ma famille n'est qu'une part de ma vie, mon pays aussi fait partie de ma vie [1]. »

Sous le déferlement des événements de 1988 et des années qui suivirent, elle a glissé inexorablement de ses fils biologiques vers les enfants de son pays. La question est cruelle, mais que pouvaient désormais peser Alexander et Kim face aux écoliers qui tombaient sous les balles des dictateurs, aux femmes et aux hommes torturés derrière les murs d'Insein, à l'espoir de ces millions de Birmans qui entrevoyaient enfin une vie meilleure ? La junte a pu croire qu'en l'enfermant chez elle pendant six ans, en accordant des visas au compte-gouttes à sa famille, en insultant son mariage avec un étranger, un Britannique de surcroît, elle allait « craquer » et recouvrer la peau d'épouse et de mère dont elle n'aurait jamais dû se débarrasser. On sait ce qu'il advint...

---

1. *La Voix du défi*, p. 226.

Désormais, Aung San Suu Kyi, l'icône de la démocratie, est également vue comme une femme qui a sacrifié sa famille. L'expression la gêne. « Bien sûr, confie-t-elle, à chaque respiration, mes enfants et mon mari me manquent mais la conviction que je fais ce qu'il faut est inébranlable[1]. » Bien sûr, « comme mère, le plus grand sacrifice a été d'abandonner mes fils mais, ajoute-t-elle, j'ai toujours été consciente du fait que d'autres avaient sacrifié beaucoup plus que moi […]. Parce que leurs sacrifices sont beaucoup plus grands que les miens, je ne peux pas le considérer comme un sacrifice[2] ».

Une autre fois, elle précise : « Je ne qualifie pas ce que j'ai fait comme un sacrifice, j'ai toujours dit que j'avais fait un choix[3]. »

Ce choix du sacrifice, il a fallu le gérer très vite. Et vers qui d'autre se tourner que Michael ?

Michael, qui depuis des années, la tête enfouie dans ses manuscrits tibétains, avait laissé la gestion du quotidien et des enfants à son épouse, se retrouve du jour au lendemain bombardé de nouveaux travaux.

Le plus délicat est l'éducation des deux fils. Dès les premières heures, la famille va les protéger contre les risques d'une exposition médiatique préjudiciable. On ne verra pas de photos d'Alexander et de Kim brandissant un portrait de leur mère devant l'ambassade de Birmanie à Londres. On ne les entendra pas à la radio implorant les généraux de la libérer. Mais quelle protection une grand-

1. *The Oxford Times*, 29 mars 1999.
2. *La Voix du défi*, p. 172.
3. BBC, 12 décembre 2002

mère, une tante ou un oncle peuvent-ils dresser contre le désarroi qui immanquablement s'est installé dans les têtes de ces jeunes adolescents ? En Angleterre, leur mère si éloignée d'eux est omniprésente. En couverture de magazines, à la radio, au journal télévisé, chantée par des groupes de rock, dans la cour de récréation, il se passe rarement un jour sans que l'on évoque « la prisonnière politique la plus célèbre au monde ». « C'était extrêmement difficile pour eux car elle était devenue une sorte de propriété publique », commente une amie.

Les deux garçons vivront la situation chacun à sa façon. Lorsque, à la mi-1988, à l'occasion des vacances scolaires en Angleterre, tous deux rejoignent leur mère à Rangoon, le pays est en pleine anarchie. Ils vivent dans le cocon relativement doux de la propriété familiale, souvent distraits par les étudiants de la garde rapprochée de leur mère qui font des allées et venues entre des manifestations et des visites à la morgue où ils vont reconnaître les corps de leurs amis torturés et abattus. Kim, avec son jeune âge – il a onze ans –, son exubérance et son charme, se prête plus que son frère à la disponibilité des jeunes Birmans. À quinze ans, Alexander n'a déjà plus le goût d'amuser les étudiants et de jouer à tirer des flèches sur des noix de coco. C'est un adolescent timide, plus introverti, qui passe la plupart de ses journées seul, dans le silence avec ses livres.

Mais ces divergences de comportement reposent aussi sur une déchirure plus intime. « Il était connu qu'Aung San Suu Kyi avait une relation plus forte avec Kim, dit l'une de ses amies. À cette époque, Alexander et elle ne s'entendaient pas beaucoup. » À Rangoon, le fils aîné se sent donc mal à l'aise.

Des étudiants qui vivaient dans l'entourage immédiat de la famille à cette époque confirment qu'Aung San Suu Kyi se montrait plus attentive envers son cadet. Moe Myat Htu, un des gardes du corps des premiers jours, se souvient d'une scène entre Kim et ses parents. « Kim se plaignait d'être mal aimé d'un professeur. Ses parents essayaient de le rassurer, lui disant qu'il se trompait, raconte-t-il. Aung San Suu Kyi et Kim se sont étreints et ils ont tous deux sangloté. Elle lui a demandé de promettre de faire des efforts, il a dit oui mais il n'a rien promis. »

L'ancien étudiant mentionne également une discussion qu'Aung San Suu Kyi avait eue avec des militants de la LND sur l'éducation. « Nous ne sommes pas de bons parents, avait-elle confié, nous n'avons pas pu vivre avec nos enfants et bien les éduquer. »

À leur corps défendant, Michael, Alexander et Kim sont vite devenus des pions sur le damier politique que la junte a tracé autour d'Aung San Suu Kyi. Ce jeu repose sur un chantage : faites preuve de bonne volonté et nous laisserons votre famille vous rendre visite. Ulcérée qu'on puisse tenter de la manipuler de cette odieuse façon, elle retourne l'argument contre ses initiateurs et en fait à son tour un outil politique. Au début, elle refuse toute visite de sa famille tant que la junte ne libère pas des prisonniers politiques. Puis, elle modifie sa stratégie. « J'ai laissé Michael venir en partie pour montrer que j'étais prête à faire des compromis, dit-elle à l'Américain Richardson en

1994. Ils doivent comprendre que flexibilité n'est pas faiblesse [...] et aussi ne pas penser qu'adoucir mes conditions personnelles ferait une différence. »

Le maître chanteur devient victime de sa menace... Cette exploitation politique du visa familial par Aung San Suu Kyi n'est pas toujours bien comprise à l'extérieur. On la dit « dure », « impitoyable », « Comment peut-elle faire cela à sa famille ? »

Ces opinions, dont parfois l'écho lui revient, l'attristent mais, sûre de son fait, et soupçonnant la junte de ne pas y être étrangère, elle ne modifiera plus jamais sa ligne de conduite.

En 1992, Michael est autorisé à revenir en Birmanie. Il n'y est plus allé depuis deux ans et demi. Lorsqu'il débarque à Rangoon le 5 mai, Aung San Suu Kyi l'attend à l'entrée de la maison : « Tu ne peux pas rester ici », lâche-t-elle après un bref accueil. Étonnement du pauvre Michael qui est envoyé avec sa valise s'installer chez la tante, dans une maison voisine. Il ignorait que peu auparavant son épouse avait demandé l'autorisation de pouvoir rencontrer des conseillers de la LND emprisonnés. Le SLORC lui avait opposé un refus mais en compensation avait fait savoir qu'un visa était délivré à Michael. Selon U Kyi Maung, vice-président du Parti qui raconte l'anecdote, elle a dit à l'officier de liaison du SLORC : « Vous ne pouvez pas faire cela, si vous avez quelque chose comme cela à l'esprit, vous devez d'abord me le demander. Sans ma permission je ne recevrai personne [1]. »

---

1. *Vogue*, octobre 1995.

Les années passant, Alexander et Kim empruntent chacun des chemins de plus en plus distincts, même s'ils vivent tous deux douloureusement la séparation avec leur mère. « Ils ont bien sûr été très affectés, précise Carey. Lors d'un décès, vous pouvez éventuellement vous en remettre plus tard, c'est un phénomène naturel, mais une séparation engendre tellement d'incertitudes, et celle-ci est si longue, c'est presque comme si leur mère avait été enterrée vivante. »

Alexander, le monde entier le découvre un jour de décembre 1991 lorsqu'il prononce à Oslo le discours de réception du prix Nobel de sa mère. Il a dix-huit ans. Après ses études secondaires à Oxford, il part vivre et étudier aux États-Unis. Il tente plusieurs voies et finalement se décide pour la faculté de mathématiques où il obtient brillamment son doctorat avant de devenir assistant en sciences mathématiques à la Northern Illinois University, à une centaine de kilomètres de Chicago. Après un bref séjour au Canada, il est revenu vivre aux États-Unis où il a obtenu un permis de résidence.

Entre 1996 et la mort de Michael en mars 1999, les visites des deux fils à leur mère seront rares et toute publicité autour d'elles sera évitée. En 1999, deux mois après le décès de son père, Alexander revient à Rangoon. Aung San Suu Kyi vient accueillir à l'aéroport un fils aîné costaud, à la carrure de footballeur et au cheveu ras. Le soir, dans la salle de séjour, devant une tasse de thé et un plateau de biscuits, il lui pose de nombreuses questions, comme il le fait depuis qu'il est tout petit, engageant la conversation sur les sentiers de la philosophie et du spirituel. Il lui parle aussi de sa petite amie, une jolie Birmane d'origine karen qui ressemble beaucoup à Pocahontas. « Qui ça ? » demande Aung San Suu Kyi. De retour aux États-Unis, Alexander lui fera parvenir une cassette du dessin animé de Walt Disney. Aung San Suu Kyi confiera à une amie combien il avait été « agréable de passer du temps » avec son aîné.

Mais, selon des proches, la vivacité intellectuelle d'Alexander n'a jamais vraiment pu compenser une sensibilité extrême et une difficulté à gérer la séparation avec sa mère. Sans doute aussi la volonté de cette dernière de rester fidèle à ses principes, quel qu'en soit le coût, a-t-elle nourri et entretenu une profonde et douloureuse incompréhension. Il y a le cas des visas familiaux, acceptés ou refusés par Aung San Suu Kyi en fonction de critères politiques. Il y eut aussi en 1999 une lettre de recommandation qu'un représentant de l'ambassade américaine à Rangoon lui avait demandé d'écrire afin de faciliter la prolongation du séjour d'Alexander aux États-Unis. Soucieuse de ne pas utiliser sa renommée pour obtenir des privilèges, elle avait refusé.

L'arrivée dans la vie d'Alexander de la jeune Birmane, qu'il épousera plus tard, « fut d'un grand secours et lui a permis de se stabiliser », précise un ami.

Kim a aussi traversé ses propres tempêtes. Pendant plusieurs années, alors que sa mère est engagée dans un infernal duel avec les généraux, et que son père tente d'accommoder un agenda submergé par les fax, les thèses et les voyages, il vit d'insouciance et d'amour. Avec des amis il a créé un groupe de rock dont il est le guitariste. « Sa vie, se souvient Pasternak Slater, n'allait nulle part en particulier, il devait affronter les difficultés que connaissent de nombreux jeunes hommes de sa génération. » Le voilà aussi jeune papa. Un petit garçon, James, puis une fillette, Jasmine, comme la fleur préférée de sa grand-mère, naissent de son union avec Rachel, sa compagne. « Aung San Suu Kyi, confie une amie, trouvait sa situation alarmante. » Mais qu'y pouvait-elle désormais ?

À la mort de Michael, la famille se décide à « mettre un peu d'ordre dans la demeure de Kim et de lui donner ainsi qu'à sa famille davantage de soutien », confie Carey.

Lors des funérailles, il prononce un bref et émouvant éloge, regrettant publiquement de ne pas avoir suivi les conseils de son père et promettant dorénavant de se reprendre avec sérieux.

Il y a aussi une certaine urgence car les deux fils se retrouvent soudain nantis de l'héritage paternel. À la mort de son époux, pour éviter que la junte ne l'accuse d'utiliser des fonds étrangers, Aung San Suu Kyi a fait transférer tous les biens familiaux à ses deux fils. Kim, comme il l'a promis, se reprend donc. Il suit une formation de charpentier et finit par s'installer à son compte. « Il semble avoir surmonté la plupart des difficultés », confirme Carey.

Dans une interview accordée en 2004 à un magazine australien, il reconnaît « être devenu un peu plus à l'aise avec la situation [1] », même si, dit-il, « elle nous manque énormément ». Il concède que

---

1. *The Australian Women's Weekly*, avril 2004.

le choix de sa mère « a dû être extrêmement difficile. Mais au bout du compte, la liberté pour la
Birmanie fut la chose la plus importante pour elle.
Je dois respecter les raisons de sa décision. Ce ne
fut pas facile pour nous, mais je suis fier qu'elle
ait pris cette décision ».

Kim tient également à confirmer que lui et son
frère refusent tout engagement politique. « C'est
probablement mieux ainsi, cela ne l'aiderait pas et
elle ne le souhaiterait pas. C'est quelque chose
qu'elle veut faire elle-même. »

Lors d'une rare apparition publique, en 2000 à
Dublin pour recevoir la récompense de la Liberté
de la ville (The Freedom of the City of Dublin
Award) attribuée à sa mère, il pose en compagnie
de Bono, le chanteur de U2. Le groupe irlandais
dédiera une chanson, « Walk On » (« Continue de
marcher »), à Aung San Suu Kyi sur un album sorti
en 2001.

Et si l'obscurité doit nous séparer
Et si le jour semble encore si lointain
Et si ton cœur de verre doit se fissurer
Et que pour un instant tu te retournes
Oh non, sois forte
Continue, continue de marcher
Ce que tu possèdes, ils ne peuvent te le voler
Non, ils ne peuvent même pas le toucher
Continue, continue de marcher
Reste à l'abri ce soir

D'autres artistes manifestent leur soutien au
combat d'Aung San Suu Kyi et des défenseurs de
la démocratie en Birmanie. En 2004, une trentaine
de stars du rock dont Eric Clapton, Coldplay, Ani

DiFranco, Peter Gabriel, Ben Harper, Pearl Jam, Paul McCartney, Avril Lavigne, REM, Bonnie Raitt, Damien Rice, Sting, Travis et U2 cèdent les droits d'une de leurs compositions à une fondation américaine sur les ventes d'un double CD, « For the Lady ». « Je voudrais faire savoir à tous ceux qui écoutent ma musique en Birmanie, qu'ils écoutent un artiste qui soutient leur liberté », déclare Eric Clapton.

Peter Gabriel, par l'intermédiaire de son organisation Witness, distribue du matériel vidéo à des équipes de jeunes Birmans issus de minorités ethniques afin de les aider à rapporter des preuves des atrocités commises par la junte dans les jungles isolées.

Aung San Suu Kyi a eu l'occasion de faire la connaissance de son petit-fils James et de sa maman Rachel lors d'une visite de Kim en mai 2002. « Ce furent des moments de bonheur, raconte un témoin, d'autant qu'elle venait d'être libérée et que la tension avec la junte avait beaucoup baissé. » Kim, qui a gardé l'espièglerie des semaines passées auprès des étudiants gardes du corps de sa mère en 1988 et 1989, se rend un jour au marché Bogyoke, du nom de son grand-père, vêtu comme à son habitude d'un *longyi* mais aussi d'un t-shirt à l'effigie de ce même grand-père. Au bout de quelques minutes, un cortège d'agents des services de renseignements lui emboîte le pas. La scène a beaucoup fait sourire Aung San Suu Kyi. Le couple est ensuite parti pour un voyage à travers le pays, laissant l'enfant à Rangoon avec « Granny Suu ». « Pour la première fois, je me suis sentie grand-mère », confie-t-elle au témoin.

Un autre sacrifice assombrit depuis longtemps la vie familiale d'Aung San Suu Kyi. Un sacrifice, celui-là imposé par le destin, et qui ramène les Aung San à une famille, comme tant d'autres, déchirée par le conflit, la séparation avec le fils et frère aîné Aung San Oo.

Dès leur plus jeune âge, le frère et la sœur vivaient déjà à part. Lui était davantage un enfant solitaire, traumatisé sans doute par la mort violente de son père dont, contrairement à sa sœur, il semblait avoir gardé un souvenir vivace. Elle, on le sait, était proche d'Aung San Lin, le frère intermédiaire. La mort atroce de Ko Ko Lin n'en avait pas pour autant rapproché les deux enfants survivants. Cette séparation prit physiquement corps lorsque Aung San Suu Kyi, à l'âge de quinze ans, suivit sa mère en Inde. Aung San Oo, lui, était déjà parti étudier en Angleterre. Il semble qu'il considéra cette séparation comme un acte de favoritisme maternel à l'égard de sa jeune et jolie sœur. Un éloignement qui nourrit ses premières bouffées de rancœur.

Après ses études en Grande-Bretagne, il émigra aux États-Unis, où il obtint la nationalité américaine et fut engagé comme ingénieur en informatique. Il s'est installé en 1990 à San Diego avec son épouse Le Le Nwe Thein, dont l'arrivée dans la famille avait suscité la réprobation de Daw Khin Kyi et d'Aung San Suu Kyi.

Aung San Oo, on l'a vu, fit pourtant naître des espoirs en 1988 lorsqu'une partie des manifestants, rêvant d'un retour salvateur du fils du Bogyoke, brandirent des drapeaux et des pancartes à son nom. Mais il ne revint à Rangoon, sans son épouse et brièvement, que le 2 janvier 1989 pour les funérailles de sa mère.

Le conflit larvé entre le frère et la sœur prend une tournure beaucoup plus concrète et amère en 2001 lorsque Aung San Oo somme Aung San Suu Kyi devant un tribunal birman de lui céder la moitié de la propriété familiale de l'avenue de l'Université qui, estime-t-il, lui revient de droit. Son intention, affirme-t-il, est de céder au gouvernement sa part de la propriété afin qu'un musée y soit édifié, comme sa mère en avait exprimé la volonté. La vérité, comme souvent à Rangoon, est sans doute plus prosaïque. L'épouse d'Aung San Oo, Le Le Nwe Thein, serait en réalité derrière cette manœuvre. Proche de la faction de Khin Nyunt, elle œuvrerait ainsi pour priver sa belle-sœur et la LND d'un lieu qui *de facto* jouit d'une sorte de statut d'extraterritorialité. Sans compter que cet îlot de souveraineté est estimé au bas mot par les experts immobiliers à un million de dollars ! Le Le Nwe Thein se défend de toute intention mercantile ou politique. « Nous n'avons jamais envisagé de vivre dans la maison, affirme-t-elle. Khin Kyi voulait qu'elle soit transformée en mémorial. Vous savez bien qu'il s'agit d'une propriété publique, l'État l'a donnée à la famille [1]. »

L'affaire, que finalement la junte n'a tenté d'exploiter qu'avec mollesse – après tout Aung San Oo n'est-il pas citoyen américain ? –, n'a jamais été tranchée. Lorsqu'il revient pour de brefs séjours en Birmanie, Aung San Oo évite le 54, avenue de l'Université.

---

1. Radio Free Burma cité par *Times*, 29 janvier 2001.

Mais la douleur d'une sœur séparée d'un frère dont elle a depuis sa plus petite enfance toujours été éloignée ne sera jamais aussi aiguë que celle d'une mère privée de ses enfants.

L'irruption en 2002 dans la vie d'Aung San Suu Kyi d'un jeune homme de dix-neuf ans, l'aida, pour un temps en tout cas, à combler ce manque d'affection maternelle.

Clément a quitté sa Suisse natale et sa mère pour rejoindre son père en mission à Rangoon. C'est un jeune homme, comme tant d'autres de sa génération, empêtré dans les maux d'une adolescence qui n'en finit pas. Un jour, son père lui dit qu'Aung San Suu Kyi souhaite le rencontrer. Clément débarque donc avenue de l'Université dont les accès à l'époque sont strictement réglementés. « J'étais très nerveux, j'avais d'elle l'image impressionnante d'une femme seule face à des centaines de soldats. »

Une poignée de main, un regard et Aung San Suu Kyi lui pose une première question.

— Comment est ton anglais ?

— Heu, ça va… Et votre français ?

— Mon français va bien, merci.

Cette réplique séduit Aung San Suu Kyi. Le jeune homme a du répondant. Elle lui offre le thé et lui propose de revenir quand il veut. « Tu me rappelles mon jeune fils Kim », lui dit-elle avant de le quitter.

Clément revient un samedi après-midi. Elle l'emmène dans une petite pièce adjacente à la salle de séjour et y ouvre un débarras. Un fatras d'instruments de musique, synthétiseur, batterie, guitare, micros, haut-parleurs et amplificateur, manque de s'écrouler du réduit. Puis elle le présente à quatre militants de la LND. « Lui est guitariste, lui batteur, lui pianiste et lui bassiste, il ne nous manque qu'un chanteur, à toi de jouer. » « Elle savait par mon père que j'aimais chanter et qu'à plusieurs reprises, j'avais poussé le refrain dans des fêtes birmanes. »

Ainsi est lancée une pratique qui durera plusieurs mois : les concerts du samedi. Chaque samedi matin, Clément se rend chez Aung San Suu Kyi. Son nom est inscrit, comme tous ceux des visiteurs, sur une liste des services de renseignements. « J'étais le seul étranger sans titre ni raison officielle à lui rendre visite, c'était un privilège. » Le jeune homme est vite connu des agents qui le laissent passer les barrages sans vérification. « Hello mister Clément… »

Le samedi matin, le groupe répète puis s'interrompt à midi pour un déjeuner en présence d'Aung San Suu Kyi. Elle y parle de tout et de rien, surtout pas de politique. « On ne voulait pas mélanger les genres, pour elle c'était comme une oasis dans sa vie. » L'après-midi, jusqu'à 16 heures, le groupe joue, pour un public constitué de membres du Parti venus se relaxer après une réunion politique. Aung San Suu Kyi se joint de temps à autre et en « guest star », vient pianoter quelques accords sur le synthétiseur. Souvenir de ces longs jours des années 1990 lorsque, isolée du monde, elle s'essayait à des variations sur Scarlatti ou Chopin.

À l'occasion de ses cinquante-sept ans, en juin 2002, elle invite plusieurs diplomates et d'autres étrangers à se joindre à l'état-major de la LND pour une petite fête. Le groupe se produit en clôture de l'après-midi. Clément est au micro et entonne la chanson de Brian Adams, « Everything I do, I do it for you » (« Tout ce que je fais, je le fais pour toi »). Aung San Suu Kyi en a la larme à l'œil.

Un autre samedi, elle organise une fête pour la LND avec jeux et concours birmans traditionnels. Clément y est invité. Assise au premier rang des spectateurs, elle l'encourage à se relever lorsque, au cours d'une joute, il tombe d'une poutre. « Allez Clément, remonte, vite. »

Parfois, après une réunion, elle organise pour les militants de la LND une séance de cinéma avec un vieux magnétoscope. Quelques années auparavant, un visiteur étranger lui avait apporté un colis envoyé chez des amis à Bangkok. À l'intérieur, elle avait découvert emballé avec soin et accompagné d'un mot d'encouragement, la collection de cassettes de *Star Wars*, les épisodes 4, 5 et 6. Elle se souvenait en avoir fait la demande, sans trop y croire, sur requête de plusieurs jeunes du Parti. Elle ignorait qu'à Bangkok ses amis avaient fait parvenir la demande à une connaissance de George Lucas, le réalisateur de la saga. Qui s'était empressé d'envoyer le colis et un mot personnel !

Un jour Clément, qui avait pratiqué la danse moderne en Suisse, est engagé pour monter une chorégraphie et jouer les mannequins lors d'un défilé de mode dans un centre commercial de Rangoon. Aung San Suu Kyi arrive à l'improviste. « Elle est restée quelques minutes, il y avait un silence de mort dans l'assistance. »

Parfois, elle lui rend visite dans la maison qu'il partage avec son père dans un quartier populaire de Rangoon. Arrivant avec son chauffeur et un garde du corps, elle y est accueillie par une servante et un gardien « aux anges ». Aung San Suu Kyi et le jeune homme s'assoient au salon où la servante apporte du thé, des biscuits et, à l'occasion, son chocolat favori. « Nous discutions une dizaine de minutes, pas plus. Souvent, elle me parlait de ses enfants. Elle disait se faire du souci pour Kim qui avait un bébé et qui ne faisait pas grand-chose de sa vie. Elle trouvait qu'Alexander avait mieux géré la situation. »

Au fil des mois, se développe entre elle et le jeune homme une relation, quoi d'autre… maternelle. Elle lui prodigue les conseils d'une mère à un fils mal dans sa peau. « Prends garde aux mauvaises influences… Tu devrais être plus prudent. » Elle lui fait des petits cadeaux, une raquette de tennis, un CD de musique tibétaine qu'elle écoutait souvent en méditant.

« Elle a joué un rôle de pilier dans l'éclosion de ma vie de jeune adulte, elle a toujours trouvé les mots qu'il fallait pour que je me sente mieux et plus fort », confie Clément.

Certains samedis, alors que les musiciens font trembler les murs de la maison, elle monte se reposer ou méditer dans sa chambre. « La méditation, lui dit-elle, m'a toujours permis de conserver cette sorte d'énergie surnaturelle et de ne jamais lâcher prise, de toujours garder la tête haute. »

Avant de partir, Clément l'appelle discrètement du bas de l'escalier. « "Daw Suu, je m'en vais." Chaque fois, même si elle n'était pas dans son assiette, elle redescendait et m'accompagnait jusqu'à la voiture. »

Quelques jours avant le 20ᵉ anniveraire du jeune homme, Aung San Suu Kyi demande au père de ce dernier si en guise de cadeau un dîner au Planteur lui ferait plaisir. « Très bonne idée », lui répond-il. Le Planteur est l'un des restaurants les plus fins de Rangoon, une villa et un jardin aménagés au bout d'une allée qui se perd en méandres dans les collines verdoyantes d'un quartier résidentiel. Le patron a dressé une table pour deux personnes dans un petit salon privé. À l'arrivée d'Aung San Suu Kyi, un groupe de touristes allemands attablés près de l'entrée se pétrifie, bouche bée. La silhouette menue, en blouse et sarong mauve, une paire de roses jaunes au chignon, glisse vers le petit salon. C'est la deuxième fois qu'elle se rend dans ce restaurant. La première fois, c'était à l'invitation de Razali. Elle avait tenu à visiter les cuisines.

Pour les vingt ans de Clément, Aung San Suu Kyi fera une infidélité à l'une de ses règles de vie et goûtera lors de l'apéritif un petit verre de sauvignon blanc. Le dîner dure deux heures. « On a beaucoup parlé de mon avenir, de ma famille, elle m'a conseillé de persévérer dans la chanson mais aussi d'apprendre le birman. »

À la mi-2002, Aung San Suu Kyi reprend peu à peu ses tournées en province. À chacun de ses retours dans la capitale, elle s'arrange pour se libérer une partie du samedi après-midi et assister au concert du groupe de Clément.

Le jeune homme la voit pour la dernière fois à la fin avril 2003, quelques jours avant son départ pour une longue tournée dans le Nord. Un voyage dont elle va revenir meurtrie et à nouveau prisonnière.

19

19 heures. Après le thé du milieu d'après-midi, elle s'était partagée entre le rez-de-chaussée et l'étage où elle s'était remise à ses travaux d'écriture et de rangement. Vers 18 heures, une panne de courant était venue contrarier la tombée du jour. Elle était sortie pour brancher le générateur. Mais la panne n'avait duré que dix minutes.

Elle retrouve Daw Khin Khin Win et sa fille qui l'attendent pour le dîner. Il faut d'abord dresser la liste du lendemain. Que diriez-vous de bananes ? Une laitue fraîche, des haricots… Il nous faut aussi des batteries, de la poudre à lessiver. Quoi d'autre ? Daw Khin Khin Win retranscrit méticuleusement. Il faudra penser à remplacer la bonbonne de gaz.

Souvent, elle songe aux centaines de ses partisans qui croupissent en prison. Eux aussi ont droit à une liste. Mais ils ne peuvent la remettre que toutes les deux semaines, lors des quinze minutes de visite familiale autorisées. Et jamais ils ne sont certains de recevoir la totalité de leur commande.

L'emprisonnement est l'une des armes favorites de tous les dictateurs. Pas ou peu de sang, de cadavre, de disparu, l'immobilisation derrière des barreaux permet d'éviter bien des souillures que répandent d'autres outils de répression. On peut aussi facilement parer l'emprisonnement des attributs de la loi. Il y a toujours un article ou une clause, au besoin on en concocte au dernier moment, qui permet de donner une légitimité à une mise sous écrou. C'est enfin la machine idéale pour briser les êtres. En silence, derrière l'épaisseur d'un mur, sous le ciment d'un sous-sol.

En juillet 1989, les généraux refusent à Aung San Suu Kyi le « droit » qu'elle exige de partager le sort de ses compagnons de lutte enfermés à Insein. Emprisonner la fille du Bogyoke comme une vulgaire voleuse ? Peu recommandable... Ce serait courir le risque de déclencher des émeutes dans la prison même et à coup sûr attirer davantage l'attention sur un système de répression qui n'est justement efficace que dans la discrétion. Enfin, et ce n'est pas négligeable, en la cantonnant chez elle et en la contraignant à jouer « les détenues de luxe », on introduit chez ses partisans les plus faibles ou hésitants le ferment du doute. « Pourquoi risquerais-je la prison alors que madame joue du piano chez elle... ? » Aung San Suu Kyi n'ira donc pas rejoindre les siens à Insein. Qu'importe, les médias se chargeront de faire de sa maison l'une des prisons les plus connues au monde !

Au fil des années et de ses conversations avec les militants et sympathisants emprisonnés puis libérés, elle découvre une vérité que la mère au foyer d'Oxford n'aurait peut-être jamais devinée : la prison ne fait pas nécessairement le prisonnier !

« Je crois que certaines personnes qui ont été en prison ne vivaient pas non plus en prisonniers, dit-elle. Oncle U Kyi Maung (vice-président de la LND) raconte qu'il pensait parfois quand il était en prison : "Si ma femme savait comme je me sens libre, elle serait furieuse.[1]" »

Elle mentionne également l'autre vice-président de son parti, U Tin Oo. « Il m'a raconté qu'être emprisonné pour son amour de la liberté était l'une des plus belles récompenses de sa vie. »

Le cas des deux leaders de la LND n'est pas isolé. De nombreux détenus pourtant moins protégés par leur statut ou leur nom et qui connurent des sévices et des humiliations infiniment plus graves, sortirent de prison le corps brisé mais le mental intact. Chez beaucoup d'autres, la junte parvint à ses fins. Ils retrouvèrent la liberté si abîmés que plus jamais ils ne s'aventurèrent sur les dangereux chemins de l'opposition.

Les États qui font la guerre ont leurs anciens combattants. La Birmanie a ses anciens détenus politiques. Deux générations de femmes et d'hommes dont la vie a été interrompue par quelques séjours en liberté…

Modestie ou pudeur, beaucoup n'évoquent ces longues années qu'avec réticence. Daw San San fut l'une des 15 femmes élues au Parlement sur les listes de la LND en 1990. Entre 1991 et 2001, la biologiste marine proche d'Aung San Suu Kyi a passé au total cinq ans en prison. « Mon empri-

---

1. *La Voix du défi*, p. 45.

sonnement ? Ce n'est pas très intéressant, en Birmanie tout le monde va en prison », murmure-t-elle, comme gênée.

Souvent, les anciens détenus racontent leurs années de privation de liberté avec humour. U Moe Htu, le réalisateur de cinéma, paya son engagement de sept ans de prison. Peu disposé à « ennuyer le monde » avec ses histoires de détenu, il propose plutôt ses services d'entomologiste ! « En prison, nous sommes devenus spécialistes des insectes, en particulier des fourmis et des cafards. Je peux vous en raconter des tonnes sur leur comportement. »

En 1990, Cho Cho Kyaw Nyien, fille de l'ancien compagnon d'armes d'Aung San, est emprisonnée à Insein puis condamnée à sept ans pour « espionnage au service de la CIA ». Le vrai crime de cette mère de cinq enfants est d'avoir aidé des étudiants à organiser leur mouvement. Elle passe trois ans en régime cellulaire. « Pendant trois ans je n'ai pas vu la lune, je n'ai eu ni de quoi écrire ni de quoi lire. J'ai pu voir mes enfants pendant 15 minutes toutes les deux semaines. » On imagine qu'elle en est sortie anéantie. Pas du tout. « Si je n'avais pas passé ce temps à Insein, je ne serais pas une vraie Kyaw Nyein ! » sourit-elle.

D'autres n'eurent jamais l'occasion de plaisanter sur leur détention. Depuis 1988, près de 130 détenus politiques sont morts en prison, victimes directes d'actes de torture ou de la dégradation de leur état de santé.

« De nombreux rapports et commentaires sont disponibles, suggérant que l'expérience de la prison fait partie intégrante de l'existence des membres et des sympathisants de la LND, mais aussi de celle de l'opposition politique du régime en général », écrit Houtman [1]. « Nous sommes prisonniers dans notre propre pays », répète souvent Aung San Suu Kyi. Un jour, sarcastique, elle propose un nouveau symbole pour remplacer le paon qui orne le drapeau du Parti, une porte de prison fermée !

Dès sa libération en 1995, le sort des prisonniers politiques et de leur famille devient pour elle une priorité, un souci permanent. « Son humeur du jour, précise une amie, dépend énormément de qui a été arrêté la veille. »

Dans ses *Lettres de Birmanie*, elle s'étend sur le cas de plusieurs membres connus de la LND qui moururent en prison. « Les prisonniers de conscience qui ont perdu la vie au cours des années 1990 représentent une large variété du spectre politique birman, on y enregistre même un moine bouddhiste [2] », écrit-elle. Dans une autre lettre, elle évoque les femmes. « La vie n'est pas facile pour les détenues politiques. Elles sont enfermées avec des criminelles de droit commun et sont souvent soumises à des traitements humiliants de la part des gardiennes [3], écrit-elle. De délicates jeunes femmes habituées à une existence protégée se retrouvent à frayer avec des meurtrières et doivent apprendre les règles de base de relations humaines harmonieuses. »

Aung San Suu Kyi tient à jour la liste détaillée des détenus politiques. Les noms et les informa-

1. Houtman, *Mental Culture*, p. 199.
2. *Letters from Burma*, p. 157.
3. *Letters from Burma* in *The Nation*, 8 mai 1997.

tions sont communiqués à l'extérieur à des organisations de défense des droits de l'homme.

La LND a mis sur pied dès 1995 un comité spécial chargé de veiller au sort des détenus et de leur famille. Quand les fonds le permettent, ses membres organisent des colis pour les détenus contenant nourriture, serviette de bain, *cheroots*, produits de toilette, médicaments. Aung San Suu Kyi tient à superviser personnellement la préparation de ces colis. « Un jour, se souvient une amie, elle a voulu s'assurer que chaque détenu recevrait la même part. Elle a donc fait ouvrir les paniers déjà préparés, peser et réorganiser les rations. Elle a ensuite décidé que chacun devait avoir trois œufs. Elle les a fait acheter et cuits elle-même. » Ces tâches auraient pu être assurées par d'autres personnes mais c'était « sa manière de participer pleinement au processus », ajoute l'amie.

Avec le temps, les témoignages d'anciens détenus s'accumulent, permettant de dresser un tableau minutieux du système carcéral birman.

Celui de Myint Soe est exemplaire. Cet ancien étudiant a passé quatorze ans en prison ! Cinq mille jours qui racontent une histoire vécue par des centaines d'autres femmes et hommes.

Myint Soe a vingt-neuf ans, étudie la philosophie à l'université de Rangoon et est fiancé à une camarade d'amphithéâtre lorsqu'il découvre Aung San Suu Kyi le jour de sa première intervention publique devant l'Hôpital général. « J'ai été frappé par son charisme et stupéfait de la qualité de son birman », se souvient-il. Deux jours plus tard, après le discours d'intronisation à la pagode Shwedagon, quand la maison d'Aung San Suu Kyi se transforme en quartier général de l'opposition, Myint Soe propose ses services et s'impose vite comme un des piliers de la garde rapprochée.

Quelques mois plus tard, elle le nomme membre du Comité de la jeunesse de la LND. « Notre tâche était d'organiser l'information, de propager dans le pays le nom d'Aung San Suu Kyi et le programme du Parti. On distribuait des badges, des photos, on imaginait des slogans, des stratégies de désobéissance civile. »

En octobre 1990, quatre mois après les élections, le SLORC ferme la plupart des bureaux et branches de la LND et lance un raz de marée d'arrestations. Myint Soe, membre du Comité de la jeunesse, est une proie de choix. Il est arrêté et d'abord envoyé au centre d'interrogation des services de renseignements de Ye Kyi Ai à Rangoon, un des quarante que compte l'organisation à travers le pays.

C'est le débarquement en enfer. La journée, on l'amène dans une des baraques réservées aux interrogatoires. On le contraint à rester debout, menottes aux poignets, pendant trois ou quatre heures. Puis on l'autorise à s'asseoir ou à se tenir accroupi quelques minutes. Lorsque les interrogateurs sont bien disposés, il a droit à un verre d'eau. Sinon il faut attendre le soir ou le lendemain matin. « Ils me posaient un tas de questions, souvent ridicules, sur Aung San Suu Kyi. Ils la traitaient de tous les noms, faisaient des plaisanteries salaces sur elle. »

La nuit venue, les agents passent aux sévices corporels. Ce n'est plus d'informations dont ils sont assoiffés mais de sadisme. Ils collent Myint Soe torse nu contre un mur et chacun à leur tour, des talons aux épaules, ils le frappent à coups de bambou. « Des bâtons d'au moins cinq centimètres d'épaisseur », précise-t-il. Puis, ils lui assènent des coups de poing au visage, lui frappent le crâne avec le plat de la main. « Ma peau était gonflée sur tout le corps, elle avait pris une couleur vert gris. J'étais incapable de marcher, ils devaient me traîner vers ma cellule, j'ai perdu la vue pendant quatre jours. » Ce traitement durera sept jours. Le 9 octobre, il entend un remue-ménage dans la cellule voisine. Un gardien hurle qu'un autre détenu s'est suicidé. « Je n'ai jamais su comment il avait fait mais je sais que lui aussi avait été torturé. » En attendant son procès, il est transféré à Insein.

En décembre 1990, Myint Soe est condamné à sept ans de prison pour son appartenance au Comité exécutif central de la jeunesse du Parti. Cinq mois plus tard, une seconde condamnation à dix ans vient s'ajouter à la première.

À Insein, il se retrouve dans une cellule de 9 m² avec quatre autres détenus dont Aik Ko, un étudiant-prêtre de trente et un ans qui mourra en octobre 1993. Pour tout mobilier, la cellule dispose de nattes et, dans un coin, d'un vase qui sert aux besoins de chacun. Un pot d'eau est déposé de l'autre côté de la porte. On s'y sert à l'aide d'un gobelet à travers les barreaux. Les détenus sont autorisés à sortir de la cellule dix minutes par jour, le temps d'une douche et de quelques pas dans la cour.

Toutes les deux semaines, Myint Soe reçoit la visite de sa fiancée. Quinze minutes d'entretien, pas une seconde de plus. La jeune fille, qui n'est pas légalement membre de la famille, prend un risque considérable en se faisant passer pour la nièce de son fiancé dont elle a emprunté la carte d'identité. Elle a le droit de lui apporter 800 grammes de viande et autant de poisson, un régime de bananes, une boîte de biscuits et deux paquets de *cheroots*. Les livres et autres publications sont interdits. Il faudra attendre le retour d'une mission de la Croix-Rouge internationale en 1999 pour que les détenus aient à nouveau accès à de la lecture.

Au bout d'un an, Myint Soe est transféré à la prison de Thayet, près de Prome, à 250 kilomètres de Rangoon où il passera treize ans.

Là, les détenus politiques sont mélangés aux droits communs. Ils sont quatre-vingts à se partager une cellule longue d'une trentaine de mètres et large de quatre. 1,5 mètre carré par détenu !

Le programme du jour est immuable. Au matin, après une soupe de riz aux haricots blancs, les détenus s'organisent pour les travaux de nettoyage avant de se rendre au potager. Là on cultive des légumes pour sa propre consommation mais aussi pour le compte des gardiens qui les vendront au marché. Le soir, à 17 heures, après le travail, un deuxième repas est apporté, le plus souvent une bouillie de légumes et de patates douces. Une fois par semaine, le dîner est rehaussé d'une minuscule portion de viande ou de poisson. La réglementation pénitentiaire stipule que chaque groupe de douze détenus a droit à 1,6 kilo de viande de bœuf séché hebdomadaire. Dans la réalité, cette quantité doit être partagée entre trente-six détenus !

Qu'un détenu ose se plaindre de la piètre qualité de la nourriture et des mauvaises conditions d'emprisonnement, et il est aussitôt battu avec un tuyau de plastique.

La méfiance entre détenus politiques et droit commun, sournoisement entretenue par les autorités, pourrit la vie quotidienne. Les bagarres sont fréquentes. « La direction utilisait des criminels pour obtenir de nous des informations. Ils venaient nous parler de politique mine de rien et puis rapportaient nos conversations. Souvent, quand ils n'avaient rien à dénoncer, ils inventaient, en accusant tel ou tel de fomenter une évasion. »

Les politiques doivent aussi se soumettre contre leur gré à l'organisation hiérarchique pyramidale des criminels. La livraison d'informations soutirées à un politique favorise l'ascension d'un criminel. À cette distinction de classe de détenus, s'ajoutent les manœuvres d'intimidation communes à toutes les prisons de la terre. « Lorsqu'un nouveau détenu arrivait avec des vêtements neufs, il devait nettoyer les toilettes ou les donner aux leaders des droits communs. Ceux-ci, *via* des officiels corrompus, faisaient aussi parvenir des messages aux familles des nouveaux arrivants pour les forcer à donner de l'argent. »

Pour Myint Soe, les visites familiales se sont espacées. Le voyage pour cette prison éloignée coûte trop cher. Sa fiancée ne vient désormais que tous les trois mois. Elle lui apprendra en 1996 le décès de sa mère et en 2003 celui de son père.

Grâce à la complicité de certains gardes, les politiques parviennent parfois à introduire en cellule des livres ou des magazines étrangers. On fait passer un exemplaire de *Newsweek* ou de *Time*, datant souvent de nombreux mois, page par page d'une cellule à l'autre. Jeu dangereux. À trois reprises, les gardiens découvrent ces publications dans la cellule de Myint Soe. Ils lui valent chaque fois le cachot. Il y expérimente toutes les variantes prévues par le code pénitentiaire du matériel d'immobilisation : les chaînes aux pieds, la barre qui relie les pieds à une autre chaîne aux poignets...

Son premier séjour au mitard dure quinze jours. Il en sort avec une interdiction de visite familiale d'un an et demi. La deuxième fois se conclut sur une impossibilité de remise de peine et un an et demi supplémentaire d'interdiction de visite familiale. La troisième fois, il pourrissait au cachot depuis un mois lorsque le délégué de la Croix-Rouge eut accès à la prison et obtint son retour en cellule.

À plusieurs reprises, le directeur de la prison lui suggère d'envoyer une lettre à Khin Nyunt en lui demandant à titre exceptionnel une réduction de peine ou de signer l'ACT 401, un document qui autorise la libération mais stipule qu'en cas de récidive la nouvelle peine sera cumulée à l'ancienne. « Pas question, jamais je n'ai accepté de signer ni d'implorer Khin Nyunt. »

Comment un être humain peut-il endurer tant de sévices et d'humiliations sans sombrer dans la folie ? Beaucoup finirent par signer le papier qui leur rouvrait les portes de la liberté. Certains se suicidèrent. Myint Soe se souvient d'un de ses amis qui tenta de se pendre dans une cellule voisine. « La corde qu'il avait fabriquée avec un *longyi* s'est cassée... »

De nombreux autres parvinrent à transcender l'horreur de leur sort grâce à la méditation. « Il y avait plusieurs techniques, explique Myint Soe, moi j'utilisais la méthode appelée *samatha*, "tranquillité", qui consiste à fixer un point devant soi.

Je peignais sur le mur blanc de la cellule un cercle bleu, avec de la peinture à l'eau introduite en douce dans la prison, et je me concentrais sur ce cercle. »

Lui et ses compagnons ont à une époque reçu le soutien d'un moine bouddhiste emprisonné dans le même bloc. « Il nous a enseigné à ne pas sombrer dans la tristesse, à évacuer les mauvaises pensées qui viennent à l'esprit. »

Souvent, un autre souffle d'encouragement parvient à contourner les miradors et à s'infiltrer dans les cellules : celui d'Aung San Suu Kyi. Aucun mur n'a jamais pu totalement bloquer l'information. Des gardiens dotés d'un reste d'humanité, les parents en visite murmurent les évolutions politiques à Rangoon, les derniers mouvements et propos d'Aung San Suu Kyi. « Lorsqu'elle a été libérée en 1995, nous l'avons appris très vite, ça nous a remonté le moral. » Parfois les détenus reçoivent des colis mieux fournis que d'habitude. « De la part d'Aung San Suu Kyi », confie la mère ou le frère en visite. En échange, les prisonniers parviennent à lui faire passer leurs propres messages d'encouragement. En 1998, lorsqu'elle lance un nouvel appel au soutien à son combat à travers le pays, un groupe de détenus de Thayet parvient à faire sortir de la prison un bout de papier sur lequel ils ont écrit et signé leur nom. « Daw Suu, nous vous restons fidèles, nous vous soutiendrons toujours. »

Le 3 janvier 2005, le directeur de la prison vient annoncer leur libération à Myint Soe et à trois de ses compagnons. « Il nous a dit que nous avions été arrêtés par erreur ! Un gardien m'a amené jusqu'à la grille d'entrée, m'a donné 1 000 kyats et souhaité bonne chance. J'avais du mal à y croire. »

Myint Soe prend le ferry qui le ramène de l'autre côté du fleuve Irrawaddy et se rend au bureau local de la LND d'où il appelle sa famille. À Rangoon, sa fiancée, fidèle, l'a attendu, mais le couple n'a pas assez d'argent pour se marier.

Libéré des murs de Thayet mais pas de la gangue des services de renseignements qui le font surveiller de près, incapable de se réadapter à Rangoon qui « a tant changé », il décide de gagner la Thaïlande en mai 2006. Il s'installe dans une petite ville frontalière où vit une communauté de Birmans exilés. Dépourvu de papiers légaux, il n'a pas le droit de quitter la ville. Comme s'il était condamné à jamais à errer d'une prison à l'autre.

20

19 h 30. *Le dîner et la vaisselle terminés, elle s'assied dans le sofa de la salle de séjour. Depuis plus de trois heures, la pluie a instauré son assourdissante dictature. Même pas quelques petites minutes de répit pour lui permettre d'écouter une sonate de Chopin comme elle en avait l'intention. Pourvu qu'elle cesse la nuit. Ces derniers temps, elle a le sommeil fragile.*

Elle ouvre une chemise de carton qu'elle a descendue du bureau. La première page est barrée au feutre de sept lettres énergiques, « DEPAYIN *». Elle y consigne tout ce que sa mémoire mais aussi celle des treize étudiants qui après leur libération avaient pu revenir vivre quelque temps sur la propriété, ont pu reconstituer de l'affaire de Depayin. Ce matin, elle a retrouvé des documents que l'envoyé spécial des Nations unies lui avait remis lors de sa dernière visite, il y a plus de deux ans. Parmi eux, des témoignages de femmes qui se trouvaient dans un véhicule à l'arrière du convoi. Elle veut les relire. Ne pas oublier l'indicible.*

Le 6 mai 2003, un convoi de quatre véhicules quitte Rangoon à l'aube. À bord, Aung San Suu Kyi, U Tin Oo et douze jeunes hommes, membres du Parti chargés de la sécurité. Aung San Suu Kyi les a choisis en personne, après les avoir observés lors de précédentes sorties. Ils prévoient d'arriver à Mandalay vers minuit. La route est longue et difficile. Aung San Suu Kyi s'est préparé quelques coussins pour atténuer les douleurs chroniques de son dos.

De Mandalay, la petite expédition reprendra la route vers le Nord pour une tournée de plusieurs semaines dans la région.

Elle a repris ses voyages en province un an auparavant. La junte lui a donné une liberté de mouvement inédite depuis la campagne électorale de 1989. Elle a pu se rendre dans des dizaines de districts, prononcer des centaines de discours, inaugurer et visiter de nombreux bureaux de la LND à travers tout le pays sans subir le harcèlement habituel des nervis du régime. La junte a même autorisé une délégation d'Amnesty International à visiter pour la première fois des prisons du pays.

Mais, à la fin 2002, le régime a de nouveau fermé les volets de l'espoir. Les hommes de main de l'USDA ont peu à peu relancé leurs campagnes de mesquinerie et d'intimidation contre la LND, multipliant les incidents.

En décembre 2002, une foule de 20 000 personnes l'attendait à Mrauk-Oo, un bourg de l'État d'Arakan, dans l'ouest du pays. Des policiers anti-émeutes avaient fait irruption à bord d'un camion de pompier. Ils s'apprêtaient à disperser la foule à l'aide de lances à eau lorsque Aung San Suu Kyi avait bondi de sa voiture pour se précipiter sur la plate-forme du camion. De là, elle avait harangué les policiers, leur rappelant que leur mission n'était pas de harceler le peuple mais bien de le servir. « Avec quelques amis, se souvient Janelle Saffin, à l'époque membre du Parlement australien très active auprès de l'opposition birmane, on s'est dit en plaisantant qu'elle s'était désormais engagée dans la lutte contre les incendies et qu'elle était décidément capable d'affronter n'importe quel type de situation. » Quelques semaines plus tard, un étrange colis parvenait avenue de l'Université. Il contenait un uniforme de pompier, avec casque et veste, cadeau à Aung San Suu Kyi des autorités de l'État de la Nouvelle-Galles du Sud en Australie !

Ces incidents ont une fois encore internationalisé la tension. En février 2003, le gouvernement américain a menacé de renouveler ses sanctions économiques. Un voyage de Razali a été reporté *sine die*. Un mois plus tard, le rapporteur spécial des Nations unies sur la situation des droits de l'homme en Birmanie, Paulo Sérgio Pinheiro, a quitté le pays abruptement, furieux d'avoir été placé sur écoutes lors d'entretiens avec des détenus.

Comme souvent en Birmanie, les raisons de ce durcissement font l'objet de spéculations. Sans doute reflète-t-il l'évolution du bras de fer opposant depuis longtemps les durs du régime et ceux que l'on appelle, à défaut de modérés, les « pragmatiques ». Les durs pensaient avoir réduit l'influence politique d'Aung San Suu Kyi. Ils réalisent que sa popularité non seulement est intacte mais croît au fur et à mesure de ses voyages hors de Rangoon. Partout des milliers et des milliers de personnes viennent la voir et écouter ses discours qui par la force des choses se font plus politiques et critiques à l'égard de la junte. Razali fait savoir à un ministre qu'il « serait erroné de laisser voyager Suu Kyi partout et de ne pas entamer des pourparlers décisifs entre le gouvernement et la LND[1] ».

Than Shwe a délégué la gestion de cette reprise en main au général Soe Win. Ancien commandant de la région Nord-Ouest et opposant notoire à tout dialogue, c'est l'homme qui monte au sein du régime. Il s'était fait remarquer en 1988 lorsque, à la tête d'une division d'infanterie il avait ordonné à ses troupes de tirer sur la foule de manifestants. C'est aussi un des principaux responsables de l'USDA. Than Shwe l'a promu quelques mois auparavant au rang de « Secrétaire 2 », ce qui en fait le quatrième personnage de la junte.

Quelques jours avant son départ pour la tournée dans le Nord, Aung San Suu Kyi avait mis publiquement en doute la sincérité du régime dans ses efforts de négociation. « J'en suis arrivée à la conclusion, avait-elle dit lors d'une conférence de presse, que le SPDC n'est pas intéressé par une réconciliation nationale. Or, nous avons besoin d'aboutir rapidement à une réconciliation nationale pour le bien-être du peuple et du pays… Il est grand temps de passer de l'étape du rétablissement de la confiance mutuelle à celle d'une totale coopération, en particulier dans le domaine humani-

---

1. *Number One Wisma Putra.*

taire, qui nous mènera à une réconciliation générale et au dialogue. »

À Mandalay, avant de reprendre la route, l'équipe d'Aung San Suu Kyi s'est étoffée de plusieurs jeunes militants locaux dont Kyaw Soe Lin, un étudiant en droit de vingt-cinq ans. Il a grandi au milieu du cambouis et des clés à molette du garage familial et s'est forgé au sein de la jeunesse locale une réputation d'excellent conducteur. Il est donc choisi comme chauffeur d'Aung San Suu Kyi.

Au cours des deux semaines suivantes, le convoi parcourt des centaines de kilomètres, s'arrêtant plusieurs fois par jour dans des villes, des bourgades, des villages. Partout, une foule considérable attend Aung San Suu Kyi. Sur les routes, des torrents humains enveloppent son véhicule. On lui glisse des bouquets de fleurs par la vitre, on lui ceint le cou de guirlandes, on lui tend la main, on veut la toucher, on entend de cette foule un murmure enfler puis gronder avec cette douceur incantatoire de la langue birmane : « Aung San Suu Kyi, demoograzyyyy... Aung San Suu Kyi, demoograzyyyy. »

Toujours habillée de frais, la fleur au cheveu et la frange peignée, elle s'adresse à la foule avec ses mots simples du haut d'un balcon, d'une terrasse, d'une fenêtre ou, quand il n'y a pas le choix, du toit d'un pick-up. Tout autour, dans les rues, les membres du Parti ont dressé des haut-parleurs et préparé un micro. Les gens patientent, souvent des heures, sous la chaleur ou la pluie. Dans ces régions peuplées d'une multitude de groupes ethniques, les femmes ont souvent revêtu leur costume traditionnel.

À Bhamo, ville de l'État kachin, elle apparaît, en blouse et *longyi* gris anthracite, dans le cadre d'une fenêtre au deuxième étage d'une maison. En contrebas, une immense marée de champignons multicolores s'étale sur la rue. Sous leur parapluie, ils sont des milliers – 10 000 ? 20 000 ? – à lever la tête pour apercevoir Daw Suu, là-haut, si petite mais si présente. Ils applaudissent de longues minutes : « Longue vie à Aung San Suu Kyi. » Elle prend le micro : « Bonjour à tous… » Le son mal réglé fuse dans une vibration stridente qui fait grimacer la foule. Elle tapote sur le micro et sourit. « Merci d'être venus malgré la pluie pour l'inauguration de notre bureau… Et même s'il pleut et que le ciel semble couvert et lugubre, vos parapluies de toutes les couleurs illuminent le jour, exactement comme nous pouvons apercevoir un avenir brillant pour notre pays malgré les jours sombres. »

Puis elle se lance dans un discours sur la conscience politique. « Je ne veux pas que les gens disent : "Je ne veux rien savoir de la politique." Si vous dites que la politique n'a rien à voir avec vous, alors que dire lorsque le prix du riz ou du gasoil augmente ? Si la politique n'a rien à voir avec vous, alors quand le prix du riz et du gasoil augmente, ne venez pas gémir et vous plaindre. »

La foule applaudit, la pluie s'est calmée, des parapluies se ferment. Elle poursuit : « Prétendre que cela n'a rien à voir avec vous. Est-ce possible ? Pouvez-vous faire cela ? »

« Non ! » hurle la foule. « Oui, ça c'est de la politique. La politique de notre pays, l'avenir de notre pays a tout à avoir avec vous, avec chacun d'entre vous. »

La foule est conquise. Aung San Suu Kyi redescend, s'engouffre dans sa voiture. Direction une autre ville pour un autre discours.

Dans la voiture, elle tente de s'assoupir quelques instants. Mais comment faire la sieste sur un tapis de nids-de-poule ? Ses gardes du corps et ses collaborateurs la trouvent soucieuse. La foule n'avait vu que le sourire. Eux observent les traits ramollis, les paupières et les joues affaissées, le teint blafard. Car depuis le début de la tournée, le convoi est bombardé de tracasseries et de provocations. Dans un village, alors que la foule l'attend, des gens juchés à l'arrière d'un pick-up crient : « À bas les suppôts du colonialisme ! » Ce sont des slogans que le régime rabâche depuis toujours. Le long d'une autre route, des hommes poings levés brandissent des panneaux où est écrit en anglais « GET OUT » (« foutez le camp »).

Ailleurs, des inconnus tirent des projectiles au lance-pierres sur la voiture d'Aung San Suu Kyi qui a dû être immobilisée pour de menues réparations. Elle n'est pas à bord.

Un autre jour, le convoi entre le soir dans un gros bourg. Une dizaine de membres de l'USDA manifestent devant le bureau local des services de renseignements. Aung San Suu Kyi fait arrêter son véhicule pour écouter leurs slogans, tenter d'établir un dialogue. Des sympathisants arrivent de partout. On leur distribue des bougies. « La foule s'est transformée en une mer de lueurs », raconte un témoin.

Dans plusieurs villages, des membres de l'USDA précèdent le convoi d'Aung San Suu Kyi pour y menacer les habitants qui l'attendent. « Sauve qui

peut ou vous devrez ramasser vos propres cadavres[1] ! » gueulent-ils.

Aung San Suu Kyi avait dès les premiers incidents lancé un appel aux foules : « S'il vous plaît,
ne répondez surtout pas aux provocations. »

Autre signe inquiétant, le 24 mai, l'état-major à
Rangoon décrète l'état d'urgence pour toutes les
organisations armées du pays.

Lors d'un discours le 25 mai, elle improvise sur
la nature de l'USDA : « Nous aimerions demander
si l'Association est une organisation en dehors de
la loi. L'existence d'une organisation en dehors de
la loi est-elle convenable dans un pays ? Est-ce légi-
time ? C'est en tout cas très discutable. »

Le 30 mai, les incidents vont dégénérer en tragédie.

Aung San Suu Kyi l'ignorait mais la veille, à Rangoon, un curieux incident s'était produit. Alors que
Khin Nyunt recevait une délégation du Bureau
international du travail (BIT), il avait reçu un
appel sur son portable. « Excusez-moi, je reviens. »
Il était bien revenu mais une heure et demie plus
tard et… livide. Au bout de deux minutes, il avait
mis fin à la réunion, qui visiblement ne l'intéressait
plus. Il avait en réalité reçu un appel de Than
Shwe. Le généralissime annonçait à son rival le
programme des prochains jours… On l'apprendra
plus tard, cet appel survenait après une réunion à
huis clos entre le général Soe Win et le directeur
de l'USDA pour mettre au point les derniers détails
d'un plan machiavélique.

---

1. Altsean, rapport 24 juin 2003.

À 10 heures du matin, Aung San Suu Kyi et son équipe quittent Monywa, capitale économique de la Division de Sagaing, où ils ont passé la nuit. Direction Butalin à quelques heures de route où elle doit entériner la formation d'un bureau de la jeunesse et prononcer un discours. En chemin, des voitures, des motos et des vélos se joignent, pour quelques centaines de mètres, quelques kilomètres, au convoi qui comprend maintenant six véhicules. Depuis le départ, une dizaine de camions se sont collés à l'arrière du cortège. À leur bord quelque trois cents hommes, dont plusieurs portent la robe pourpre des bonzes. Ils paraissent fébriles, excités. Ce sont en réalité des prisonniers de droit commun que l'USDA a fait libérer et raser pour la circonstance. On leur a promis 500 kyats et les repas du jour pour manifester contre l'expédition de la LND.

À Butalin, Aung San Suu Kyi suit le programme prévu. Le convoi repart vers 18 h 30 pour la commune de Depayin où il est prévu d'ériger des panneaux du Parti. La nuit est tombée. À bord de son pick-up, dix-sept jeunes l'accompagnent : le chauffeur, un passager et quinze qui se tiennent debout sur la plate-forme arrière.

Seuls les phares des véhicules éclairent l'étroite route qui file au milieu des champs. Lors de la traversée du village de Kyi, plusieurs milliers de personnes enthousiastes massées sur les bas-côtés acclament le convoi. À la sortie, deux moines s'approchent de la voiture d'Aung San Suu Kyi. S'agit-il de vrais moines ou d'affidés de l'USDA déguisés en moines et chargés d'arrêter le convoi ? Nul ne le sut jamais.

— Daw Suu, venez nous saluer, s'il vous plaît.

— Désolé, nous n'avons pas le temps, il se fait tard.

— Nous vous attendons depuis ce matin. Les gens veulent voir votre visage, que vous leur disiez quelques mots.

À cet instant, à l'arrière, les trois cents hommes qui suivaient le convoi depuis le matin bondissent des camions. Ils sortent des bâtons de bambou taillés en pointe, des bouts de tuyaux en métal, des machettes, des lance-pierres. Certains ont un revolver. À la lueur désordonnée et vacillante des phares et des lampes-torches, ils se mettent à frapper avec une sauvagerie inouïe tout ce qui bouge autour d'eux. Ils sont organisés en petits groupes d'une dizaine d'hommes. En signe de reconnaissance, ils portent un bout d'étoffe blanche au poignet ou au bras. Des villageois s'écroulent, parmi eux des femmes, des enfants, des moines. D'autres tentent de fuir. Certains, dépouillés de leurs vêtements, courent nus dans les champs. « Vous protégez la femme d'un *kalar pyu* [1] », hurlent des agresseurs.

Ko Wunna Maung, un des jeunes de la LND, qui trouvera plus tard refuge en Thaïlande, raconte : « Les gens à l'arrière gisaient tous sur le sol dans leur sang. Les agresseurs continuaient à frapper partout, ils nous pourchassaient comme des animaux [2]. »

Des repris de justice déguisés en moines encerclent le véhicule des vrais moines qui accompagnent Aung San Suu Kyi. Ils leur ordonnent de ne pas bouger.

---

1. *Kalar,* terme péjoratif signifiant étranger.
2. Altsean, Dopayin Report.

Un groupe d'agresseurs se ruent sur le pick-up de queue occupé par une quinzaine de femmes membres du Parti. Elles tentent de sauter de la plate-forme et de s'échapper, mais trop tard. Elles se retrouvent à terre, frappées à la tête, partout sur le corps.

Daw Nyunt Nyunt, une femme d'une cinquantaine d'années, est tirée par les cheveux : « Ils m'ont frappée au dos avec une brique, puis lorsque je suis tombée, ils m'ont battue avec des bâtons de bambou, à la tête, aux jambes. Ils étaient quatre. J'ai perdu connaissance. Lorsque je suis revenue à moi, la foule s'était dissipée. J'ai vu le chauffeur de notre voiture, écroulé par la portière, son globe oculaire gauche manquait[1]. » Une autre femme, Daw Win Mya Mya, leader de l'organisation de femmes de la LND à Mandalay, a les deux poignets brisés.

À l'avant du convoi, Aung San Suu Kyi s'est rendu compte que quelque chose ne tourne pas rond. Elle demande à ses gardes du corps de faire venir des motos qui précédaient le convoi afin qu'ils éclairent la scène. Une vingtaine de motocyclistes s'exécutent mais ils sont aussitôt bombardés de pierres et s'enfuient. La foule qui s'était massée autour d'Aung San Suu Kyi se disperse.

Kyaw Soe Lin, le jeune chauffeur, aperçoit des gens courir nus, ensanglantés, poursuivis le long de la route. Il a compris que les agresseurs remontent vers l'avant. Il redémarre, se déporte sur la gauche dans le champ pour dépasser les autres véhicules immobilisés devant lui.

---

1. *Ibid.*

Un groupe d'hommes se précipitent vers la voiture.

Myo Zaw Aung, un des gardes du corps, parvient, en s'agrippant au toit du véhicule, à se maintenir debout contre la portière du côté d'Aung San Suu Kyi. « Ils ont commencé à me frapper au dos et à la tête. Ils étaient trois ou quatre dont deux faux moines. J'ai entendu l'un d'eux crier : "C'est la voiture de Daw Aung San Suu Kyi, ne la frappez pas, ce n'est pas bon." Ils se sont arrêtés un instant puis ont recommencé. Je pensais que j'allais mourir. » Ils fracassent les vitres latérales et les phares.

Le chauffeur fonce alors dans l'obscurité, évitant des villageois qui fuient, paniqués. Assise à l'arrière, callée contre des bagages et des caisses de matériel, Aung San Suu Kyi a été égratignée au cou par des éclats de verre. Elle demande au passager assis à la gauche du chauffeur : « Que se passe-t-il ? Qui sont ces gens, pourquoi fuient-ils ? »

La voiture d'Aung San Suu Kyi se retrouve seule dans la nuit. Les feux de position, épargnés, éclairent faiblement la route.

Mais bientôt, à une centaine de mètres face à lui, Kyaw Soe Lin découvre un nouvel obstacle. Des dizaines de véhicules alignés, à gauche et à droite, perpendiculairement à la route, éclairent la plaine. Certains sont équipés de projecteurs dressés sur le toit. Des centaines d'hommes, dont beaucoup vêtus d'une chemise blanche et d'un *longyi* vert, l'uniforme de l'USDA, se tiennent debout, bâtons à la main. Des rouleaux de barbelés ont été déployés tout autour. Devant, des picks-up et des camions de police bloquent la route, à l'exception d'un étroit passage lui-même obstrué par des barrières de bois et de barbelés. Impossible de faire demi-tour. Aung San Suu Kyi et son escorte sont tombées dans une embuscade minutieusement préparée.

Les 300 hommes de l'USDA qui s'étaient collés au convoi depuis le matin avaient aussi pour mission de précipiter tous les véhicules dans ce guet-apens. Kyaw Soe Lin a quelques secondes pour tenter d'en sortir. Il décide de créer une diversion et brusquement déporte sa voiture sur la droite. Il fonce dans le champ, forçant les hommes à se disperser. Profitant de ces instants de panique, il revient sur la route, se rue vers les barrières, les fait exploser et s'engage entre les camions de police. Des policiers se jettent sur les bas-côtés. Des coups de feu retentissent à l'arrière mais la voiture d'Aung San Suu Kyi accélérant dans la nuit, parvient à se mettre hors de danger. Par miracle, personne n'a été blessé. Seul Myo Zaw Aung souffre de la main et du dos.

Au bout d'une demi-heure de route dans l'obscurité, la voiture arrive en vue de la petite ville de Ray Oo. Mais Kyaw Soe Lin ne maîtrise plus bien le volant. Il s'arrête dans un bosquet et constate qu'un bâton est coincé entre la barre de direction et une roue. Chacun profite de la réparation pour descendre de la voiture et reprendre ses esprits. Que va-t-il se passer maintenant ? Une autre embuscade ? À l'entrée de Ray Oo, un vieux gardien éberlué de voir arriver Aung San Suu Kyi en pleine nuit appelle l'armée. Une demi-heure plus tard, un convoi de camions chargés de soldats fait irruption. Un officier ordonne à ses hommes de mettre en joue Aung San Suu Kyi et ses accompagnateurs. Puis il lui demande :

— Êtes-vous prête à nous suivre sans problème jusqu'au poste de police de la ville ?

— Oui, allons-y.

À leur arrivée, l'officier s'adresse à nouveau à Aung San Suu Kyi :

— Daw Aung San Suu Kyi, s'il vous plaît, veuillez me suivre à l'intérieur du poste.

— Non, je ne peux pas, je ne veux pas me séparer de mes jeunes gens. Nous sommes venus ensemble. Si vous voulez tuer ces jeunes gens, vous devez me tuer également. Si vous procédez en respectant la loi, je vous accompagnerai.

— D'accord, suivez-nous donc.

— Oui, mais alors j'emmène avec moi deux témoins.

— Bon, d'accord.

Elle choisit Tun Myint et Tun Zaw Zaw. Les quinze autres jeunes gens sont enfermés dans la prison de la station.

Au poste, un agent des services de renseignements engage une brève conversation avec Aung San Suu Kyi.

— Vous savez pourquoi des gens ont été battus ?

— Ces agresseurs doivent être de chez vous.

— Non, c'est un peu différent. Les gens qui ont battu la foule sont vos opposants, ceux avec qui vous avez des problèmes.

À sa façon sibylline, l'agent veut lui dire que l'agression et l'embuscade ne sont pas de la responsabilité de son patron Khin Nyunt.

Aung San Suu Kyi et ses deux étudiants témoins sont invités à s'asseoir. Épuisée, prise d'étourdissements, en sueur, elle reste silencieuse, enfoncée dans ses pensées pendant plusieurs heures, jusqu'à l'arrivée du commissaire, au milieu de la nuit. Les deux témoins sont emmenés auprès de leurs compagnons. Ils ne reverront plus Aung San Suu Kyi avant de nombreux mois.

Le lendemain matin, la junte organise un verrouillage de l'information. Les routes de la région sont bouclées, les lignes téléphoniques coupées. Mais il est impossible de dissimuler totalement un incident d'une telle ampleur. Bientôt, le pays bruit de rumeurs sur ce que l'on qualifie déjà de « Vendredi noir ».

Les bilans de cette soirée d'horreur sont contradictoires. Un premier rapport parle d'au moins 70 morts et de nombreux blessés, un autre confirme le décès de dix personnes et la disparition d'une centaine d'autres. Le régime annonce officiellement quatre morts et cinquante blessés. Au lendemain de l'attaque, « des sources proches du Commandement militaire de la région Nord-Ouest rapportent que 65 cadavres ont été incinérés en secret dans l'enceinte du quartier général[1] ». À la fin juin, Amnesty International publie la liste de 45 disparus. Un an plus tard, le gouvernement birman en exil (NCGUB), citant un rapport de l'armée clandestinement sorti, parle de 282 morts.

Quelques jours après l'agression, deux membres de l'ambassade américaine se rendent sur les lieux. Ils y découvrent des traces « d'une violence considérable », des lambeaux de vêtements ensanglantés, des armes, des débris de phares des véhicules. « À l'évidence, des ordres avaient été donnés

---

1. *Ibid.*

pour une violente attaque », écrit un des rapporteurs[1].

Plusieurs dizaines de militants de la LND, dont le vice-président U Tin Oo, ont été arrêtés. D'autres membres du Parti seront interpellés au cours des jours suivants.

Quant à Aung San Suu Kyi, elle a disparu... A-t-elle été tuée ? Blessée ? Que s'est-il passé là dans ces lointaines contrées du Nord ? Le 3 juin, trois jours après l'embuscade, le vice-ministre des Affaires étrangères rencontre des diplomates à Rangoon. Il leur explique que le « gouvernement a été contraint de prendre des mesures provisoires pour assurer la protection de Daw Aung San Suu Kyi ». Puis il remet un long communiqué dans lequel la junte donne sa version des faits. Au cours de la récente tournée dans le Nord, « un ressentiment croissant s'est fait jour au sein de la population locale en raison de l'action tyrannique menée par des membres de l'entourage d'Aung San Suu Kyi, en particulier des membres de la jeunesse ». Le gouvernement met notamment en cause les nombreuses motos qui accompagnaient le convoi d'Aung San Suu Kyi, « bloquant ainsi les routes, avec un total mépris pour le code de la route et la population locale ».

En réalité, Aung San Suu Kyi a été ramenée dès le lendemain à Rangoon, à bord d'un convoi militaire et placée en détention à Insein, là où sont emprisonnés des centaines de ses sympathisants et des milliers de criminels. Il faut attendre le 10 juin, dix jours après l'incident de Depayin, pour en avoir enfin une confirmation indépendante.

---

1. Associated Press, 5 juin 2003.

Razali, l'envoyé spécial des Nations unies, a obtenu un visa pour Rangoon où il débarque le 6 juin. Than Shwe, pour éviter de le rencontrer, est parti se reposer sur une plage dans l'ouest du pays. C'est donc Maung Aye dont on dit qu'il nourrit une certaine sympathie à l'égard d'Aung San Suu Kyi, remarquée notamment lors du fameux dîner de janvier 2002, qui reçoit Razali. Le numéro deux de la junte lui montre des photos d'elle, sans préciser où elles furent prises. Elle a l'air en relative bonne santé. Mais l'envoyé des Nations unies attendra quatre jours pour avoir l'autorisation de visite.

Une voiture l'emmène. À bord le général de brigade (Brig-Gen) Than Tun, l'homme proche de Khin Nunt qui fut officier de liaison d'Aung San Suu Kyi pendant sa première détention, le « baby-sitter ». Than Tun est resté le lien officiel entre la junte et la LDN. « J'essayais de me souvenir de cette route, mais elles se ressemblent toutes, ça n'en finissait pas, raconte Razali. Puis on nous a fait changer de voiture et de chauffeur. J'avais l'impression de vivre un film policier. Il y avait des véhicules aux vitres teintées qui nous suivaient. Enfin on se retrouve nez à nez avec un bâtiment qui ressemblait visiblement à une prison, nous étions à Insein. » Un gardien emmène les deux hommes vers un cabanon de béton construit sur un petit espace vert le long du bloc abritant les salles d'interrogatoire des femmes détenues. C'est un minuscule deux-pièces équipé à l'extérieur de toilettes et d'un puits.

Aung San Suu Kyi avait un jour plaisanté avec un représentant de la Croix-Rouge qui avait repéré ce cabanon inoccupé et qui, était-il persuadé, avait été construit pour elle. « Il faut que je visite la maison qu'ils m'ont préparée à Insein », avait-elle plaisanté un jour.

Elle est surprise de voir Razali. « Elle n'était pas aussi calme, aussi en forme que d'habitude, elle était dépenaillée, elle ne portait pas ses vêtements usuels. » Elle lui déclare d'abord avec solennité : « Je veux que justice soit rendue. » Puis demande des nouvelles de son chauffeur et des autres étudiants qui l'accompagnaient à Depayin. Elle lui remet la liste de leurs noms que Razali confiera au gouvernement. Elle s'adresse ensuite à Than Tun et lui demande qu'il fasse apporter ses vêtements et ses produits de toilette. À Razali, elle précise : « Dites au gouvernement que, malgré ce qui s'est passé, je suis prête à tourner la page et à le rencontrer pour discuter, pour le bien du peuple. »

À sa sortie d'Insein, Razali se précipite chez Khin Nyunt. Il est hors de lui, se sent manipulé. « Comment pouvez-vous faire ça ? Vous espérez que moi, représentant des Nations unies, je vais fermer les yeux là-dessus... Pas question. Si je raconte au monde entier qu'elle est emprisonnée à Insein, cela créera davantage de problèmes pour vous. » Khin Nyunt promet à Razali de ne pas laisser Aung San Suu Kyi à Insein.

Afin de ne pas faire perdre la face à Khin Nyunt, qu'il sait sur la sellette, Razali ne révèle son secret qu'à Kofi Annan. À la presse, il se contente de dire que le lieu où il l'a rencontrée est « absolument déplorable, indigne de la stature et du statut de leader politique et national d'Aung San Suu Kyi [1] ». On l'accusera d'avoir été manipulé par la junte et

---

1. AFP, 2 juillet 2003.

« incapable de remplir sa mission pour faciliter un dialogue[1] ». Le sénateur américain Mitch McConnell, un des élus américains les plus engagés contre la junte birmane, critique violemment Razali : « Il n'a pas réussi à faire libérer Suu Kyi et je suis surpris qu'il n'ait rien dit de plus pour condamner les actions inqualifiables des bandits de Rangoon[2]. »

À Bangkok, le Premier ministre thaï Thaksin Shinawatra croit rassurer la communauté internationale en révélant que le ministre des Affaires étrangères birman lui a montré une photo d'Aung San Suu Kyi confirmant qu'elle « est détenue dans une maison fournie par les autorités du Myanmar[3] ». « Pour autant que je puisse en juger, ajoute-t-il, elle semble normale, aucun problème. »

Cette intervention ne convainc pas. De nombreux États exigent une enquête indépendante et sa libération immédiate. Le Japon, premier fournisseur d'aide de la Birmanie, suspendra ses nouveaux projets de développement.

Le 11 juin, le Sénat américain renforce les sanctions à l'encontre de la Birmanie en votant l'interdiction des importations en provenance du pays et le gel des actifs bancaires des membres de la junte.

À nouveau le débat sur l'efficacité des sanctions est relancé. Un des spécialistes reconnus de la Birmanie, David Steinberg, se dit opposé à ces nouvelles mesures : « Une fois de plus, les hauteurs morales ont été atteintes et l'indignation satisfaite, mais il n'a pas été tenu compte de l'échec des sanc-

---

1. Altsean, rapport du 24 juin 2003.
2. *Washington Post*, 14 juin 2003.
3. Kyodo (Agence de presse), 2 juillet 2003.

tions américaines précédentes à provoquer le départ des militaires[1]. »

Aung San Suu Kyi est enfin transférée le 2 juillet, soit trois semaines après l'engagement donné par Khin Nyunt à Razali, à Yemon, un centre de détention militaire à une quarantaine de kilomètres de Rangoon. Elle y reçoit pendant une trentaine de minutes la visite d'une mission de la Croix-Rouge internationale. Le chef de cette délégation déclare qu'elle est « en bonne santé et de bonne humeur ».

À la fin du mois d'août, relayé par certains diplomates occidentaux à Rangoon, le bruit court qu'Aung San Suu Kyi est en grève de la faim. Le délégué de la Croix-Rouge autorisé à la visiter à nouveau dément ces rumeurs.

À cette époque, Khin Nyunt propose une « feuille de route » en sept points pour développer ce qu'il appelle une « démocratie disciplinée ». Basée sur la reprise de la Convention nationale, l'organisation d'un référendum sur une nouvelle Constitution et la tenue d'élections, cette proposition n'est en réalité qu'une nouvelle mouture à peine remaniée des vieux plans de la junte. Mais surtout, elle ne s'engage sur aucun calendrier précis.

Mais le 19 septembre, dans la soirée, plus de trois mois après son arrestation, Aung San Suu Kyi est emmenée d'urgence à l'Asia Royal Cardiac and Medical Center (Centre médical et cardiaque royal d'Asie), une des meilleures cliniques privées de Rangoon. Les lieux sont cernés par des dizaines de soldats et de policiers.

---

1. *International Herald Tribune*, 17 juin 2003.

Le lendemain matin, son médecin attitré, le Dr Tin Myo Win, dirige une hystérectomie, l'ablation de l'utérus, qui durera trois heures. « L'opération s'est déroulée pour le mieux », annonce le médecin.

Les jours suivants, une multitude de sympathisants se rassemblent devant l'hôpital pour manifester leur soutien. Ils apportent des fleurs, des fruits, de la nourriture et des mots d'encouragement. Le Dr Tin Myo Win, aidé d'infirmières, fait parvenir ces cadeaux au dernier étage où Aung San Suu Kyi récupère. Un jour, il s'adresse à la foule : « Elle m'a demandé à maintes reprises de vous remercier et de vous dire qu'elle est si heureuse de vos cadeaux. » Des diplomates demandent l'autorisation de la visiter. En vain.

Le médecin se dit stupéfait par sa patiente : « En vingt et un ans de chirurgie, je n'ai jamais assisté à une récupération aussi rapide, dit-il[1]. Elle est surtout due à son mental. Je n'ai jamais vu le mental de Daw Aung San Suu Kyi en dessous de 100 % depuis que je l'ai rencontrée en 1988. Il va de soi que chez elle l'esprit contrôle le corps. »

Une semaine plus tard, le médecin donne son accord pour décharger Aung San Suu Kyi de l'hôpital et demande aux infirmières d'ôter les fils de l'opération. La junte la fait ramener chez elle, avenue de l'Université, où elle entame une troisième période d'assignation à résidence.

Les responsabilités du traquenard de Depayin sont finalement bien établies. En faisant organiser l'opération par les bandits de l'USDA, la clique de

---

1. *Democratic Voice of Burma*, 23 septembre 2003.

Than Shwe entendait porter un coup, sinon fatal en tout cas extrêmement rude, au mouvement populaire qui continuait de se développer autour d'Aung San Suu Kyi.

Le projet était-il aussi de tuer Aung San Suu Kyi ?

C'est peu probable. Le risque qu'un tel assassinat ne provoque une réaction populaire difficile à maîtriser était beaucoup trop grand. Sans parler des réactions de la communauté internationale, y compris des États restés fidèles à Rangoon.

Les quelques témoignages rapportant les propos de nervis de l'USDA mettant en garde leurs compagnons, en pleine bastonnade, de ne pas s'en prendre à Aung San Suu Kyi, semblent confirmer l'hypothèse.

Aux yeux des durs, l'objectif est atteint. Aung San Suu Kyi est neutralisée, ses partisans sont à nouveau rejetés dans l'ombre et la peur. Mais pour Khin Nyunt, c'est un terrible revers. Depayin marquera en réalité le crépuscule de sa carrière. Jamais il ne se relèvera de la glissade où ses rivaux l'entraînent depuis des mois et des mois.

En décembre 2003, Aung San Suu Kyi voit à son étonnement le portail de sa maison s'ouvrir sur treize des dix-sept jeunes gardes du corps qui l'accompagnaient à Depayin. Après leur arrestation, ils avaient tous été emmenés, en avion, à la prison de Hkamti, à la frontière de l'État chin, une des régions les plus reculées du pays. « Après de nombreux interrogatoires et avoir été battus pendant deux semaines, témoigne l'un d'eux, nous avons été placés en cellule puis libérés au bout de six mois. »

Ne sachant qu'en faire, les autorités ont décidé de ramener une partie d'entre eux à Rangoon et de les installer chez Aung San Suu Kyi. Les autres sont autorisés à regagner leur famille à Mandalay. Au bout d'un an, jugeant que trop de monde vit sur la propriété d'Aung San Suu Kyi, et reniant ses engagements, le gouvernement lui demande de réduire à six le nombre des jeunes militants. Ulcérée, elle décide de se séparer de tout le monde.

Depuis lors Aung San Suu Kyi vit avec Daw Khin Khin Win et Win Mya Mya. Peu à peu, le nombre de ses visiteurs s'est réduit. À partir de mars 2004, Razali n'a plus été autorisé à la visiter. Seul le docteur Tin Myo Win a le droit une fois par mois en principe, de franchir le portail du 54, avenue de l'Université.

Au début 2004, le PNUD (Programme des Nations unies pour le développement) à Rangoon fait passer à Aung San Suu Kyi un message de son fils aîné Alexander qui lui annonce son intention de demander un visa pour Rangoon. Elle lui fait savoir que ce n'est pas souhaitable. « Moins je serai en contact avec ma famille, moins je serai accusée d'être une étrangère », répond-elle.

Le 19 octobre 2004, Than Shwe et sa clique organisent une purge massive de la junte. Khin Nyunt est arrêté, officiellement pour corruption, comme un vulgaire cambrioleur. Le vaste appareil de renseignements qu'il avait mis des années à élaborer est démantelé. Plusieurs centaines de ses hommes et de ses proches sont emprisonnés et condamnés à de longues peines de prison.

Un des plus fidèles collaborateurs de Khin Nyunt, chargé de l'information au sein de l'appareil des renseignements, le général Thein Shwe, venait de prendre sa retraite peu de temps auparavant, « heureux, avait-il confié, de quitter ce panier de crabes ». Le jour de la purge, des soldats viennent chez lui porteurs de deux messages. Le premier lui signale qu'il est réintégré dans ses fonctions, le second qu'il est arrêté pour corruption. Il écopera de cent quarante et un ans de prison !

Ce nettoyage radical de la junte a-t-il réellement balayé Khin Nyunt par surprise ?

Deux mois auparavant, en marge d'une réunion de l'ASEAN à Kuala Lumpur, il avait confié à Razali qu'il avait « travaillé dur pour obtenir la libération d'Aung San Suu Kyi mais qu'au bout du compte cela n'avait pas été possible à cause des points de vue des "autres gens" ». Il avait toutefois manifesté son « optimisme pour l'avenir » et assuré qu'« Aung San Suu Kyi et la LND seraient impliquées dans les phases ultérieures de la feuille de route ».

Khin Nyunt sera condamné à quarante-quatre ans de prison avec sursis. Il purge sa sentence dans sa demeure de Rangoon, avec sa femme et quelques valets que le régime lui a généreusement laissés.

Dans la plus pure tradition des dictatures, toute référence à l'ancien maître des services de renseignements est oblitérée de la mémoire collective. À la pagode de Rangoon où est installé « le plus grand Bouddha de marbre au monde » (voir chapitre 6), on découvre avec consternation sur des tableaux ornant des frontons que des représentations de Khin Nyunt, aux côtés de Than Shwe et de Maung Aye, ont été sommairement barbouillées de taches de couleur.

Deux des fils de Khin Nyunt ont aussi été condamnés à plusieurs dizaines d'années de prison avec sursis. Comme leur père, ils sont assignés à résidence.

Than Shwe s'est lui retranché pour de bon dans son obsession anti-Aung San Suu Kyi. Le protocole demande expressément aux visiteurs de ne pas citer les quatre syllabes fatidiques de son nom en présence du nouveau roi de Birmanie. Un ambassadeur occidental raconte que, venu présenter ses lettres de créance en 2005, il a eu l'affront de transgresser l'instruction. Than Shwe a quitté le salon sur-le-champ.

Voilà donc, par un de ces coups tordus dont regorge l'histoire de Birmanie, Aung San Suu Kyi et Khin Nyunt partageant tous deux un sort similaire de prisonnier !

L'élimination politique de Khin Nyunt mettra quasiment fin aux négociations qu'il avait engagées et supervisées en personne avec plusieurs ethnies. « Nous ne savons pas dans quelle mesure il était sincère mais au moins avec lui nous discutions avec quelqu'un qui avait du pouvoir. Depuis son élimination, nos seuls interlocuteurs sont des officiers sans pouvoir de négociation, qui sont là pour écouter », se plaint Saw David Taw, porte-parole de la guérilla karen.

Quant à Razali, il se reproche ainsi qu'à la communauté internationale de ne « pas avoir fait suffisamment pour assurer la survie de Khin Nyunt ». Lassé de devoir attendre une hypothétique autorisation de visite, il annonce en janvier 2006 qu'il ne renouvellera pas son contrat d'envoyé spécial des Nations unies en Birmanie. Avec une franchise peu diplomatique, il reconnaît son échec. « J'ai échoué, je pensais pouvoir faciliter le processus de réconciliation nationale et de démocratisation, je n'ai pas réussi, c'est ainsi, cela ne sert à rien de tourner autour du pot. »

Deux ans auparavant, en mars 2004, après de longues consultations avec Razali qui sans le savoir la voyait pour la dernière fois, Aung San Suu Kyi s'était décidée à écrire une lettre à Than Shwe. Elle y avait développé trois points : « Je suis prête à tourner la page, à marcher main dans la main avec vous pour améliorer les conditions de vie de notre peuple et à considérer dans d'éventuels entretiens politiques que la feuille de route est le véhicule approprié. » Une lettre de conciliation et d'espoir. Jamais elle ne recevra de réponse.

21 h 30. Après avoir écouté le programme de la VOA en birman, elle monte dans sa chambre. La pluie s'est enfin arrêtée, mais elle a cédé l'espace à d'autres vibrations. Des ondes régulières, sourdes et lourdes. Comme les battements d'un cœur monstrueux. Ce sont les basses d'un groupe de rock qui joue au BME, une des discothèques branchées de Rangoon, elle aussi sise au bord du lac, à quelques centaines de mètres d'ici. Une autre Birmanie où la jeunesse dorée de la capitale côtoie des expatriés en quête de jeunes prostituées. Une Birmanie si loin de ses rêves.

Le parfait alibi

En 2005, un panneau publicitaire est déployé dans des rues de Rangoon. Il vante une boisson énergétique et montre quatre hommes tirant sur une corde dont l'autre extrémité est maintenue par une femme. Celle-ci reste fermement campée sur ses jambes malgré les mâles efforts. En quelques jours, le message originel de la publicité se dissout dans la moiteur tropicale, remplacé par une interprétation bien peu commerciale. « C'est Aung San Suu Kyi et les généraux... », murmure-t-on. Les panneaux seront rapidement démontés !

En décembre 2006, les autorités ferment les grilles de la pagode Shwedagon à un groupe de femmes de la LND qui chaque mardi venaient prier le Bouddha et faire des offrandes aux moines pour la libération d'Aung San Suu Kyi. Autour du monument sacré, des haut-parleurs diffusent des messages enjoignant les pèlerins à ne pas s'engager dans des activités politiques.

Toujours à Rangoon, un chauffeur de taxi peste en faisant bien malgré lui bondir son véhicule déglingué dans des nids-de-poule. Baragouinant quelques mots d'anglais, il maugrée : « Voilà le travail du gouvernement, très mauvais... » Se retournant et brandissant le pouce gauche, il ajoute : « Aung San Suu Kyi, elle, c'est bien. »

Quelques exemples parmi d'autres...

Aung San Suu Kyi parlait de « tactique du salami » lorsqu'elle évoquait la façon dont la junte avait annihilé les résultats des élections de 1990 en les découpant, une tranche d'arrestations par-ci, une tranche de menaces par-là.

Puisqu'ils ne peuvent l'expulser du pays ou la faire disparaître physiquement sans s'exposer à d'imprévisibles conséquences, les généraux ont entrepris depuis mai 2003, après la diabolique opération de Depayin, de l'isoler et de la banaliser, en recourant à cette même tactique du salami. Il y eut d'abord le retrait plus ou moins forcé des treize jeunes gardes du corps de Depayin qui vivaient sur sa propriété, puis ce fut la suppression du courrier et finalement la fin des visites accordées à une poignée de diplomates. Razali se rendit avenue de l'Université pour la dernière fois en mars 2004. Depuis lors, elle vit coupée du monde avec Daw Khin Khin Win et Mee Ma Ma.

Si les généraux ont atteint leur premier objectif, l'isoler, ils ont beaucoup plus de mal à réaliser le second, la banaliser. L'immense popularité dont elle jouit au sein de la population comme à l'extérieur du pays est une maudite savonnette. Chaque fois qu'ils pensent l'avoir enfin agrippée, elle leur échappe des mains.

Alors, pour tenter de subjuguer les innombrables âmes qui s'obstinent à les défier, pour tenter de pulvériser l'espoir d'une société libre que ces âmes continuent d'entretenir, ils poursuivent l'œuvre de répression et d'intimidation entamée sous Ne Win.

Au début 2007, plus de 1 100 prisonniers politiques croupissaient en prison. La moindre contestation est étouffée. En septembre 2006, un des leaders de l'insurrection de 1988, Min Ko Naing, et plusieurs de ses compagnons rassemblés sous la bannière « Groupe des étudiants Génération 88 », furent arrêtés alors qu'ils s'apprêtaient à célébrer l'anniversaire de la fondation de la LND. Ils furent libérés quatre mois plus tard, en janvier 2007.

Le Parti constitue une cible de choix. En fermant la plupart de ses bureaux, en emprisonnant, intimidant, divisant ou corrompant ses membres, en neutralisant sa secrétaire générale, les généraux ont réduit la LND à une formation fantôme.

Les courageux militants, dont le président U Aung Shwe âgé de près de quatre-vingt-dix ans, qui osent encore afficher publiquement leur fidélité au Parti et se réunir au siège, à quelques centaines de mètres de la maison d'Aung San Suu Kyi, sont sous constante surveillance et font l'objet de tracasseries permanentes.

Le régime resserre chaque fois qu'il le peut son contrôle sur la vie quotidienne. Illustration parmi tant d'autres, chaque maison, en plus de leur nom, doit afficher une photo de ses occupants. Gare à l'intrus. Si l'on veut ne fût-ce que passer une nuit hors de chez soi, il faut le notifier aux autorités locales. Ou payer un pot-de-vin au garde-chiourme du quartier.

Le travail forcé est pratique courante. La population est contrainte de travailler, gratuitement ou pour un salaire de misère, à la construction de routes, de barrages et autres infrastructures. Partout, des hommes sont régulièrement enrôlés de force et envoyés comme porteurs de munitions et de vivres sur le front.

Dans un rapport publié en 2005, le BIT (Bureau international du travail) dénonce la Birmanie, sans détour : ce pays « démontre qu'il est impossible de faire des progrès efficaces contre le travail forcé lorsqu'il règne un climat d'impunité et de répression contre les gens qui dénoncent les abus du travail forcé, [et] en l'absence de toute volonté politique de sévir contre les autorités militaires et locales qui elles-mêmes tirent des avantages économiques des pratiques de travail forcé ».

L'enrôlement de force d'enfants au sein de l'armée est systématique. En 2002, selon un rapport de l'organisation Human Rights Watch, 70 000 des 400 000 soldats de la *tatmadaw* étaient des enfants de moins de quinze ans, dont beaucoup dont beaucoup n'avaient pas plus de onze ans.

Dans des régions habitées par des minorités, l'armée poursuit ou intensifie des campagnes de nettoyage ethnique avec une extrême brutalité qu'elle a l'avantage de pratiquer dans des lieux très peu accessibles, loin du regard international.

Pourtant, les généraux continuent à se gargariser de commentaires surréalistes. Aung San Suu Kyi, prétendent-ils, n'a plus aucune popularité dans le pays. « Les gens ne croient plus en elle ni dans son parti », affirme le général Kyaw Hsann, ministre de l'Information[1]. « S'ils s'accrochent à des politiques erronées et portent préjudice aux

---

1. Al Jazeera, novembre 2006.

intérêts du pays et du peuple, personne ne les acceptera, ni elle ni le Parti. » *Quid* donc des dizaines de milliers de Birmans qui défiaient encore en 2003 les menaces et intimidations de la junte et de l'USDA pour applaudir et écouter Aung San Suu Kyi ? « C'est juste pour voir comment elle est, assure le ministre. Cela ne signifie pas qu'ils la supportent entièrement. »

Pourquoi continuent-ils alors à la maintenir au secret ? De quoi ont-ils peur ? Poser cette question, c'est rappeler une autre interrogation fondamentale qui n'a jamais reçu de réponse satisfaisante : les généraux ont-ils un jour été vraiment disposés à négocier avec elle ? Si oui, en quels termes ?

Chacune des tentatives de dialogue opérées entre Aung San Suu Kyi et la junte depuis 1995 fut étouffée par des généraux toujours prompts à dénoncer l'intransigeance et l'irréalisme des exigences d'Aung San Suu Kyi, exploitant les erreurs ou les maladresses qu'elle a pu commettre.

Quel que soit l'angle d'analyse du dossier birman, la conclusion est immuable : tout au long de ces dernières années, Than Shwe, Maung Aye et les autres durs du régime n'ont jamais été prêts à lâcher une parcelle de pouvoir. S'ils ont permis l'amorce d'un dialogue, c'était d'abord mus par la volonté de gagner du temps et de laisser une porte entrouverte sur cette communauté internationale dont ils se méfient mais au sein de laquelle ils se soucient malgré tout de garder une certaine place. Tout en sachant pouvoir compter sur le soutien quasi inconditionnel de la plupart des pays asiatiques.

Peut-être a-t-on sous-estimé la psyché des généraux, profondément ancrée dans une double obsession machiste et xénophobe. Une femme, éduquée à l'étranger et qui fut, horreur suprême, mariée à un Anglais ! Comment peut-on l'imaginer un jour à la tête de notre pays ?

Leur dérive monarchiste, particulièrement visible chez un Than Shwe convaincu d'incarner un roi bâtisseur, n'est que la pathétique illustration de cette soif de pouvoir absolu.

Cette monarchisation de la junte atteignit un apogée en novembre 2005 lorsque des centaines de camions déménagèrent bureaux et fonctionnaires vers la nouvelle capitale de Naypyidaw, non loin de la ville de Pyinmana, à quelque 350 kilomètres au nord de Rangoon. Une cité nouvelle arrachée à la jungle, à coups de déplacements de populations et avec le concours de travailleurs esclaves. Than Shwe passe désormais le plus clair de son temps dans un palais bunker édifié au voisinage de cette nouvelle capitale dont le nom en birman signifie « La ville où vit le Roi... »

Les raisons de ce déménagement n'ont jamais fait l'objet d'une explication officielle. L'histoire la plus plausible circulant à Rangoon est celle d'un astrologue qui, il y a quelques années, convainquit Than Shwe que sa fin politique surviendrait en 2006 s'il ne quittait pas Rangoon. Aussitôt prédit, aussitôt fait. Restait, selon un rituel compliqué lié au choix des noms birmans, à préciser le lieu. Ce sera Pyinmana... puis Naypyidaw.

La fin officielle de Rangoon comme capitale s'intègre également dans le cadre d'un processus de « myanmarification » de la Birmanie entamé il y a plusieurs années. Après avoir changé le nom du pays et de plusieurs villes, voilà Rangoon – Yangon –, capitale établie par le colonisateur britannique, redevenue cité comme une autre. Enfin, tout à leur paranoïa, les généraux ont sans doute aussi voulu installer leurs centres de commandements stratégiques dans un lieu plus isolé, plus central et mieux protégé que Rangoon.

Than Shwe Ier de Myanmar a donc sa capitale. Mais il n'en reste pas moins un monarque détesté.

Le peuple n'est pas dupe. Il raille le régime à sa manière, par la plaisanterie, et sous le manteau.

Exemples choisis...

Un homme n'a pas de jambe mais il a ses bras, il gravit l'Everest. Un autre n'a pas de bras mais il a ses jambes, il traverse la Tamise. Un troisième a ses jambes et ses bras mais pas sa tête, il dirige la Birmanie.

Aung San Suu Kyi conduit sa voiture sur une petite route de montagne. Elle croise le véhicule de Than Shwe qui redescend. Elle ouvre sa vitre et crie : « Cochons ! » Than Shwe ouvre la sienne et répond : « Femme d'étranger ! » Plus bas, au détour d'un virage, le véhicule de Than Shwe entre en collision avec un groupe de porcs égarés. Moralité, sourient les Birmans, « si Than Shwe avait écouté Aung San Suu Kyi, la Birmanie ne serait pas empêtrée dans les ennuis ».

Lorsque Saddam Hussein fut arrêté par les Américains, les Birmans racontèrent : « Cette fois c'est au tour de "U Argent" (*U Sein* en birman), la prochaine fois ce sera au tour d'"Or" (*Shwe* en birman). »

Mais à l'instar des anciens rois, les généraux birmans ne se soucient guère de popularité. Seule la loyauté des troupes et des civils de l'USDA, organisation amenée à jouer un rôle politique grandissant, leur importe.

Quel avenir préparent-ils à leur pays ?

Le contexte géo-économique veut que la Birmanie se développe. Il n'y a aucune raison que ce pays si riche reste une tache de sous-développement dans une région du globe qui affiche des taux de croissance à deux chiffres.

Comme tout le monde, Aung San Suu Kyi le sait. Mais elle, dès le début de son engagement politique, et en observatrice des dérives matérialistes constatées chez des pays voisins comme la Chine et la Thaïlande, avait posé la question fondamentale de la qualité de ce développement et de la nécessaire adéquation avec une ouverture politique. La réalité ne l'a pas attendue. La voie du développement économique empruntée par la Birmanie est bien celle du libéralisme anarchique, d'un « capitalisme des copains, fondé sur les faveurs de ceux qui ont des relations », comme elle le disait y a quelques années, sans souci aucun pour le coût humain, écologique et culturel. Une voie copiée chaque jour davantage sur les « modèles » chinois ou vietnamien que les généraux imitent même politiquement en promouvant l'USDA comme formation politique unique et de masse, à l'instar des partis communistes.

Aung San Suu Kyi, au lendemain de sa première libération en 1995, avait été choquée de constater l'apparition en quelques années d'une caste de gens très riches alors que, « rien d'autre n'avait vraiment changé ». Depuis lors, cette caste s'est étoffée tout en creusant davantage le gouffre qui la sépare de la majorité de la population. Rangoon à cet égard offre une image symbolique de ce développement à deux vitesses. Les centres commerciaux, cafés Internet, restaurants et discothèques s'y sont multipliés, donnant l'impression d'une capitale en pleine modernisation. Mais en banlieue, là où les agences de tourisme n'emmènent pas leurs visiteurs, loin des parfums d'encens et des reflets d'or de la Shwedagon, survit une masse de gueux dans des quartiers poubelles, des « villes satellites », contraints de s'abreuver d'eau de cuisson de riz car ils sont trop pauvres pour s'offrir la céréale.

Un rapport publié en décembre 2006 par l'International Crisis Group (ICG), « Myanmar, nouvelles menaces sur l'aide humanitaire », recense une série d'indicateurs économiques qui jettent une lumière crue sur la déplorable situation sociale et économique du pays.

Entre 1997 et 2001, la proportion de gens vivant au-dessous du seuil de pauvreté est passée de 23 % à 32 %.

De juillet 2005 à juillet 2006, le prix du riz de basse qualité a augmenté de 50 %, celui de l'huile de cuisson de 55 %.

Plus de 30 % des enfants souffrent de malnutrition.

L'épidémie de sida touche au moins 1,3 % de la population et a tué 37 000 personnes en 2005.

Et cætera, et cætera...

La communauté internationale tente depuis des années d'intervenir sur deux fronts, les sanctions et le dialogue.

Les sanctions à l'encontre des investisseurs, on l'a vu, n'ont guère permis d'atteindre l'objectif souhaité, une évolution démocratique du régime.

Dans le domaine humanitaire, elles sont éminemment sujettes à critique. Le sentiment partagé par plusieurs responsables d'organisations d'aide internationale, dit le rapport de l'ICG, « est que beaucoup des problèmes émergents ont moins à voir avec une hostilité inhérente au gouvernement qu'avec un manque de compréhension ». Ces responsables « sont persuadés que la politisation de l'assistance observée depuis longtemps par les donateurs et les lobbies ont créé de fausses perceptions de leur rôle ». Seul un « engagement ouvert et transparent auprès des autorités compétentes pour expliquer le travail, accroître la perception de son importance et restaurer les relaions personnelles et la confiance » pourra permettre de rétablir la confiance nécessaire.

Quant aux tentatives de dialogue engagées, essentiellement par l'ONU, elles sont restées lettre morte. Le seul émissaire qui pût faire naître l'espoir qu'une négociation allait aboutir, le Malaisien Razali Ismail, échoua dans sa mission, selon ses propres termes, entraîné dans le piège d'un jeu de pouvoir entre factions rivales sur lequel il n'avait aucune prise.

Pour les généraux, la négociation et les prisonniers politiques sont devenus des outils de chantage. La communauté internationale s'impatiente-t-elle face à l'enlisement de la situation ? On propose une médiation, on libère quelques prisonniers. Tout en arrêtant d'autres le lendemain afin de réapprovisionner le réservoir...

Les deux visites en 2006 du Nigérian Ibrahim Gambari, secrétaire général adjoint de l'ONU chargé des Affaires politiques, soulignent une fois de plus l'impuissance de l'organisation à faire plier la junte. Inefficacité d'autant plus scandaleuse que, lors de sa visite en novembre 2006, Gambari tomba dans le panneau des généraux en n'osant même pas prononcer le nom d'Aung San Suu Kyi devant les deux proconsuls Than Shwe et Maung Aye ! Ce sont ces derniers qui lui proposèrent, dans leur immense bonté, le privilège de pouvoir la rencontrer pendant une heure ! La photo qui sortit de cet entretien montre une Aung San Suu Kyi hagarde, vieillie, aux côtés d'un envoyé spécial souriant, comme satisfait d'avoir pu arracher cette visite !

En décembre 2006, l'ancien président tchèque Václav Havel et le prix Nobel de la paix 1984 Desmond Tutu ont confié la réalisation d'un rapport sur la Birmanie à un cabinet international d'avocats. La situation dans ce pays, concluent les deux hommes, « constitue une menace pour la paix, et donc en conséquence autorise une action du Conseil de sécurité » des Nations unies. Mais au début 2007, saisi par les États-Unis, le Conseil de sécurité rejette une proposition de résolution exigeant des réformes démocratiques en Birmanie. La Chine et la Russie, gros partenaires commerciaux et principaux fournisseurs d'armes de la junte, ont utilisé leur droit de veto.

Que peuvent réserver les prochaines années en Birmanie ?

Toute analyse prospective dans ce pays relève souvent de l'addiction nationale : la loterie ! Tentons tout de même quelques hypothèses...

Si l'on s'en tient aux plans de la junte, lancés il y a longtemps et que Khin Nyunt avait recadrés dans sa « feuille de route » peu avant sa déchéance politique, aucune évolution majeure ne devrait se produire avant plusieurs années. Le scénario le plus probable est l'organisation d'un référendum suivi d'élections générales organisées avec l'USDA comme parti principal, si ce n'est unique. Aung San Suu Kyi serait alors libérée et, au mieux, se verrait confier un rôle honorifique dans un nouveau gouvernement.

Un autre scénario envisage une implosion de la junte qui provoquerait l'apparition, sinon d'une démocratie civile, au moins d'une faction militaire plus conciliante et prête à organiser une transition douce. Mais les précédents ne sont guère encourageants. Chaque fois que le régime a subi des séismes internes, sous Ne Win dans les années 1970, avec le SLORC en 1988 ou lors de l'élimination de Khin Nyunt en 2004, ce fut au profit d'un pouvoir renforcé et davantage isolé.

Une anecdote que d'aucuns interprètent comme un signe de fissure au sein de la junte a suscité beaucoup de commentaires en 2006. En juillet de cette année, le roi Than Shwe Ier a marié sa fille cadette lors d'une cérémonie qui aurait coûté quelque 300 000 dollars. Mais c'est surtout le montant des cadeaux, 50 millions de dollars en diamants, voitures et propriétés qui a fait jaser à Rangoon ! L'équivalent grosso modo d'un an de salaire de toute l'armée birmane... Quelques semaines plus tard, des images vidéo du mariage, montrant la jeune épouse coiffée de la couronne de diamants, ont circulé sur Internet. Nul ne connaît l'origine de la fuite mais plusieurs officiers de haut rang auraient manifesté leur profonde désapprobation à l'égard de cet étalage impudique.

Certains observateurs, dont plusieurs anciens hauts responsables du régime, redoutent une transition violente. Dans un pays qui a la violence à fleur de peau, l'hypothèse n'est pas à négliger. Il suffit d'un incident – comme en leur temps le rapatriement dans l'anonymat du corps de U Thant en 1974 ou l'assassinat d'un étudiant en 1988 – pour que les démons de la brutalité tapis au cœur d'une population soumise à des années de frustration soudain se libèrent sans retenue.

Certains cercles à Rangoon se plaisent à développer l'idée d'une « troisième force ». Comme tout le monde, disent-ils, nous ne supportons pas les généraux mais Aung San Suu Kyi a galvaudé ses chances, alors oublions-la et travaillons main dans la main avec les déçus de la LND et les « modérés » de la junte. Le concept reste fumeux et repose sur quelques Arlésiennes favorites de la rumeur birmane, comme un « remplaçant » d'Aung San Suu Kyi à la tête d'un mouvement civil et des « modérés » au sein de la junte.

Les partisans de cette « troisième voie », tout en tordant le cou aux faits sans vergogne, ont développé un surprenant discours. « Si la Birmanie s'est enfoncée dans un tel marasme, disent-ils, c'est à cause d'Aung San Suu Kyi ! C'est elle, avec ses appels aux sanctions économiques, qui a empêché les investisseurs occidentaux de venir développer notre pays. Elle qui par ses prises de position intransigeantes envers les généraux, les a dressés et radicalisés. » Bref, voilà Aung San Suu Kyi transformée en parfait alibi pour toutes les turpitudes, les crimes et les incompétences de la junte… Inconvénient majeur à ce raisonnement, la plupart des thuriféraires de cette « troisième voie » sont des gens qui ont développé de prospères affaires. Et donc des complicités souvent étendues avec ces généraux que l'on prétend honnir !

Reste bien sûr, au catalogue de l'avenir birman, la relance d'un dialogue avec Aung San Suu Kyi. Il est à craindre que cette perspective reste un vœu pieux aussi longtemps que Than Shwe, tout à la haine pathologique qu'il a nourrie à l'égard d'Aung San Suu Kyi, sera au pouvoir.

Un successeur du vieux général se montrerait-il plus conciliant ? Nul ne le sait. D'autant que les héritiers désignés ou pressentis aujourd'hui sont rarement ceux de demain. L'histoire de la Birmanie est jonchée des cadavres de généraux qui d'un jour à l'autre tombèrent d'un statut de favori à celui de paria. On dit que Maung Aye, pourtant un des dirigeants les plus durs, éprouve une certaine sympathie pour Aung San Suu Kyi et qu'il lui réserve un rôle à sa mesure, comme un poste ministériel, s'il est amené un jour à prendre les rênes du pays. On murmure aussi des noms comme celui du général Thura Shwe Mann, numéro 3 du régime, qui se serait toujours gardé de commentaires désobligeants sur Aung San Suu Kyi…

La seule certitude en Birmanie est… l'imprévu ! Personne n'avait clairement pronostiqué la chute de Khin Nyunt en 2004 ou l'instauration d'une nouvelle capitale en 2005. Bien des événements – une crise sanitaire, une catastrophe naturelle, la mort d'un dirigeant du régime ou de l'opposition – peuvent à tout moment faire vaciller, s'écrouler ou… renforcer le régime.

ÉPILOGUE

Le 22 septembre 2007, pour la première fois en quatre ans, franchit son portail à visage découvert et non derrière les vitres teintées d'un véhicule gouvernemental. Une photo, prise de loin avec un téléphone cellulaire, la montre vêtue d'une blouse jaune et d'un longyi gris, saluant sous la pluie un groupe de moines. « Elle pleurait », témoigne l'un d'eux. Des policiers casqués et équipés de boucliers s'interposent entre elle et les moines. L'apparition inopinée d' ne durera que quelques instants mais elle nourrira un espoir, nouveau et gigantesque, qui est en train de balayer les rues de Rangoon et d'autres cités birmanes.

Un mois auparavant, le 15 août, la junte, par une de ces décisions aussi abruptes qu'ineptes dont elle a le secret, décide d'augmenter le prix des carburants, il est vrai subventionné depuis des années au-delà de toute rationalité économique. Du jour au lendemain, voici l'essence, le diesel, le gaz deux à cinq fois plus cher !

Très vite, des manifestations, organisées entre autres par la LND et le Groupe des étudiants Génération 88, rassemblent plusieurs centaines de personnes à Rangoon. Intimidations, tabassages, arrestations, les autorités répliquent comme elles l'ont toujours fait, par la répression.

Mais, début septembre, des moines entrent en scène et joignent leur robe pourpre au mécontentement civil. À Pakokku, petite ville au sud-ouest de Mandalay, réputée pour ses instituts d'enseignement bouddhiste, de violents incidents opposent l'armée à plusieurs centaines de moines protestataires.

Un groupe de bonzes répondant au nom de « All Burma Monks Alliance » (Alliance de tous les moines de Birmanie) fait publier des tracts sans ambiguïté qualifiant la junte « d'ennemi commun de tous les citoyens ». Les disciples du Bouddha vont plus loin en exigeant de la junte des excuses pour ses mauvais traitements à l'encontre de coreligionnaires, une réduction des prix des carburants, la libération des prisonniers politiques et l'ouverture d'un dialogue avec l'opposition et les minorités ethniques.

Les moines menacent, si le gouvernement ne répond pas à ces revendications avant le 17 septembre, de recourir au « bol retourné » (cf. page 132) et donc de refuser les offrandes des membres des forces de sécurité et de leur famille. Au jour dit, pas de réponse. Le 18 septembre, plusieurs centaines de moines défilent, en psalmodiant des chants d'amour et de compassion, dans les rues de Rangoon lessivées par une mousson impitoyable. Les jours suivants, des milliers d'autres les rejoignent, applaudis d'abord timidement puis avec une ferveur grandissante par des passants et des riverains. Dès le 24 septembre, ce sont des centaines de milliers de Birmans qui se massent tout au long du cortège de moines.

L'espoir est à la mesure de l'événement, immense. Depuis 1988 et l'insurrection manquée, la Birmanie n'a plus connu de tels rassemblements spontanés. Le peuple crie sa haine de la junte. « Démocratie, démocratie »… Ce mot qui peut vous envoyer en prison pour de longues années se répand à travers les principales villes du pays. Des gens osent exhiber des tee-shirts à l'effigie d' et des portraits de son père.

Le peuple est euphorique, comme si, déjà, il était libéré, comme si le cauchemar de quarante-cinq ans de dictature était terminé. Il a tort.

Le 27 septembre, les militaires anéantissent l'espoir à coups de fusil et de bâton. Bilan officiel : quinze morts dont un journaliste japonais. « Au moins deux cents morts », selon des organisations des droits de l'homme. Les moines sont pourchassés comme du gibier, jusqu'au cœur de leur monastère. Des milliers d'entre eux sont arrêtés, défroqués, humiliés, torturés. Plusieurs sont tués.

Le peuple est dégoûté. Il sait par les télévisions et les radios étrangères, par un voisin ou un parent, ce que les soldats, « ses » soldats, ont fait subir aux moines. Il prie pour que, dans une vie ultérieure, les militaires coupables de ces sacrilèges renaissent sous la forme de cafards.

Le monde s'émeut. Les Nations unies renvoient en Birmanie l'émissaire spécial Gambari. Il y retrouve. Elle lui demande de lire un message de conciliation envers la junte. « Dans l'intérêt de la nation, je me tiens prête à coopérer avec le gouvernement pour faire aboutir avec succès ce processus de dialogue. »

Elle reprend le contenu de la lettre (cf. page 314) qu'elle avait envoyée en 2004 à Than Shwe où elle affirmait sa volonté de se joindre au « plan de route ». Than Shwe n'avait jamais pris la peine de lui répondre. Cette fois, il nomme un « ministre de liaison » entre elle et le gouvernement et l'autorise à rencontrer des cadres de la LND.

Mais passé ces quelques signes de conciliation, destinés à amadouer la communauté internationale, la junte se radicalise à nouveau. La presse relance ses diatribes à l'encontre d'. Les généraux renvoient le représentant en Birmanie des Nations unies, coupable d'avoir dénoncé leur incurie économique, et réaffirment leur volonté de s'en tenir au « plan de route » et à ses hypothétiques échéances.

Comme si, jamais, des centaines de milliers de moines et de citoyens birmans n'avaient, pendant quelques jours et sans violence, hurlé leur désir de goûter enfin à la liberté.

ANNEXES

BRÈVE CHRONOLOGIE

1824-1886 : la Grande-Bretagne annexe la Birmanie au sein de son empire des Indes à la suite de trois guerres anglo-birmanes.

Années 1930 : naissance d'un mouvement de jeunes nationalistes dont Aung San deviendra le leader.

1942-1945 : l'armée japonaise occupe la Birmanie avec l'appui de la nouvelle armée birmane fondée par Aung San.

19 juin 1945 : naissance d'Aung San Suu Kyi.

1945 : Aung San se retourne contre les Japonais qu'il défait avec l'aide des alliés.

1947 : Aung San négocie l'indépendance de la Birmanie avec le gouvernement britannique.

19 juillet 1947 : assassinat d'Aung San.

4 janvier 1948 : indépendance de la Birmanie.

16 janvier 1953 : décès par noyade d'Aung San Lin, à huit ans, un des deux frères d'Aung San Suu Kyi.

1960 : Aung San Suu Kyi quitte la Birmanie avec sa mère nommée ambassadrice en Inde.

2 mars 1962 : coup d'État par le général Ne Win et instauration de « la Voix birmane vers le socialisme » avec un parti unique.

1964 : Aung San Suu Kyi fait des études à Oxford puis travaille à New York aux Nations unies.

1er janvier 1972 : mariage d'Aung San Suu Kyi et de Michael Aris.

12 avril 1973 : naissance d'Alexander.

24 septembre 1977 : naissance de Kim.

Septembre 1987 : démonétisation de plusieurs billets de banque sans compensation, qui provoque la ruine de millions de gens et les premières manifestations anti-gouvernementales.

13 mars 1988 : un étudiant, Maung Phone Maw, est tué lors d'un incident avec la police. Cet incident est considéré comme le principal déclencheur de l'insurrection qui va suivre.

Avril 1988 : Aung San Suu Kyi, appelée au chevet de sa mère gravement malade, revient à Rangoon.

23 juillet 1988 : le dictateur Ne Win démissionne mais continue de régner en coulisses.

8 août 1988 : massacre de plusieurs milliers de manifestants.

26 août 1988 : Aung San Suu Kyi prononce un discours devant plusieurs centaines de milliers de personnes à la pagode Shwedagon.

18 septembre 1988 : coup d'État interne, une nouvelle junte, le SLORC, prend le pouvoir et promet des élections démocratiques.

19 septembre 1988 : massacre de plusieurs centaines de manifestants.

24 septembre 1988 : création de la Ligue nationale pour la démocratie (LND), le parti d'Aung San Suu Kyi.

27 décembre 1988 : décès de la mère d'Aung San Suu Kyi, les funérailles sont suivies par une foule considérable.

Début 1989 : Aung San Suu Kyi se lance dans une longue tournée électorale.

Du 20 juillet 1989 au 19 juillet 1995 : première période d'assignation à résidence. La junte arrête également plusieurs centaines de ses sympathisants.

27 mai 1990 : élections générales remportées (82 % des sièges) par l'opposition.

14 octobre 1991 : Aung San Suu Kyi lauréate du prix Nobel de la paix.

10 juillet 1995 : libération d'Aung San Suu Kyi après six ans d'assignation à résidence.

27 mars 1999 : décès de Michael Aris à Oxford.

Du 21 septembre 2000 au 6 mai 2002 : deuxième période d'assignation à résidence. À sa libération, elle reprend ses tournées en province.

5 décembre 2002 : décès de Ne Win dans l'anonymat.

31 mai 2003 : embuscade contre le convoi et les sympathisants d'Aung San Suu Kyi près de Depayin, dans le Nord. Nombreuses victimes. Début de sa troisième période de détention.

Juin 2003 : Aung San Suu Kyi est transférée à la prison d'Insein puis dans un centre de détention de l'armée.

17 octobre 2003 : Aung San Suu Kyi subit une importante opération chirurgicale et est ramenée chez elle où elle poursuit sa troisième période d'assignation à résidence.

19 octobre 2004 : le général Khin Nyunt est évincé du pouvoir au cours d'une purge au sein de la junte.

Décembre 2005 : déménagement du gouvernement et de la junte dans la nouvelle capitale de Naypyidaw.

20 mai 2006 : un émissaire des Nations unies rencontre brièvement Aung San Suu Kyi dont la détention est prolongée d'un an.

11 novembre 2006 : le même émissaire est autorisé à voir brièvement Aung San Suu Kyi.

BRÈVE BIBLIOGRAPHIE

En français

Aung San Suu Kyi, *La Voix du défi*, conversations avec Alan Clements, Stock, 1996.
— *Se libérer de la peur*, Des Femmes, Antoinette Fouque, 1991.
— *Letters from Burma*, Penguin Books, publié en 1997.

En anglais

Burma at the Turn of the XXIst Century, édité par Monique Skidmore, University of Hawaii Press, 2005.
Gustaaf Houtman, *Mental Culture in Burmese Crisis Politics*, Institute for the Study of Languages and Cultures of Asia and Africa, Tokyo University of Foreign Studies, 1999.
Irrawaddy Magazine. Mensuel basé à Chiang Mai (Thaïlande), une des meilleures sources d'information sur la Birmanie. www.irrawaddy.org
Bertil Lintner, *Outrage*, Review Publishing Company Limited, 1989.
Angelene Naw, *Aung San and the Struggle for Burmese Independence*, Silworm Books, 2001.
Kin Oung, *Who Killed Aung San*, White Lotus, 1993.

BRÈVES BIOGRAPHIES

ALEXANDER ARIS : né en 1973. Titulaire d'un diplôme de mathématiques, il vit aux États-Unis. Marié sans enfant.

KIM ARIS : né en 1977. Il vit en Angleterre où il travaille comme charpentier. A deux enfants, un garçon et une fille.

MICHAEL ARIS : né en 1946. Après cinq ans passés au Bhoutan comme tuteur de la famille royale, il s'installe avec Aung San Suu Kyi qu'il a épousée le 1er janvier 1972, à Oxford où il se lance dans un doctorat. Titulaire de nombreuses fonctions académiques, il s'impose comme un des meilleurs spécialistes du monde himalayen et en particulier du bouddhisme tibétain. Il publie et dirige de nombreuses publications. Il meurt d'un cancer le 27 mars 1999, le jour de ses cinquante-trois ans.

AUNG SAN : né en 1915, il s'impose dans les années 1930 comme leader d'un mouvement d'étudiants opposés au colonialisme britannique. Il forme le groupe des « Trente Camarades » et crée la première armée birmane avec laquelle il combat les Anglais pendant la Deuxième Guerre mondiale aux côtés des Japonais. Se sentant trahis, Aung San et les siens se retournent contre les Japonais et aident les Alliés à les vaincre. En janvier 1947, il signe avec le gouvernement britannique l'Accord Aung San-Attlee qui donne l'indépendance à la Birmanie. Il est assassiné par un rival le 19 juillet 1947.

AUNG SAN LIN : né en 1944, second fils d'Aung San. Mourut noyé dans le petit étang familial en 1953 à l'âge de huit ans.

Aung San Oo : né en 1943, fils aîné d'Aung San. Ne fut jamais intéressé par la politique. Étudia en Angleterre puis partit vivre et travailler comme ingénieur aux États-Unis dont il obtint la citoyenneté.

Daw Khin Kyi : née en 1912, rencontre Aung San alors qu'elle travaille comme infirmière à l'Hôpital général de Rangoon. Elle épouse Aung San en 1942 avec qui elle aura trois enfants. Après l'indépendance de la Birmanie et devenue veuve, elle s'engage dans la politique et des œuvres sociales. En 1960, elle part pour l'Inde où elle devient la première femme birmane ambassadrice. Revient en Birmanie en 1967 où elle mène une vise paisible de retraitée. Meurt en décembre 1988.

Razali Ismail : né en 1939, ce diplomate malaisien fut représentant de la Malaisie aux Nations unies pendant dix ans. En 2000, il est nommé envoyé spécial des Nations unies en Birmanie par le secrétaire général Kofi Annan. Ne renouvelle pas son contrat en 2006 lorsqu'il réalise qu'il n'a plus aucune marge de manœuvre.

Khin Nyunt : né en 1939, il est considéré comme un « enfant naturel » du dictateur Ne Win. En 1988, alors qu'il dirige les puissants et redoutés services de renseignements, il devient l'un des principaux leaders du SLORC. Il conclut une série d'accords de cessez-le-feu, la plupart controversés, avec des minorités ethniques. Il semble être un des rares, sinon le seul officier de son rang à avoir compris la nécessité d'un dialogue avec Aung San Suu Kyi. En octobre 2004, il est la principale victime d'une vaste purge opérée au sein de la junte par le général Than Shwe et sa clique, préoccupés par son influence et ses ambitions grandissantes. Il est condamné à quarante-quatre ans de prison avec sursis qu'il purge dans sa maison de Rangoon.

MAUNG AYE : né en 1940, c'est un pur soldat et à ce titre bénéficie d'une réelle popularité au sein de l'armée. Rival du général Khin Nyunt, il devient commandant de l'armée et numéro deux du régime.

MIN KO NAING (le Conquérant des rois) : né en 1962, de son vrai nom Paw Oo Tun, considéré comme le leader estudiantin emblématique de l'insurrection de 1988. Alors qu'il avait pris le parti de rester en Birmanie et d'entrer dans la clandestinité, il fut arrêté en 1989 et passa quinze ans en prison. De nouveau arrêté, avec plusieurs collègues, en septembre 2006 lors d'une réunion du Groupe des étudiants de la génération 1988 (88 Generation Students Group), un rassemblement d'anciens étudiants de l'insurrection de 1988. Lui et ses compagnons sont relâchés en janvier 2007.

NE WIN : né en 1911, membre du groupe des Trente Camarades, devient commandant en chef de l'armée après l'indépendance. Le 2 mars 1960, prend le pouvoir lors d'un coup d'État. Forme un système à parti unique et enferme le pays dans une obscure « Voix birmane vers le socialisme ». Sous son règne, la Birmanie devient un des pays les plus fermés et les plus pauvres au monde. Démissionne en 1988 lors d'une insurrection populaire mais continue en réalité de contrôler la situation. En mars 2002, sa famille est condamnée à de lourdes peines pour corruption, lui-même est assigné à résidence. Il meurt dans l'anonymat le 5 décembre 2002.

SEIN WIN : né en 1944, cousin germain d'Aung San Suu Kyi. Docteur en mathématiques. Il est élu en 1990 lors des élections largement remportées par l'opposition. Il quitte la Birmanie en décembre 1990 pour gagner la frontière thaïe où il fonde avec d'autres élus en exil le NCGUB (National Coalition Government of the Union of Burma – Gouvernement national de coalition de l'Union de Birmanie). Il devient le Premier ministre de ce gouvernement et plus tard gagne les États-Unis où il réside.

THAN SHWE : né en 1933, il gravit les échelons de la hiérarchie militaire pour se retrouver en 1992 à la tête du SLORC, la junte qui prit le pouvoir en 1988. Depuis lors, il n'a cessé de consolider son pouvoir en éliminant ses adversaires. En proie à une dérive monarchiste largement influencée par une cohorte d'astrologues, il est le principal initiateur du déménagement en 2005 de la capitale birmane à Naypyidaw, au centre du pays, qui signifie « le lieu où réside le Roi ». Il a développé au cours des années un antagonisme personnel extrême à l'égard d'Aung San Suu Kyi.

U KYI MAUNG : né en 1919, il participa comme étudiant au mouvement anticolonialiste et joignit la première armée birmane d'Aung San pendant la Deuxième Guerre mondiale. Devenu colonel au sein de l'armée après l'indépendance, il manifesta son désaccord à la prise de pouvoir par Ne Win en 1962 et fut contraint de quitter l'armée en 1963. Son opposition lui valut plusieurs années de prison. En 1989, devint un des cofondateurs de la LND. Fut l'un des principaux artisans de la victoire écrasante du Parti aux élections de 1990, ce qui lui valut un nouvel emprisonnement. En 1997, pour des motifs peu clairs, il se fâche avec Aung San Suu Kyi. Il meurt en 2004 à l'âge de quatre-vingt-cinq ans.

U TIN OO : né en 1927. Chef d'état-major et ministre de la défense sous le dictateur Ne Win, il est accusé en 1976 de tentative de coup d'État et emprisonné. Relâché en 1980, il est un des premiers anciens officiers de haut rang à rejoindre Aung San Suu Kyi et le mouvement d'opposition en 1988. Devient vice-président de la Ligue nationale pour la démocratie. Depuis 2003, il vit assigné à résidence.

LEXIQUE

CHEROOT : cigare traditionnel fait de tabac et de copeaux de bois parfumé.

CHINLONE : jeu traditionnel birman, sorte de volley-ball joué en cercle et uniquement avec les pieds et la tête.

GAUNGBAUNG : turban traditionnel porté par les hommes

KALAR PYU : « Indien » blanc, terme péjoratif et xénophobe.

KAUKSWE : soupe de poisson que l'on mange avec du vermicelle du riz, assaisonnée de divers ingrédients comme de l'ail, des oignons, du poivre ou du gingembre.

KYAT : unité monétaire birmane.

LONGYI : tissu enroulé autour de la taille, porté jusqu'aux chevilles par les femmes et les hommes.

MANTRA : formule de prière et de chant bouddhiste.

MOHINGA : nouilles de riz au poisson le plus souvent mangées au petit déjeuner.

PINNI : chemise de coton sans col. Le pinni aux tons de pêche est porté par de nombreux membres de la Ligue nationale pour la démocratie.

SAYADAW : moine en chef d'un monastère bouddhiste

SOUTRA : écritures ou livre comprenant la doctrine bouddhiste.

TATMADAW : nom de l'armée birmane.

THANAKA : poudre de maquillage traditionnel fabriquée à partir de la racine de l'arbre éponyme.

THANGYAT : forme de comédie satirique qui mélange poèmes, musique et danse.

SIGLES PRINCIPAUX

ASEAN : Association of South-East Asian Nations (Association des Nations d'Asie du Sud-Est).

LIGUE NATIONALE pour la DÉMOCRATIE (LND) : parti politique fondé notamment par Aung San Suu Kyi en 1989.

SLORC : State Law and Order Restoration Council (Conseil d'État pour la restauration de la loi et de l'ordre), nom de la junte birmane entre 1988 et 1997.

SPDC : State Peace and Development Council (Conseil d'État pour la paix et le développement), nom de la junte depuis 1997.

Remerciements

De nombreuses personnes qui connurent ou côtoyèrent Aung San Suu Kyi à des titres divers ont accepté d'ouvrir pour moi leur livre de souvenirs, souvent avec émotion. Je ne les remercierai jamais assez pour leur confiance. J'espère ne pas l'avoir trahie.

Plusieurs de ces intervenants ont pris le risque de me rencontrer et de me parler lors de voyages en Birmanie. Dans un pays où l'on bâillonne avec une extrême brutalité les voix dissidentes, il s'agit d'actes de courage.

Pour d'évidentes raisons de sécurité, la plupart de mes interlocuteurs ont demandé que leur anonymat soit respecté. D'autres m'ont autorisé à publier leur nom.

Je tiens à adresser des remerciements particuliers à U Ye Htoon, il sait pourquoi.

À tous ceux qui m'ont fait confiance et apporté leur témoignage, merci encore, ce livre est aussi le vôtre.

8642

Composition IGS
Achevé d'imprimer en France (La Flèche)
par Brodard et Taupin
le 11 mars 2008. 46320
Dépôt légal mars 2008. EAN 978-2-290-00644-3

Éditions J'ai lu
87, quai Panhard-et-Levassor, 75013 Paris

Diffusion France et étranger : Flammarion